JN323186

The Most Important Groups of English Synonyms

発信型英語 類語使い分けマップ

植田一三 [編著] ● Ueda ichizo
長谷川幸男・Michy里中 [著]

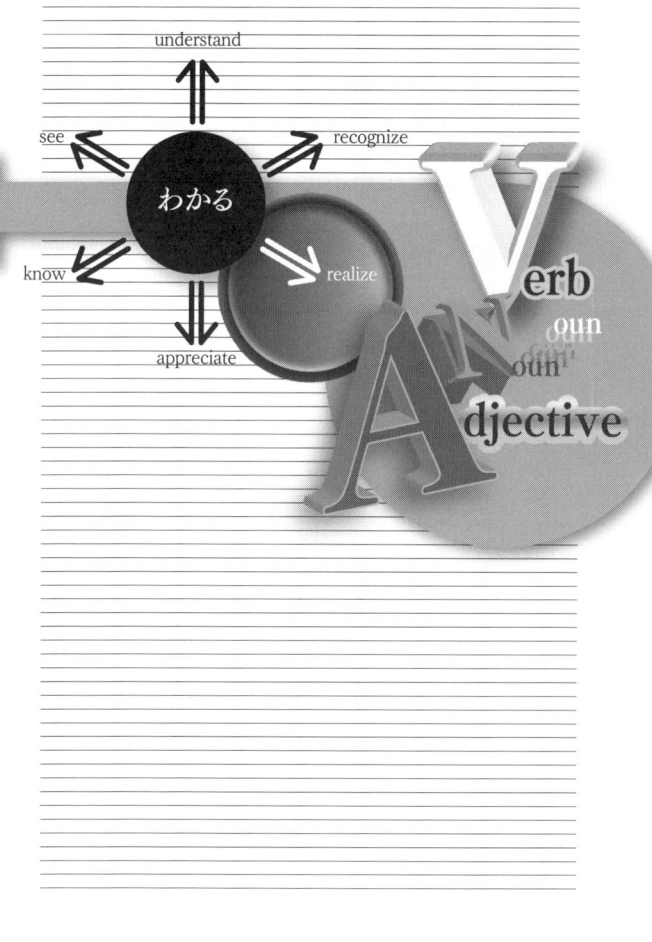

understand
see　recognize
わかる
know　realize
appreciate

Verb
Noun
Noun
Adjective

ベレ出版

プロローグ

　皆さんお元気ですか、Ichay Uedaです。英語の勉強はいかがですか、進んでいますか？　今回は、英検1級語彙に引き続き、主に中学・高校で習うような基本語の類語の使い分けの本を書きました。

　私は、英検1級講座を31年、通訳案内士講座を15年、工業英検1級講座を13年以上教えていますが、日本人のライティング、スピーキングで極めてシリアスな問題の1つが、中学・高校で習うような4千語までの基本的な英単語の使い方が、非常に多く間違っているということです。また、say, speak, tell, talkのような中学校で習うような単語でさえ、正しく使い分けることができていないということです。

　これはおそらく、英単語を英文のInputや英英辞典の説明を通して語感を養いながら覚えるのではなく、英和辞典や単語帳などで、英単語をその日本語訳を通して覚えてきたことの弊害だと思われます。和訳で覚えようとすると、たとえばadmitもrecognizeもacknowledgeも「認める」と同じになってしまって使い分けができなくなったりします。

　この傾向が、中学高校に始まり、英検準1級はおろか1級やTOEIC高得点突破や通訳案内士対策勉強まで続いている人も多く、資格3冠や5冠（英検1級・TOEIC980点・通訳案内士・国連英検特A・工業英検1級合格）の上級者でさえもそういったミスが多く見られるといったのが現状です。というのも、中学高校でそういった基本語の基礎力を身につけないまま、高度の英語の資格検定試験の対策勉強の中で、ハイレベルな語彙を覚えようと躍起になりがちなので、英語の学習で最も重要な「基礎力」UPがおろそかになってしまうからです。

　これに対して、最近よく教えるようになった英語圏での生活10年以上のいわゆる「帰国生」やネイティブの子供（例えばシンガポール生まれ、在住16年間の日本人高校生）などは、認識語彙力は弱く、英検1級の1番で出題されるような語彙や句動詞は知らないものが非常に多いのですが、10年以上にわたる英語圏における英語のInputを通して自然に身につけた使用頻度の高い基本・重要5千語水準までの語彙や基本句動詞は適確に使いこなしたりします。

　こういった現状の中、本書は、英語を母国語にしない、英検2級（TOEIC500点）レベルの人から、英語の全資格保持者・欧米の一流大学・大学院長期留学者

にまでためになる、最も大切な「英語の基礎力養成」のためのボキャブラリービルディングの決定版です。本書の構成は、まず、英語を発信する上で極めて頻度の高い最重要類語グループを選んで、ランク順に特集をはさみながら記すことによって学習効率を UP させています。次に、各ランクは日本人学習者にとって重要な、使い分けの難しいと思われる類語クイズにチャレンジすることによって、英単語基礎力をチェックできるようになっています。そしてその解説を読んでいただいた後、その記憶保持を高めるために、「類語のマップ」と「類語使い分けのコーパス表」を記しました。さらに、紙面の都合で詳しくは解説できなかった、使い分けの重要な類語グループを特集でカバーしました。

　最後に、本書の制作に多大な努力をしてくれたアクエアリーズスタッフの長谷川幸男氏（動詞・名詞担当）、Michy 里中氏（形容詞担当）、八田直美氏（動詞担当）、上田敏子氏（全体構成企画・校正担当）、田中秀樹氏（全体校正担当）、それから何よりも本書を appreciate してくださった読者の皆さんにはこの上ない感謝の意を表したいと思います。それでは皆さん、明日に向かって「英悟の道」を

　Let's enjoy the process!（陽は必ず昇る）。

2015年　2月
植田一三（Ichay Ueda）

CONTENTS・発信型英語　類語使い分けマップ

プロローグ　3

Chapter 1 ｜ 動　詞

ランク1　「わかる」系動詞の使い分けをマスター！　20
　《これが使い分けの決め手！》日本語の「わかる」と英語の **understand** の違いを知ることが使い分けの第一歩！　20
　● 一目でカンタン理解！「わかる」系動詞の使い分け **MAP!**　22
　●「わかる」を意味する語のコロケーションを **Check!**　23
　● さらにワンランク **UP!**「わかる」を表す重要表現をマスター！　24

ランク2　「思う」系動詞の使い分けをマスター！　25
　《これが使い分けの決め手！》**think** と「思う」の違いを知ることが使い分けの第一歩！　25
　● 一目でカンタン理解！「思う」系動詞の使い分け **MAP!**　27
　● さらにワンランク **UP!**「思う」を表す重要表現をマスター！　28

ランク3　「する・行う」系動詞の使い分けをマスター！　29
　《これが使い分けの決め手！》**do** と「する」の違いを知ることが使い分けの第一歩！　29
　● 一目でカンタン理解！「する・行う」系動詞の使い分け **MAP!**　32
　●「する・行う」を意味する語のコロケーションを **Check!**　33
　● さらにワンランク **UP!**「する・行う」を表す重要表現をマスター！　33
　　これもマスター：「成し遂げる」系動詞の使い分け　34

ランク4　「なる」系動詞の使い分けをマスター！　35
　《これが使い分けの決め手！》**become** だけでなく **get, grow, come, go, fall, turn** などさまざまな「なる」の類語の使い分けをマスター！　35
　● 一目でカンタン理解！「なる」系動詞の使い分け **MAP!**　38
　●「なる」を意味する語のコロケーションを **Check!**　39
　　これもマスター：「始める・終える」系動詞の使い分け　40

5

ランク5 「得る」系動詞の使い分けをマスター！ 41
《これが使い分けの決め手！》**get** だけでなく、**gain**, **earn**, **acquire**, **obtain** などさまざまな「得る」の使い分けをマスター！ 41
- 一目でカンタン理解！「得る」系動詞の使い分け **MAP**! 44
- 「得る」を意味する語のコロケーションを **Check**! 44
- さらにワンランク **UP**!「得る」を表す重要表現をマスター！ 45
  これもマスター：「集める」系動詞の使い分け 45

ランク6 「与える」系動詞の使い分けをマスター！ 46
《これが使い分けの決め手！》必ずしも **give** ＝「与える」でないことを知ることが基本！ 46
- 一目でカンタン理解！「与える」系動詞の使い分け **MAP**! 49
- 「与える」を意味する語のコロケーションを **Check**! 49
- さらにワンランク **UP**!「与える」を表す重要表現をマスター！ 50
  これもマスター：「捨てる」系動詞の使い分け 51

ランク7 「言う・話す」系動詞の使い分けをマスター！ 52
《これが使い分けの決め手！》**say, speak, tell, talk** の使い分けができることが重要！ 52
- 一目でカンタン理解！「言う・話す」系動詞の使い分け **MAP**! 55
- 「言う・話す」を意味する語のコロケーションを **Check**! 56
- さらにワンランク **UP**!「言う・話す」を表す重要表現をマスター！ 56

ランク8 「良くする」系動詞の使い分けをマスター！ 59
《これが使い分けの決め手！》**improve, develop, enhance** の使い分けを知ることが重要！ 59
- 一目でカンタン理解！「良くする」系動詞の使い分け **MAP**! 61
- 「良くする」を意味する語のコロケーションを **Check**! 62
- さらにワンランク **UP**!「良くする」を表す重要表現をマスター！ 63

ランク9 「害する」系動詞の使い分けをマスター！ 64
《これが使い分けの決め手！》**injure, hurt, damage** の使い分けができるようになることが基本中の基本！ 64
- 一目でカンタン理解！「害する」系動詞の使い分け **MAP**! 66
- 「害する」を意味する語のコロケーションを **Check**! 67
- さらにワンランク **UP**!「害する」を表す重要表現をマスター！ 67
  これもマスター：「叩く」系動詞の使い分け 68

ランク10　「大きくする」系動詞の使い分けをマスター！　69
《これが使い分けの決め手！》**increase, extend, expand, enlarge** の使い分けをマスター！　69
- 一目でカンタン理解！「大きくする」系動詞の使い分け **MAP!**　71
- 「大きくする」を意味する語のコロケーションを **Check!**　71
- さらにワンランク **UP!**「大きくする」を表す重要表現をマスター！　72

ランク11　「小さくする」系動詞の使い分けをマスター！　73
《これが使い分けの決め手！》**lower, decrease, reduce** の使い分けが基本！　73
- 一目でカンタン理解！「小さくする」系動詞の使い分け **MAP!**　75
- 「小さくする」を意味する語のコロケーションを **Check!**　75
- さらにワンランク **UP!**「小さくする」を表す重要表現をマスター！　76

これもマスター：「減少する」系動詞の使い分け　77

ランク12　「起こる・起こす」系動詞の使い分けをマスター！　78
《これが使い分けの決め手！》**happen, occur, break out, take place** の使い分けが基本！　78
- 一目でカンタン理解！「起こる」系動詞の使い分け **MAP!**　80
- 「起こる」を意味する語のコロケーションを **Check!**　81
- さらにワンランク **UP!**「起こる・起こす」を表す重要表現をマスター！　82

これもマスター：「現れる」系動詞の使い分け　83

ランク13　「つくる」系動詞の使い分けをマスター！　84
《これが使い分けの決め手！》**make, build, create** の使い分けをマスター！　84
- 一目でカンタン理解！「つくる」系動詞の使い分け **MAP!**　86
- 「つくる」を意味する語のコロケーションを **Check!**　87
- さらにワンランク **UP!**「つくる」を表す重要表現をマスター！　87

これもマスター：「料理する」系動詞の使い分け　88

ランク14　「壊す」系動詞の使い分けをマスター！　89
《これが使い分けの決め手！》**break** だけでなく、**destroy, demolish, ruin** などさまざまな「壊す」の類語の使い分けをマスター！　89
- 一目でカンタン理解！「壊す」系動詞の使い分け **MAP!**　92
- 「壊す」を意味する語のコロケーションを **Check!**　93
- さらにワンランク **UP!**「壊す」を表す重要表現をマスター！　94

これもマスター：「殺す」系動詞の使い分け　95

ランク15　「あう」系動詞の使い分けをマスター！　96
　《これが使い分けの決め手！》meet, fit, match の使い分けをマスター！　96
　・一目でカンタン理解！「あう」系動詞の使い分け **MAP**!　99
　・「あう」を意味する語のコロケーションを **Check**!　99
　これもマスター：「避ける」系動詞の使い分け　100

ランク16　「教える」系動詞の使い分けをマスター！　101
　《これが使い分けの決め手！》teach だけでなく、tell, show, instruct, educate などさまざまな「教える」の類語の使い分けをマスター！　101
　・一目でカンタン理解！「教える」系動詞の使い分け **MAP**!　104
　・「教える」を意味する語のコロケーションを **Check**!　104
　・さらにワンランク **UP**!「教える」を表す重要表現をマスター！　105

ランク17　「扱う」系動詞の使い分けをマスター！　107
　《これが使い分けの決め手！》treat, handle, manage の使い分けが基本！　107
　・一目でカンタン理解！「扱う」系動詞の使い分け **MAP**!　109
　・「扱う」を意味する語のコロケーションを **Check**!　109
　・さらにワンランク **UP**!「扱う」を表す重要表現をマスター！　110

ランク18　「調べる」系動詞の使い分けをマスター！　112
　《これが使い分けの決め手！》check, examine, study, investigate などさまざまな「調べる」の類語の使い分けをマスター！　112
　・一目でカンタン理解！「調べる」系動詞の使い分け **MAP**!　115
　・「調べる」を意味する語のコロケーションを **Check**!　115
　・さらにワンランク **UP**!「調べる」を表す重要表現をマスター！　116

ランク19　「認める」系動詞の使い分けをマスター！　117
　《これが使い分けの決め手！》admit, recognize, acknowledge の使い分けをマスター！　117
　・一目でカンタン理解！「認める」系動詞の使い分け **MAP**!　119
　・「認める」を意味する語のコロケーションを **Check**!　120

ランク20　「要求する」系動詞の使い分けをマスター！　121
　《これが使い分けの決め手！》claim, require, request の使い分けが基

本！　121
- 一目でカンタン理解！「要求する」系動詞の使い分け **MAP!**　123
- 「要求する」を意味する語のコロケーションを **Check!**　124
- さらにワンランク **UP!**「要求する」を表す重要表現をマスター！　125

ランク21　「変える・変わる」系動詞の使い分けをマスター！　126
《これが使い分けの決め手！》**change** だけでなく、さまざまな「変える」の類語の使い分けが重要！　126
- 一目でカンタン理解！「変える・変わる」系動詞の使い分け **MAP!**　129
- 「変える」を意味する語のコロケーションを **Check!**　130
- さらにワンランク **UP!**「変える・変わる」を表す重要表現をマスター！　131

ランク22　「わける」系動詞の使い分けをマスター！　132
《これが使い分けの決め手！》**divide, separate, share** の使い分けをマスター！　132
- 一目でカンタン理解！「わける」系動詞の使い分け **MAP!**　134
- さらにワンランク **UP!**「わける」を表す重要表現をマスター！　134

ランク23　「妨げる」系動詞の使い分けをマスター！　136
《これが使い分けの決め手！》**prevent, disturb, block** の使い分けが基本！　136
- 一目でカンタン理解！「妨げる」系動詞の使い分け **MAP!**　138
- 「妨げる」を意味する語のコロケーションを **Check!**　139
- さらにワンランク **UP!**「妨げる」を表す重要表現をマスター！　140

ランク24　「含む」系動詞の使い分けをマスター！　141
《これが使い分けの決め手！》**include, contain, involve** の使い分けが基本！　141
- 一目でカンタン理解！「含む」系動詞の使い分け **MAP!**　143
- 「含む」を意味する語のコロケーションを **Check!**　143

ランク25　「許す」系動詞の使い分けをマスター！　144
《これが使い分けの決め手！》**allow, permit, forgive** の使い分けが基本！　144
- 一目でカンタン理解！「許す」系動詞の使い分け **MAP!**　146
- さらにワンランク **UP!**「許す」を表す重要表現をマスター！　147

これもマスター：「禁止する」系動詞の使い分け 148

ランク26 「守る」系動詞の使い分けをマスター！ 149
《これが使い分けの決め手！》protect, defend, preserve, conserve の使い分けをマスター！ 149
- 一目でカンタン理解！「守る」系動詞の使い分け MAP! 152
- 「守る」を意味する語のコロケーションを Check! 153
- さらにワンランク UP!「守る」を表す重要表現をマスター！ 154
これもマスター：「助ける」系動詞の使い分け 155

ランク27 「なおす」系動詞の使い分けをマスター！ 156
《これが使い分けの決め手！》repair, correct, cure, heal の使い分けが基本！ 156
- 一目でカンタン理解！「なおす」系動詞の使い分け MAP! 158
- 「なおす」を意味する語のコロケーションを Check! 159

ランク28 「貸し借りする」系動詞の使い分けをマスター！ 160
《これが使い分けの決め手！》borrow, use, rent の使い分けが基本中の基本！ 160
- 一目でカンタン理解！「貸し借りする」系動詞の使い分け MAP! 162

ランク29 「見る」系動詞の使い分けをマスター！ 163
《これが使い分けの決め手！》watch, look at, see, view の使い分けをマスター！ 163
- 一目でカンタン理解！「見る」系動詞の使い分け MAP! 165
- 「見る」を意味する語のコロケーションを Check! 166
- さらにワンランク UP!「見る」を表す重要表現をマスター！ 167
これもマスター：「聞く」系動詞の使い分け 168

ランク30 「驚かす」系動詞の使い分けをマスター！ 169
《これが使い分けの決め手！》surprise だけでなく、alarm, shock, amaze などさまざまな「驚かす」の類語の使い分けが重要！ 169
- 一目でカンタン理解！「驚かす」系動詞の使い分け MAP! 171
- さらにワンランク UP!「驚かす」を表す重要表現をマスター！ 172

ランク31 「盗む・奪う」系動詞の使い分けをマスター！ 173
《これが使い分けの決め手！》steal, rob, deprive の使い分けをマスター！ 173

- 一目でカンタン理解！「盗む・奪う」系動詞の使い分け **MAP!** 175
- さらにワンランク **UP!** 「盗む・奪う」を表す重要表現をマスター！ 176

Chapter 2 | 形容詞

ランク1 「すばらしい」の使い分けをマスター！ 178
《これが使い分けの決め手！》「魅了」系と「卓越」系の類語の使い分けが重要！ 178
- 一目でカンタン理解！「すばらしい」系形容詞の使い分け **MAP!** 180
- 「すばらしい」を意味する語のコロケーションを **Check!** 181
- さらにワンランク **UP!** 「すばらしい」を表す重要表現をマスター！ 181

ランク2 「重大な（重要な）」の使い分けをマスター！ 183
《これが使い分けの決め手！》良い意味と悪い意味の「重大な」の類語の使い分けが基本中の基本！ 183
- 一目でカンタン理解！「重大な（重要な）」系形容詞の使い分け **MAP!** 185
- 「重大な」を意味する語のコロケーションを **Check!** 185

ランク3 「大きい」の使い分けをマスター！ 186
《これが使い分けの決め手！》まずは **big** と **large** の違いと、大きさの度合いによる類語の使い分けが重要！ 186
- 一目でカンタン理解！「大きい」系形容詞の使い分け **MAP!** 188
- 「大きい」を意味する語のコロケーションを **Check!** 189
- さらにワンランク **UP!** 「大きい」を表す重要表現をマスター！ 189

ランク4 「速い」の使い分けをマスター！ 191
《これが使い分けの決め手！》まずは **quick, fast, rash** の使い分けが第一歩！ 191
- 一目でカンタン理解！「速い」系形容詞の使い分け **MAP!** 193
- 「速い」を意味する語のコロケーションを **Check!** 194
- これもマスター！ 形容詞の重要類語グループ① 195
- これもマスター！ 形容詞の重要類語グループ② 196

ランク5 「非常に悪い」の使い分けをマスター！ 197
《これが使い分けの決め手！》「極悪」「残酷」「不正」の類語の使い分けを知ることが重要！ 197
- 一目でカンタン理解！「非常に悪い」系形容詞の使い分け **MAP!** 199
- 「非常に悪い」を意味する語のコロケーションを **Check!** 200
- さらにワンランク **UP!** 「非常に悪い」を表す重要表現をマスター！ 201

ランク6 「厳しい」の使い分けをマスター！ 202
《これが使い分けの決め手！》まずは **strict, severe, harsh** の使い分けが基本！ 202
- 一目でカンタン理解！「厳しい」系形容詞の使い分け **MAP!** 204
- 「厳しい」を意味する語のコロケーションを **Check!** 205

ランク7 「正しい」の使い分けをマスター！ 206
《これが使い分けの決め手！》まずは **right** と **correct** の使い分けを知ることが基本中の基本！ 206
- 一目でカンタン理解！「正しい」系形容詞の使い分け **MAP!** 208
- 「正しい」を意味する語のコロケーションを **Check!** 209
- これもマスター！ 形容詞の重要類語グループ③ 210
- これもマスター！ 形容詞の重要類語グループ④ 211

ランク8 「固い」の使い分けをマスター！ 212
《これが使い分けの決め手！》**hard** と **tough** の使い分け、**stiff** と **firm** の使い分けを知ることが基本中の基本！ 212
- 一目でカンタン理解！「固い」系形容詞の使い分け **MAP!** 214
- 「固い」を意味する語のコロケーションを **Check!** 214
- これもマスター！ 形容詞の重要類語グループ⑤ 215
- これもマスター！ 形容詞の重要類語グループ⑥ 216

ランク9 「優しい」の使い分けをマスター！ 217
《これが使い分けの決め手！》日本語の「やさしい」に相当するさまざまな形容詞の使い分けをマスター！ 217
- 一目でカンタン理解！「優しい」系形容詞の使い分け **MAP!** 219
- 「優しい」を意味する語のコロケーションを **Check!** 220

- ランク10　「激しい」の使い分けをマスター！　221
  《これが使い分けの決め手！》「怒り」「痛み」「戦い」などを修飾するさまざまな類語の使い分けをマスター！　221
  - 一目でカンタン理解！「激しい」系形容詞の使い分け **MAP!**　223
  - 「激しい」を意味する語のコロケーションを **Check!**　224
  - これもマスター！　形容詞の重要類語グループ⑦　225
  - これもマスター！　形容詞の重要類語グループ⑧　226

- ランク11　「いっぱいの」の使い分けをマスター！　227
  《これが使い分けの決め手！》**rich, full, filled** の使い分けが基本！　227
  - 一目でカンタン理解！「いっぱいの」系形容詞の使い分け **MAP!**　229
  - 「いっぱいの」を意味する語のコロケーションを **Check!**　229
  - さらにワンランク **UP!**「いっぱいの」を表す重要表現をマスター！　230

- ランク12　「明確な」の使い分けをマスター！　231
  《これが使い分けの決め手！》**clear, obvious, apparent** の使い分けが基本！　231
  - 一目でカンタン理解！「明確な」系形容詞の使い分け **MAP!**　233
  - 「明確な」を意味する語のコロケーションを **Check!**　234

- ランク13　「賢い」の使い分けをマスター！　235
  《これが使い分けの決め手！》「頭の回転が速い」「分別のある」「抜け目のない」の類語の使い分けが基本！　235
  - 一目でカンタン理解！「賢い」系形容詞の使い分け **MAP!**　237
  - 「賢い」を意味する語のコロケーションを **Check!**　238

- ランク14　「夢中な」の使い分けをマスター！　239
  《これが使い分けの決め手！》前置詞が変わるさまざまな「夢中な」を表す類語の使い分けが重要！　239
  - 一目でカンタン理解！「夢中な」系形容詞の使い分け **MAP!**　241
  - 「夢中な」を意味する語のコロケーションを **Check!**　241

- ランク15　「不明確な」の使い分けをマスター！　242
  《これが使い分けの決め手！》まずは **vague, obscure, dim** の使い分けをマスター！　242
  - 一目でカンタン理解！「不明確な・わかりにくい」系形容詞の使い分け

MAP!　244
- 「不明確な」を意味する語のコロケーションを Check!　245

ランク16　「変わった・変な」の使い分けをマスター！　246
《これが使い分けの決め手！》ネガティブとポジティブの「変わった」の類語の使い分けをマスター！　246
- 一目でカンタン理解！「変わった・変な」系形容詞の使い分け MAP!　248
- 「変わった・変な」を意味する語のコロケーションを Check!　249

ランク17　「大変な・疲れる」の使い分けをマスター！　250
《これが使い分けの決め手！》hard, difficult, tough の使い分けが基本！　250
- 一目でカンタン理解！「大変な・疲れる」系形容詞の使い分け MAP!　252
- 「大変な・疲れる」を意味する語のコロケーションを Check!　252

ランク18　「ばかげた」の使い分けをマスター！　253
《これが使い分けの決め手！》stupid, silly, dumb の使い分けが重要！　253
- 一目でカンタン理解！「ばかげた」系形容詞の使い分け MAP!　254
- 「ばかげた」を意味する語のコロケーションを Check!　255
- これもマスター！ 形容詞の重要類語グループ⑨　256
- 使い分けに注意が必要な形容詞グループ　257
- 英語の方が用法が多くて便利な形容詞グループ　257

Chapter 3　名　詞

ランク1　「お金」系名詞の使い分けをマスター！　260
《これが使い分けの決め手！》expense, cost, fee, charge の使い分けが基本！　260
- 一目でカンタン理解！「お金」系形容詞の使い分け MAP!　262
- 「お金」を意味する語のコロケーションを Check!　263
- これもマスター：「問題」系名詞の使い分け　264

ランク2 「仕事」系名詞の使い分けをマスター！ 265
《これが使い分けの決め手！》**work, job, career** の使い分けが基本中の基本！ 265
- 一目でカンタン理解！「仕事」系名詞の使い分け **MAP!** 267
- 「仕事」を意味する語のコロケーションを **Check!** 268

ランク3 「道具」系名詞の使い分けをマスター！ 269
《これが使い分けの決め手！》**tool, utensil, instrument, apparatus** など、さまざまな「道具」の類語の使い分けをマスター！ 269
- 一目でカンタン理解！「道具」系名詞の使い分け **MAP!** 271
- 「道具」を意味する語のコロケーションを **Check!** 272

ランク4 「お客さん」系名詞の使い分けをマスター！ 273
《これが使い分けの決め手！》**customer, client, guest, visitor** の使い分けが基本！ 273
- 一目でカンタン理解！「お客さん」系名詞の使い分け **MAP!** 275
- 「お客さん」を意味する語のコロケーションを **Check!** 276
- これもマスター：「集まり」系名詞の使い分け 277

ランク5 「道」系名詞の使い分けをマスター！ 278
《これが使い分けの決め手！》**street, lane, trail, track, aisle** など、さまざまな「道」の類語の使い分けが非常に重要！ 278
- 一目でカンタン理解！「道」系名詞の使い分け **MAP!** 280
- 「道」を意味する語のコロケーションを **Check!** 281
- これもマスター：「手段・方法」系名詞の使い分け 282

ランク6 「約束」系名詞の使い分けをマスター！ 283
《これが使い分けの決め手！》**promise, appointment, reservation, engagement** の使い分けが基本！ 283
- 一目でカンタン理解！「約束」系形容詞の使い分け **MAP!** 285
- 「約束」を意味する語のコロケーションを **Check!** 286
- これもマスター：「選択」系名詞の使い分け 287

ランク7 「旅行」系名詞の使い分けをマスター！ 288
《これが使い分けの決め手！》**trip, travel, tour, journey, voyage** など、さまざまな「旅行」の類語の使い分けをマスター！ 288
- 一目でカンタン理解！「旅行」系名詞の使い分け **MAP!** 291

- •「旅行」を意味する語のコロケーションを **Check!** 292
- これもマスター:「ゴミ」系名詞の使い分け 292

ランク8 「エリア・領域」系名詞の使い分けをマスター！ 293
《これが使い分けの決め手！》**region, district, zone, field, sphere** など、さまざまな「エリア」の類語の使い分けが非常に重要！ 293
- •一目でカンタン理解！「エリア・領域」系名詞の使い分け **MAP!** 295
- •「エリア・領域」を意味する語のコロケーションを **Check!** 296
- これもマスター:「国」系名詞の使い分け 297

ランク9 「結果・影響」系名詞の使い分けをマスター！ 298
《これが使い分けの決め手！》**effect, impact, influence, implication** の使い分けをマスター！ 298
- •一目でカンタン理解！「結果・影響」系名詞の使い分け **MAP!** 301
- •「結果・影響」を意味する語のコロケーションを **Check!** 302
- これもマスター:「出来事」系名詞の使い分け 303

ランク10 「力」系名詞の使い分けをマスター！ 304
《これが使い分けの決め手！》**power, force, strength** の使い分けが基本中の基本！ 304
- •一目でカンタン理解！「力」系名詞の使い分け **MAP!** 306
- •「力」を意味する語のコロケーションを **Check!** 307
- これもマスター:「戦い」系名詞の使い分け 308

ランク11 「能力・才能」系名詞の使い分けをマスター！ 309
《これが使い分けの決め手！》**ability, capability, capacity** の使い分けが重要！ 309
- •一目でカンタン理解！「能力・才能」系名詞の使い分け **MAP!** 312
- •「能力・才能」を意味する語のコロケーションを **Check!** 313

ランク12 「考え」系名詞の使い分けをマスター！ 314
《これが使い分けの決め手！》**idea, opinion, thought, view, concept, notion** などさまざまな類語の使い分けをマスター！ 314
- •一目でカンタン理解！「考え」系名詞の使い分け **MAP!** 316
- •「考え」を意味する語のコロケーションを **Check!** 317
- これもマスター:「事例」系名詞の使い分け 318

ランク13 「特徴・性格」系名詞の使い分けをマスター！ 319
《これが使い分けの決め手！》**personality, character, characteristic, property** の使い分けが基本！ 319
- 一目でカンタン理解！「特徴・性格」系名詞の使い分け **MAP!** 321
- 「特徴・性格」を意味する語のコロケーションを **Check!** 322

ランク14 「心・感情」系名詞の使い分けをマスター！ 323
《これが使い分けの決め手！》**mind, heart, feeling, emotion, spirit** の使い分けが基本！ 323
- 一目でカンタン理解！「心・感情」系名詞の使い分け **MAP!** 326
- 「心・感情」を意味する語のコロケーションを **Check!** 327
- これもマスター：「過ち」系名詞の使い分け 328

ランク15 「状況・環境」系名詞の使い分けをマスター！ 329
《これが使い分けの決め手！》**situation, circumstance, condition, environment** の使い分けが基本！ 329
- 一目でカンタン理解！「状況・環境」系名詞の使い分け **MAP!** 332
- 「状況・環境」を意味する語のコロケーションを **Check!** 333

Chapter 1
動　詞

ランク1 「わかる」系動詞の使い分けをマスター！

> これが使い分けの決め手！　日本語の「わかる」と英語の understand の違いを知ることが使い分けの第一歩！

Q：次の日本語を英語で言ってください。
① 広島を初めて訪れて、平和の大切さがはっきりとわかった。
② 彼の顔はすぐにわかったが、名前は思い出せなかった。
③ 彼女はクラシック音楽がわかる年齢だ。

[appreciate / recognize / realize]

解　答

① When I visited Hiroshima, I keenly **realized** the importance of peace.
② I **recognized** his face at once, but I couldn't remember his name.
③ She is old enough to **appreciate** classical music.

使い分けのポイント

　「わかる」を表す英語は状況によってさまざまですが、まず思い浮かぶのは、**understand** や **know** でしょう。**understand** は、**You don't understand!**（僕の気持ちをわかってくれない、状況がわかっていない）のように、「状況・人の気持ち・物事の意味・仕組み・理由などを理解する、了解する」という意味です。「理解する、了解する」という意味では、日本語の「わかる」と英語の "**understand**" はほぼ同じですが、日本語の「わかる」は、「分かれる⇒他とはっきりと区別できる⇒理解できる」と変化したので、「区別できる」「見つけ

る」「判断できる」などの意味も含まれますが、英語の "understand" にはそのような意味はありません。したがって、**You can never tell when a disaster happens.**（災害はいつ起こるかわからない）とは言えますが、You can never understand when a disaster happens. とは言えません。これに対して **know** は、**I knew it!**（やっぱりそうか）、**I don't know what you mean.**（おっしゃることがわかりません）のように、「経験や知識からある事実や状況を知っている、わかる」という意味です。

　本問①は、「今まであやふやであったものが、現実のものとしてリアルにはっきりわかる」というニュアンスを出したい場合に使う **realize** がぴったりです！

　本問②は、「以前に知っていたものだとわかる」場合に用いる **recognize** が最適です。**re**（再び）＋**cognize**（知る）というつくりから、物事や出来事を「再確認する」感じが出て、「ああ、知ってる、聞いたことある、見たことある！」という場合に使えます。さらに「物事の存在や事実を認める」へと意味が広がり、「認識する」という用法があります。

　本問③は、「クラシック音楽がわかる」のように、良いものを鑑賞するといったニュアンスを出したい場合に用いる **appreciate** がぴったりです。**ap**（〜に）＋**preciate**（価格をつける）というつくりから、「ものごとの価値や良さを正しく理解する・評価する」という感じが出せるのです。

　「わかる」はこれらの語だけですべてを表現できないので、ライティングやスピーキングの際には、「『何を』どうわかるのか」によって単語を使い分けていくことが大切です。

　例えば、**tell** は「きっぱりと断言する⇒違いがわかる、区別できる」という意味から、**Can you tell me the difference?**（違いがわかりますか）のように使い、**see** は口語的で「自然に物事の本質・原因がスーッと見えてくる」感じから、**Can't you see he's taking advantage of you?**（彼に利用されているのがわからないの？）のように使い、**get** は、まさに口語で「話のポイントや状況・理由などをすぐにつかむ」という意味で、**I don't get it.**（腑に落ちないな）のように使います。また、**follow** は「（話などに）ついて行く」から「相手の話や説明がわかる」という意味になり、**Sorry, I don't follow you.**（すみません、おっしゃっていることがわかりません）のように使い、**catch** は「動いているものを捕まえる」から、**I didn't catch your name.**（あなたの名前が聞き取れませんでした）のように使います。さらに、**find** と **figure** は **out** とセットで使って、**find out** は「（会

話・経験などから）〜だとわかる・明らかになる」という意味から、**You'll find out.**（そのうちわかるさ）のように使い、**figure out** は「考えて答えや解決策を見つけ出す」という意味から、**I can't figure out how to solve the problem.**（その問題をどう解決したらよいかわからない）のように使えます。

一目でカンタン理解！「わかる」系動詞の使い分けMAP！

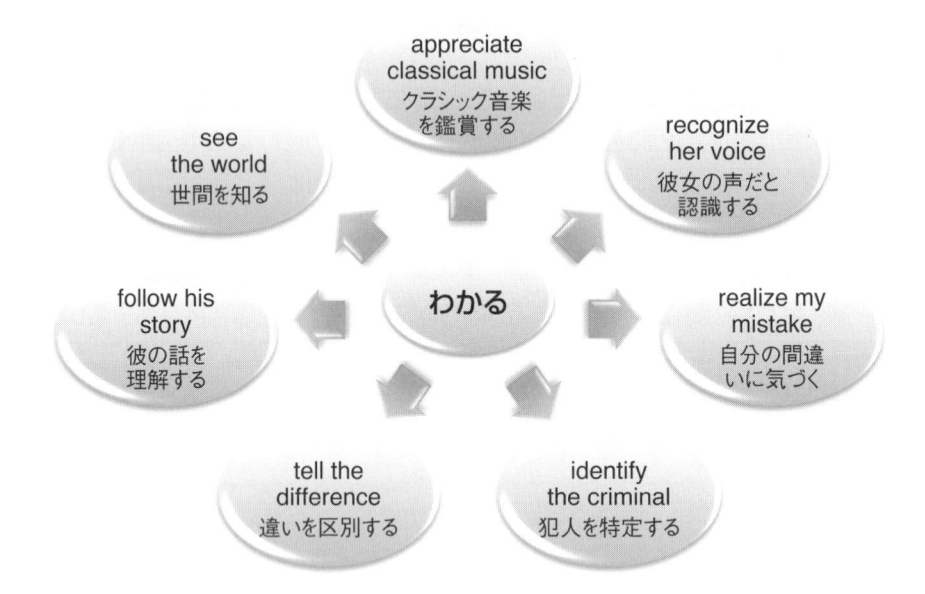

わかる

- see the world 世間を知る
- appreciate classical music クラシック音楽を鑑賞する
- recognize her voice 彼女の声だと認識する
- realize my mistake 自分の間違いに気づく
- identify the criminal 犯人を特定する
- tell the difference 違いを区別する
- follow his story 彼の話を理解する

「わかる」を意味する語のコロケーションを Check!

	the fact	the meaning	his feelings	the music	the mistake
understand	〇	◎	〇	◎	△
realize	◎	◎	〇	×	◎
recognize	◎	◎	◎	△	△
appreciate	◎	〇	〇	◎	×
identify	△	◎	◎	△	〇

☞ ◎は使用頻度が圧倒的に高いもの、〇は使用頻度が高いもの、△はあまり使われないもの、×はほとんど使われないものを示しますが、たとえば「音楽がわかる」の場合、**appreciate**＞**understand**＞**recognize**＞**identify**［**the music**］の順に使われますが、**realize** the music はほとんど使われません。

appreciate the painting　　recognize him

さらにワンランク UP! 「わかる」を表す重要表現をマスター!

- **notice**　感覚器官を用いて存在に気づく
  ☞これを堅くしたのが **perceive** であるが、「微妙なものに気づく、何かに対して何らかの見方をする」の意味まであり、奥が深い!
  I **noticed** the change in her hairstyle.
  (彼女の髪型の変化に気づきました)
- **identify**　本物・本人であることがわかる、確認する
  Can you **identify** the woman by her picture?
  (写真の女性が誰だかわかりますか)
- **grasp**　複雑な意味・状況・コツなどをしっかり把握するという意味で comprehend に似ている
  You haven't **grasped** the situation [meaning] yet.
  (まだ状況[意味]が把握できていないようだね)
- **comprehend**　堅い語で、複雑な事柄やことの重要性を完全に理解する
  It is currently impossible to **comprehend** the extent of the damage.
  (被害の程度をつかむことは現時点では不可能だ)
- **make sense of ～**　～の意味がわかる、～は理にかなうと納得する
  I cannot **make sense of** what he says.
  (彼の言っていることは合点がいかない)
  ☞またこの表現は、物事を主語にして That **makes sense**.(それで納得)、It doesn't **make sense** to me.(それは変だよ)のように頻繁に用いられる。

ランク2 「思う」系動詞の使い分けをマスター!

> これが使い分けの決め手!
>
> **think** と「思う」の違いを知ることが使い分けの第一歩!

Q：次の日本語を英語で言ってください。

① 試合に勝つなんて思っていなかったので、夢ではないかと思うよ。
② 最初、彼は誠実な人だとは思えなかったが、今では親友だと思うようになった。
③ 彼女は今自分が思っていることをはっきり表現するのは難しいと思っている。

[doubt / expect / find / have / think / wonder]

解答

① I didn't **expect** to win the game, so I **wonder** if it is only a dream.
② I **doubted** he was honest at first, but now I have come to **think of** him **as** a close friend.
③ She **finds** it difficult to express clearly what she **has** in her mind.

使い分けのポイント

「思う」と言えば、一般的には **think** が代表選手ですが、日本語の「思う」はどちらかと言えば、that をつけないで口語的に用いられる **suppose**（～ではないかと推定する、想像する）に近いといえます。**think** は英英辞典によると、"to have an opinion or belief about something, to use your mind to solve problems, decide something, etc." と定義されており、ただ漫然と思いを巡ら

せたり、feel（フィーリングで考える）という感じではなく、「しっかりした意見を持ったり、根拠のある推論をしたり、問題解決や意思決定のために頭を働かせる」という知的生産活動をも意味しています。それゆえ、たとえばお店やレストランなどで I think I'll have this one.（これをいただこうかしら）のように I think と付け加えることによって「～しようかしら」と語気緩和する場合を除いて、I think ... と言った後は、because ... と理由を聞かれなくても続けて述べるのがナチュラルに感じられるくらいです。よく緊急事態などに "Think." と独り言を言ったりして窮地を乗り越える打開策を考える状況がありますが、こうしたところに think の本質を垣間見ることができるでしょう。

　これに対して日本語の「思う」は状況に応じてさまざまな意味の広がりがあり、think, believe, feel, expect などの意味があります。believe は、「直感的に思う、信条として持つ」の意味があり、He strongly believes that he is right.（彼は自分が絶対正しいと思っている）のように使います。この他、日本語の「思う」には、I wonder if this medicine works.（この薬は効くのかしら）のように「～かしらと思う（wonder）」、I find the movie very entertaining.（この映画はとても面白いと思う）のように「体験して感じる（find）」、I expect him to come soon.（彼はすぐに来ると思う）のように「予期する、期待する（expect）」、I suspect she is a criminal.（彼女が犯人だと思う）のように「～であると疑う（suspect）」、I doubt he is a doctor.（彼は医者ではないと思う）のように「～を疑う、～ではないと思う（doubt）」、I hope she will make it.（彼女に成功してほしいと思う）のように「良いことが起こればいいなと思う（hope）」、I'm afraid the project will fail.（計画は失敗すると思うよ）のように「悪いことが起こりそうだと思う（be afraid）」、I took it for granted that he would come.（彼が来るのを当然だと思った）、Don't take it so seriously.（そんなに真剣に考えないで）のように「とらえる（take）」など、実にさまざまな意味があるので使い分けが重要です。

　本問①の場合には、「試合に勝つとは思わなかった」は「勝つことを期待していなかった」というニュアンスの expect が用いられ、「夢ではないかと思う」は「夢ではないかしらと不思議に思う」というニュアンスで wonder がぴったりです。

　本問②の場合には、「誠実な人だとは思えなかった」は「誠実な人であることを疑っていた」というニュアンスで doubt が用いられ、「親友だと思うようになった」は「親友だとみなす」というニュアンスで think of A as B がぴったりです。

他にも「A を B とみなす」は、see A as B ＞ consider A (to be) B ＞ look upon A as B ＞ regard A as B ＞ view A as B の順によく使われます。

　本問③の場合には「〜することは難しいと思っている」は「（経験によって）〜することは難しいと感じている、気づいている」というニュアンスで find がぴったりで、「今自分が思っていること」は「自分の心に抱いているもの」というニュアンスで what she has in mind と表現できます。

　他にも「思う」系動詞としては、I can imagine him laughing to himself.（彼は心の中で笑っていると思う）のように「想像して〜だと思う（imagine）」、Guess what?（何だと思う？）のように「根拠なくたぶん〜だと思う（guess）」、That's what I figured.（やっぱりそんなことだと思った）や She's exactly the way I pictured her.（彼女は思った通りの人だ）のように「心の中に具体的に思い描く（figure や picture）」のような使い方もあります。「思う」系動詞は、どれも自分や相手の「考えや気持ち」を伝える重要な表現ですからしっかりマスターしたいですね！

一目でカンタン理解！　「思う」系動詞の使い分け MAP！

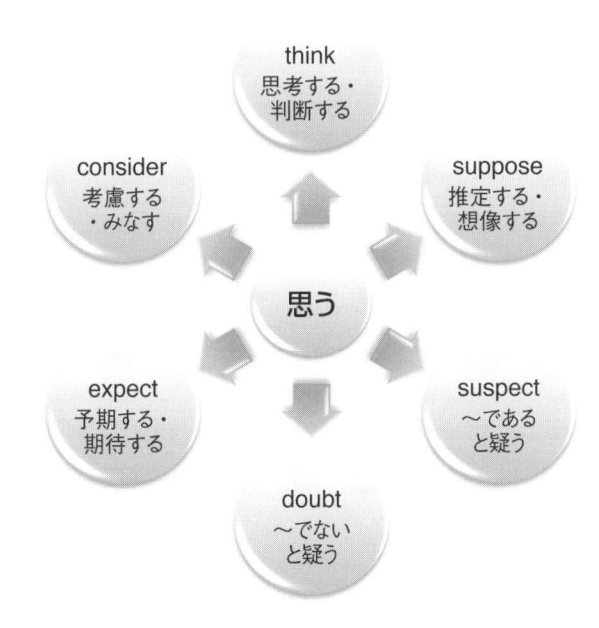

- think　思考する・判断する
- suppose　推定する・想像する
- consider　考慮する・みなす
- expect　予期する・期待する
- suspect　〜であると疑う
- doubt　〜でないと疑う

思う

> さらにワンランク UP!　「思う」を表す重要表現をマスター!

- **assume**　確固たる証拠もないのに本当だと思い込む
  We mustn't **assume** that the suspect is guilty.
  (その容疑者が有罪だと思い込んではいけない)
- **presume**　7〜8割の可能性でそうだと思う
  ☞**assume** と違って、確からしい証拠があるため真実だと考える
  From the way they talked I **presumed** them to be sisters.
  (話しぶりから、彼女たちは姉妹だろうと思った)
- **conceive**　新しい考えやプランを思いつき、頭の中であれこれ思い描く
  conceive an idea [a project]
  (ある考え [計画] を思い描く)
- **anticipate**　喜びまたは不安を感じながら何かが起こることを信じる
  ☞感情が加わる点が、単に予期する **expect** との違い
  I **anticipate** receiving a letter from her.
  (彼女から手紙をもらうのを期待している)
- **contemplate**　これから起こりそうなことについて時間をかけてじっくり考える
  I **contemplated** the problem all day.
  (その問題を一日中じっくりと考えた)
- **speculate**　詳細については知らないで、原因や影響を考える
  A spokesperson declined to **speculate** on the cause of the train crash.
  (スポークスマンは、列車事故の原因について憶測でものを言うのは控えた)
- **infer**　既知の情報から、事実であると判断する
  I **inferred** from her expression that she wanted to leave.
  (彼女の表情から、辞めたがっているのだと思った)

ランク3　「する・行う」系動詞の使い分けをマスター！

> これが使い分けの決め手！
> **do** と「する」の違いを知ることが使い分けの第一歩！

Q：次の日本語を英語で言ってください。

① 私は高齢化社会の問題に関するプレゼンをした。
② ジェイソンは夏休みに家族とスペインへ旅行をした。
③ その会社はお客様の満足度に関する調査をした。

[conduct / give / take]

解 答

① I **gave** a presentation on the problems of aging society.
② Jason **took** a trip to Spain with his family during summer vacation.
③ The company **conducted** a survey on customer satisfaction.

使い分けのポイント

「する」と言えばすぐ思い浮かぶのは **do** ですが、**That will do.**（それで結構です、それで間に合います）のように、もともと **do** は「目的にかなう」や「目的を持って何かをする」という意味で、**do household chores**（家事をする）、**do the shopping**（日用品などの買い物をする）、**do the dishes**（皿を洗う）、**do the laundry**（洗濯をする）、**do my homework**（宿題をする）、**do lunch**（お昼ご飯を食べる）、**do a movie**（映画を見に行く）、**do my duty**（義務を果たす）のように日常的ないろいろな場面で使うことができます。また **do Hamlet**（ハムレットを演じる）のように「**演じる**」、**do export and import business**

（輸出入のビジネスを行う）のように**「取引する」**や**「事業をする」**などの意味もあります。このように目的語を変えることで幅広く使える **do** ですが、**「〜をする」**をすべて **do** だけで表現できるわけではなく、もっと意味を明確にするためにさまざまな表現が用いられるのです。

　「スポーツをする（do sports）」の場合には、**格闘技やボールを使わないスポーツでは do karate[gymnastics]**（空手［体操］をする）のように **do** を用いますが、**play baseball**（野球をする）のように、**ボールなどを使いチームでプレーして勝敗のあるものは play** を、また、**個人でやるものは swim in the sea**（海で泳ぐ）、**skate on the lake**（湖でスケートをする）のように**具体的にその動作を表す動詞**を用います。

　本問①のように**「プレゼン（presentation）をする」**では、**I'm giving a presentation on the project tomorrow.**（私は明日そのプロジェクトに関するプレゼンをします）のように **give** が最もよく使われますが、**deliver** や **do** を使うこともできます。ちなみに**「スピーチをする」**で使われる動詞は **give, make, deliver** ですが、**give** より **make** や **deliver**（口に出して言う、発表する）の方が堅い単語で、**She made [delivered] a keynote speech at the conference.**（彼女は会議で基調演説を行った）のように使われます。

　本問②の**「旅行（trip）をする」**は **take a trip** で、**余暇に遊びで旅行するニュアンス**があります。**「出張（business trip）する」**のように**仕事で旅行に行く場合は**、**Fred makes overseas business trips several times a year.**（フレッドは年に数回海外出張に出かける）のように **make a trip** が最もよく使われます。**make** には**「必要があって、目的を持って特定の場所に行く」**という意味合いがあり、**I'll make a trip to the post office to send this package.**（この小包を送るために郵便局へ出かける）のように、近所に出かける場合にも使える表現です。全体として「旅行をする」は、**take＞make＞go on＞have＞do［a trip］**の順に多く用いられています。

この他**「パーティーをする」**は **have [throw / give] a party** で、フォーマルな場合は **hold a party**（パーティを開催する）を使い、**have＞throw＞give＞hold＞do［a party］**の順に多く用いられています。また、**「広告（ad/advertisement）する」**の「する」は、**The cosmetics maker placed a large advertisement in several major newspapers.**（その化粧品メーカーはいくつかの大手新聞に大広告を掲載した）のように一番よく使われる動詞は

placeで、次に **put an ad on the Internet**（インターネットに広告を出す）のように **put** が使われます。その他 **run** や **take out** を使うこともできます。さらに会社、店、工場などを持ち「**経営する**」は、**I have been running an IT business.**（ITビジネスを経営している）、**I have a web design business.**（ウェブデザインの会社を経営している）のように **run** や **have** を使います。また、**I operate a wholesale business.**（卸売業を営んでいる）の **operate** は任されて「**運営する**」、**I manage a hotel business.**（ホテル業を営んでいる）の **manage** はトップとして、「**管理する**」という意味になります。

一方「**行う**」という意味でよく使われる単語は **conduct, perform, carry out** です。**conduct** は、**con**（一緒に）＋**duct**（導く）というつくりから「**調査・業務などを企画し、系統立てて行う、導く、案内する、指揮する**」という意味を持つ堅い言葉で、**conduct a tour**（ツアーを実施する）、**conduct an orchestra**（オーケストラを指揮する）のように、「**先頭に立って指揮を執り、責任を持って物事に対処する**」というニュアンスがあります。さらに **I conduct business with a company in Canada.**（カナダの会社とビジネスを行っている）のように「**商取引を行う、事業を経営する、ビジネスを行う**」の意味も持ちます。

perform は、**per**（完全に）＋**form**（形作る）というつくりから「**任務・業務などを完成させて実際に目に見える形にする、物事をきちんと手順を踏んで儀式的にカタチ通りに行う**」という堅い言葉です。**perform a duty**（義務を果たす、任務を遂行する）、**perform an operation**（手術を行う）、**perform the marriage ceremony**（結婚式を挙行する）などのように「**やるべきことを決められたプロセス通りにきっちり行って目に見える成果をあげる**」場合に使われます。そこからさらに意味が拡張して、**The car performs well.**（その車は性能がいい）のように「**本来の役割を果たす、正しく機能する**」や、**perform a play**（劇をする）のように「**観客の目の前で実際に演じたり演奏したりして作品を形作る**」という意味もあります。

carry out は、「**重い荷物を外（out）まで運び出す（carry）**」というつくりから、「**約束・仕事などを責任をもって最後まで行う、実施する**」という意味が生まれ、**carry out a plan**（計画を実行する）、**carry out an order**（命令を実行する）、**carry out a mission**（任務を遂行する）などのように用いられます。**conduct** や **perform** とは違って、「**たとえ困難なことでも、最後までやり遂げ**

るぞ！」という積極的に取り組むニュアンスを持っています。

　本問③の**「調査する」**場合には、**「企業などの組織が計画・企画して実施する調査（survey）」**には**「組織的に実施する」**というニュアンスの **conduct** がぴったりです。ちなみに、同じ「調査」という日本語でも、**「新事実や情報を発見するためなどの念入りな研究（research）」**の場合には **do** が最もよく使われていますが、**do** は口語的で軽い感じがするので、書き言葉やスピーチなどでは **conduct** や **carry out** が用いられます。

〈一目でカンタン理解！〉「する・行う」系動詞の使い分け **MAP**！

- do the shopping 買い物をする
- give a presentation プレゼンをする
- conduct an experiment 実験をする
- have a party パーティーをする
- perform a duty 任務を遂行する
- carry out a plan 計画を実行する

中心：する・行う

「する・行う」を意味する語のコロケーションを Check!

	a plan	a contract	business	an investigation
do	×	×	◎	○
carry out	◎	◎	×	○
conduct	×	×	△	◎
perform	×	○	×	○

☞ **plan**（計画）や **contract**（契約）では、「最後までやり遂げる」というニュアンスの **carry out** が、**business**（ビジネス）では、「日常的ないろいろな場面で使うことができる」**do** が、**investigation**（調査）では、「組織的に実施する」というニュアンスの **conduct** が最も多く用いられています。

さらにワンランク UP!　「する・行う」を表す重要表現をマスター!

- **practice**　日常的・習慣的に行う、医師などの専門的な仕事を行う
  Practice what you preach.（人に説くことは自分でも実行しなさい）
  I obtained a license to **practice** medicine in Canada.
  （私はカナダで医師の免許を取得した）
- **execute**　原義は ex（外へ）+ secute（ついて行く）で「墓場までついて行く、最後までやり通す」より、計画や命令などを最後まで実行・遂行する、法律を施行する、死刑を執行する
  The government **executed** the reform plan.
  （政府はその改革案を実施した）
  The prisoner was **executed** for murder.
  （その囚人は殺人罪で処刑された）
- **implement**　正式に決定された計画・政策・法律などを実施・施行する
  The government **implemented** the new economic reform.
  （政府は新しい経済改革を実施した）

- □ **commit**　法に反することや道徳的に間違ったことなどをする
  The man admitted **committing** the robbery.
  (その男は強盗をしたことを認めた)
- □ **undertake**　責任を持って、仕事やプロジェクトなどを引き受けて、やり始めるという意味で、引き受ける、着手する、企てる
  She **undertook** the project of developing a new technology.
  (彼女は新技術開発のプロジェクトに着手した)
  He **undertook** a challenging task.
  (彼はやりがいのある仕事を引き受けた)
- □ **fulfill**　やらなければならないこと、すると期待されていることを果たす。夢・目標など、自分のやりたいことを実現する
  She **fulfilled** her duty as a diplomat.
  (彼女は外交官としての務めを果たした)
  I finally **fulfilled** my long-cherished dream.
  (かねてからの夢をついに実現した)

これもマスター　「成し遂げる」系動詞の使い分け

「成し遂げる」系動詞には、**reach**（目的に到達する）、**attain**（reachよりも野心を持って長い間努力した結果、高い目標に到達したことを強調する）、**accomplish**（ある特定の計画・目的・使命・仕事などを努力や才能によって首尾よく完了する）、**achieve**（価値や意義あるものを、努力や才能を駆使しながら困難を乗り越えて成就させる）、**fulfill**（夢や願望を実現させたり、義務・約束などを履行する）、**complete**（時間をかけて必要なものを全部そろえて完成させる、仕上げる）などがあり、**reach an agreement**（合意に達する）、**attain my goal**（目標を達成する）、**accomplish his mission**（彼の使命を果たす）、**achieve a lasting peace**（永遠の平和を実現する）、**fulfill my dream**（夢をかなえる）、**complete the crossword puzzle**（クロスワードパズルを完成する）のように用いられます。

ランク4 「なる」系動詞の使い分けをマスター！

> これが使い分けの決め手！

become だけでなく **get, grow, come, go, fall, turn** などさまざまな「なる」の類語の使い分けをマスター！

Q：次の日本語を英語で言ってください。

① 君も子供を持てば親の愛がわかるようになるさ。
② その知らせを聞くとすぐに先生は真っ赤になって怒った。
③ 多くの子供がその病気の犠牲になった。

[**come to / fall / turn**]

解答

① When you have children of your own, you will **come to** appreciate your parents' love.
② On hearing the news, the teacher **turned** red with anger.
③ Many children **fell** victim to the disease.

使い分けのポイント

「なる」と言われてすぐに思い浮かぶのは **become** と **get** ですが、**become** が「**内面的、永続的に～になる**」場合に用いられるのに対して、**get** は「**一時的、表面的に～になる**」場合に用いられます。それゆえ、**He became a doctor.** は自然ですが、He got a doctor. は不自然な感じがします。

become は、**We became friends.**（私たちは友達になった⇒そして今友達である）のように、今友達である状況を強調した感じになり、友達になるまでのさまざまな「**プロセス**」よりも、今友達であるという「**結果**」を重視した言い方になります。そのため結果よりも、どのようなことが待ち受けているかのプロセ

スを暗示してこれからのことを言いたい場合、すなわち「〜になる」が未来のことを表す場合には、**What are you going to be?**（君は何になるつもりですか）、**He will be a good doctor.**（彼女は良い医者になるだろう）のように、**become** よりも **be** を用いて表すようにします。

また「やがて V するようになる」という表現には become to V（動詞の原形）という形は用いず、**You will soon come to understand.**（今にわかるようになるさ）や **I have come to think of Japan as my second home.**（日本を第二の故郷だと思うようになった）のように **come to V**（動詞の原形）で表現します。反対に「思わず V し始める」のように「瞬発的で軽い感じがする」場合には、**I got to know him.**（偶然彼と知り合いになった）のように **get to V**（動詞の原形）が用いられます。

さらにもっとプロセスを重視して、「練習・努力・経験などを積み重ねることによって V するようになる」という場合には、**At last he learned to swim.**（ついに彼は泳げるようになった）、**Those children learned to understand each other through sports.**（子供たちはスポーツを通じてお互いに理解し合うようになった）のように「V することを習得する」というニュアンスの **learn to V**（動詞の原形）を用います。

他にもプロセス重視の「なる」系動詞の表現として **grow** があり、**It was growing darker.**（だんだん暗くなっていった）のように、「何かが成長するようにだんだんと変化する感じ」が伝わります。また「クルっと向きを変えるようにこれまでと全く違った感じになる」場合には **turn** が使われます。**Leaves turn red or yellow in autumn.**（秋には木の葉が赤や黄色になる）のように「色の変化」を表すのによく用いられるだけでなく、**The caterpillar eventually turned into a butterfly.**（イモムシはやがて蝶になった）、**He turned pro last year.**（彼は去年プロになった）、**My daughter will turn twenty next month.**（娘は来月二十歳になる）のように「ある時期をきっかけにガラリと状況が変わる」場合にもよく用いられます。

さらに、**Eggs go bad quickly.**（卵はすぐに腐る）のように、go は普通「好ましくない状態になる」ニュアンスを持ち、**go bankrupt**（破産する）、**go blind**（目が見えなくなる）、**go mad**（気が狂う）のように使われる一方、**go public**（株式を公開する）、**go international**（国際化する）のようにも用いられます。

一方、**My dream finally came true.**（ついに夢が実現した）、**Things will**

come right.（やがてすべてがうまく行く）のように **come** は「**好ましい状態になる**」ニュアンスを持ち、**come awake**（目覚める）、**come easy**（容易になる）、**come cheap**（安くつく）のように使われます。

　さらに、**fall sick**（病気になる）、**fall silent**（急に黙り込む）、**fall asleep**（眠りに落ちる）などのように「**突然〜の状態に落ちていく感じ**」を強調したい時には **fall** が用いられます。

　その他にも「**なる**」を表す表現としては、**She came to the age of marriage.**（彼女は結婚適齢期になった）や **Your bill comes to 10,000 yen.**（お勘定は1万円になります）、**What does it all come to?**（一体どんな結果になるのか）のように **come to 〜** で「**年齢・合計・結論などに達する**」という使い方や、**I began to write poetry when I was in junior high school.**（中学生の時に詩を書くようになった）、**Spring has come.**（春になった）、**He'll make a good lawyer.**（彼は立派な弁護士になるだろう）、**My weight is up to 60 kilos.**（体重が60キロにまでなっている）、**Our family has grown to 4 children.**（我が家は子供が4人になった）、**His crime will soon come to light.**（彼の罪はいずれ明らかになるだろう）、**His story was later to be published.**（彼の話は後に出版されることとなった）などのようにさまざまな使い方ができます。

一目でカンタン理解！ 「なる」系動詞の使い分け **MAP！**

- become a doctor 医者になる
- get sick 気分が悪くなる
- turn pro プロになる
- grow old 年をとる
- go bad 悪くなる
- come true 本当になる
- fall ill 病気になる

なる

My dream has come true.

go bankrupt

「なる」を意味する語のコロケーションを Check!

	sick	ill	true	taller	red
become	○	◎	○	○	○
get	◎	○	○	○	○
grow	×	×	×	◎	×
come	×	×	◎	×	×
go	△	△	×	×	◎
turn	×	×	×	×	◎
fall	○	◎	×	×	×

☞「病気になる」は、**sick** の場合は、**get** が圧倒的に多く、次に **become** が、**ill** では **fall**＞**become**＞**get** の順に多く用いられます。「年を取る」は **grow**＞**get**＞**become** の順に、「背が高くなる」では **grow**＞**get**＞**become** の順に、「倒産する (go bankrupt)」や「国際化する（go international）」は **go**＞**become** の順に、「赤くなる」では **turn**＞**go** の順に多く用いられます。

これもマスター 「始める・終える」系動詞の使い分け

「始める」系動詞にはstart（ある動作や特定の行為を開始する ☞これからもその動作や行動が続いていくニュアンスがあるので、**I got the engine started.**（エンジンをスタートさせた）は自然な感じ！さらに、行為を第三者的にとらえるので**It started to rain.**は「部屋の中にいて外で雨が降り始めるのを見ている」感じ！）、**begin**（何かが始まる ☞ startと違って、ただ始まったというだけで、これからも続いて行くかどうかは不明なのでI got the engine begun.（エンジンをビギンさせた）は不自然な感じ！さらに、行為を当事者的にとらえるので、**It began to rain.**は「自分も外にいて雨に濡れている」感じ！）、**kick off**（イベントやゲームなどを始める）、**inaugurate**（新しい政策や儀式などを始める）、**commence**（儀式・判断・作戦などあらたまった場面で公式行事などを始める）、**institute**（調査・訴訟などを始める）、**initiate**（創始者が事業・計画などを積極的に始める）、**launch**（新たな企画などを大々的に打ち上げる）、**activate**（機械など作動させる、活動を活性化させる）、**embark**（新しいもの・難しいもの・人を興奮させるものなどに乗り出す）、**originate**（ある場所や、ある状況から新たなものを生み出す）などがあります。

一方、「終える」系動詞には、**finish**（startさせたことを、最後の仕上げをして完了する）、**end**（beginしたものが、完成・未完成に関係なくとりあえず終わる）、**complete**（時間や労力を要する仕事などを初めから最後までやり遂げる）、**finalize**（契約や裁判などで最終決定を下し決着をつける）、**terminate**（限界や期限の到来で打ち切りになる）、**execute**（計画や任務など最後までやり遂げたり、死刑を執行する）、**conclude**（演説や議論などを結論づけてまとめる）などがあります。

ランク5 「得る」系動詞の使い分けをマスター!

> これが使い分けの決め手!
>
> **get** だけでなく、**gain, earn, acquire, obtain** などさまざまな「得る」の使い分けをマスター!

Q:次の日本語を英語で言ってください。

① 彼はハーバード大学で法学の学位を得た。
② 外国語を身につけるには何年もかかる。(⇒外国語の技能を得る)
③ その国は100年におよぶ植民地支配の後、独立を得た。

[acquire / earn / win]

解 答

① He **earned** a law degree at Harvard University.
② It takes many years to **acquire** a foreign language.
③ The country **won** its independence after 100 years of struggle against colonial rule.

使い分けのポイント

「得る、手に入れる」と言われてまず思い浮かぶのは **get** と **take** と **have** ですが、**get** は get a phone call(電話をもらう)、get sick(病気になる)のように、こちらから何かを求めるというよりは、「無意識のうちにむこうからやってくる」という「受動的なイメージ」で、「手に入れるまでのプロセスや、そのために要した努力や苦労はあまり感じられず、表面的で軽い印象」がします。それに対して、**take** は take a seat(着席する)、take a pen to write a letter(手紙を書くためにペンを手に取る)のように、「こちらから意識的に取りにいく」という「能動的で積極的なイメージ」があります。さらに **have** は「自分の支配下

に置く」という「所有のイメージ」が強くなり、**Can I have this?**（これをもらっていいですか）、**I'll have this white dress.**（この白いドレスをいただきましょう）のように用いられます。

　I got a day off. は「思いがけなく上司の方から休日をくれた」感じですが、**I took a day off.** は「自分から頼んで休日を取った」感じになり、**I had a day off.** は、「もともと休日になっていた」感じが伝わってきます。

　しかし、**get** も **take** も **have** も非常に広範囲な場面で使われる一般的な語であるため、もっと意味を明確にするためにさまざまな「得る」系動詞が使われています。

　たとえば、本問①の場合、「学位を得る」のはすぐに成就するようなものではなく、「比較的長期間学業や研究に打ち込んだ成果として手に入れる」ものなので、**get** ではそのプロセスや努力が十分に伝わらないのです。ここでは「自分が努力したこと、働いたことに対する見返りや報酬として手に入れる」というニュアンスの **earn** がぴったりです。**earn a million yen**（100万円稼ぐ）、**earn a living**（生活費を稼ぐ）のように、「報酬や生活費などを得る、稼ぐ」場合によく使われる語ですが、**earn a good reputation**（よい評判を得る）、**earn a university degree**（大学で学位を得る）のように、「名声、信用、学位」などを「ある程度獲得するのに時間と努力を要し、その見返りとしてもらうもの」に応用されます。

　さらに、特に文書などの書き言葉の場合には、フォーマルな表現である **obtain** を用いることもできます。物質的なモノを得るというよりも、**obtain permission**（許可をもらう）、**obtain a visa**（ビザを入手する）など、許可や資格などを得るときによく用いられる語です。ただ単に「手に入れる」のではなく、「必要なものを努力や依頼、複雑な手続きなどを経て取得する」というニュアンスがあり、**obtain a degree**（学位を取得する）の他にも、**obtain a patent**（特許を得る）などのようにも用いられます。

　本問②の場合のように、「比較的長い時間をかけて外国語を身につける」場合には、「学問や技術など価値あるものを長時間かけて習得する、身につける」というニュアンスの **acquire** がぴったりです。**a**（〜を）+ **quire**（探し求める）というつくりから、**acquire a skill**（技能を身につける）、**acquire a foreign language**（外国語を習得する）のように、積極的に何かを自分のものにしようとするイメージが広がります。反対にあまり努力することなく、自然に身につけ

る場合には **acquire** はふさわしくなく、そうした場合には、**Children usually pick up foreign languages more quickly than grown-ups.**（子供はたいてい大人よりも速く外国語を覚える）のように **pick up** などが用いられます。

　また **acquire** は、**acquire knowledge**（知識を身につける）、**acquire wealth**（富を手に入れる）のように、具体的な物を入手するというよりも、知識や財産など、内容として価値あるものを得る場合に用いることが多く、他には **acquire a habit of smoking**（喫煙の習慣がつく）、**acquire a taste for wine**（ワインの味がわかるようになる）のように**「習慣や好み」**などを身につける場合にも応用されます。

　本問③の場合、「欲しいものを首尾よく勝ち取る」という意味の **win** を用いることができます。**win a prize**（賞を獲得する）、**win her love**（彼女の愛を得る）のように、**win** には**「努力・能力・資質によって競争に打ち勝って欲しいものを得る」**というニュアンスがあり、特に、**富（fortune）**、**仕事の契約（contract）**、**奨学金（scholarship）**、**名誉（honor）**、**人の心や関心（heart）**、**支持（support）**、**承諾（approval）**、**信頼（trust）**などを得る場合にも応用されます。

　また「(競争社会の中で) 人気や名声など価値あるものを獲得する」場合には、**gain** が用いられ、「競争の中で努力によって、自分にとって有益なものを獲得する」というニュアンスがあります。**人気や名声（popularity, reputation）**以外にも、**利益（profit, benefit）**、**知識（knowledge, understanding）**、**経験（experience）**、**支配・権力（control, power）**、**自信・信頼（confidence）**などを手に入れる場合によく用いられます。さらに **gain weight**（体重が増える）、**gain speed**（速度が増す）のように、**「数値や数量が増える」**場合にも使われています。

一目でカンタン理解！ 「得る」系動詞の使い分けMAP！

- get a phone call 電話をもらう
- earn a degree 学位をとる
- obtain permission 許可をもらう
- win a prize 賞を獲得する
- acquire skills 技能を身につける

中心: 得る

「得る」を意味する語のコロケーションを Check!

	knowledge	a message	skills	respect	permission
get	○	◎	○	◎	◎
gain	◎	×	◎	◎	△
earn	×	×	×	◎	×
acquire	◎	×	◎	×	×
obtain	○	△	×	×	◎

☞ **get** は広い範囲で使うことができ、**respect**（尊敬）では **earn**＜**gain**＜**get** の順で、**permission**（許可）では **obtain**＜**get** の順に多く用いられますが、**skills**（技能）では **gain** や **acquire** の方が **get** より多く用いられます。

> さらにワンランク UP! 「得る」を表す重要表現をマスター!

☐ **procure** 努力して特別な手段で手に入れる、調達する
We must **procure** raw materials from overseas.
(我々は原材料を海外から調達しなければならない)

☐ **secure** 望みのものなどを手に入れてやる、確保する
I **secured** the concert ticket for her.
(彼女のためにコンサートのチケットを手に入れてあげた)

☐ **land** 仕事などをものにする、ありつく
I used my father's connections to **land** a job.
(父親のコネで仕事にありつけました)

☐ **retrieve** 取り戻す、獲物などを取ってくる、情報を検索する
You need the keyword to **retrieve** information stored in the database.
(データベース内の情報を検索するにはキーワードが必要です)

これもマスター 「集める」系動詞の使い分け

「集める」系動詞には、**collect**（目的達成のために必要な物や、自分が興味や関心のある物を取捨選択して整理しながら集める）、**gather**（いろいろな場所に広く散らばっている物を一か所に無造作に寄せ集める）、**raise**（人や団体が資金を調達する）、**assemble**（うまくまとめて利用するために物を集める、ある目的のために人々を集める）、**accumulate**（時間をかけてゆっくりと知識や財産などを集める）などがあり、**collect evidence**（証拠を集める）、**gather shells on the beach**（浜辺で貝殻を集める）、**raise money for a charity**（チャリティー募金を集める）、**assemble [much data for a report, players on the field]**（レポート作成のために多くのデータを集める、フィールドに選手を集める）、**accumulate my fortune by hard work**（一生懸命働いて財産をためる）のように用いられます。

ランク6 「与える」系動詞の使い分けをマスター！

> これが使い分けの決め手！
>
> 必ずしも give =「与える」でないことを知ることが基本！

Q：次の日本語を英語で言ってください。

① 国際平和に貢献したことが認められ、彼にノーベル平和賞が<u>与えられた</u>。
② 我々が成長志向の社会を維持するなら、環境に大きな損害を<u>与える</u>ことになるだろう。
③ テレビやゲームで暴力的なシーンを見過ぎることは子供たちに悪影響を<u>与える</u>でしょう。

[award / cause / have]

解答

① He was **awarded** the Nobel Peace Prize in recognition of his contribution to international peace.
② If we stick to the growth-oriented society, we will **cause** devastating damage to the environment.
③ Excessive exposure to violence on TV and games will **have** a negative impact on children.

使い分けのポイント

「与える」と言えば、最も一般的に使われるのは give ですが、give の基本コンセプトは「何らかのものに何かを与える」「対象は無いが何かを生み出して放つ」「どんどん与えていって自身の存在が崩れる」の3つに分類することができ、そこから **Give me five days.**（5日待ってくれ）、**Don't give me such a sad** face.（そんな悲しい顔をしないで）、**She gave a cry of pain.**（彼女は苦痛の叫び声をあげた）、**Give it all you've got!**（捨て身でやれ！）、**The ceiling gave in.**（天井が崩れた）などの用法が生まれてきます。

一方、日本語の「与える」には **6つの方向性**があり、1つ目は、「**モノや食べ物を人にあげる**」系で、英語では、**I'll give it to you.**（それを君にあげるよ）、**I'll let you have the book.**（この本をあなたに差し上げます）、**Don't feed the animals.**（動物たちにエサを与えないでください）、のように **give, have, feed** などが使われます。

2つ目は、「**権限の行使として、授ける・認める**」系で、**Who gave them permission to go out?**（誰が彼らに外出許可を与えたのか）、**The company grants three weeks leave to every employee.**（その会社はすべての従業員に3週間の休暇を与えている）のように **give** や **grant**（要請を受け、権限のあるものが権利、許可などを与える）などが使われます。

3つ目は、「**供給する・提供する**」系で、**They provided their children with a good education.**（彼らは子供たちに立派な教育を受けさせた）、**The power company supplies the city with electricity.**（その電力会社がその都市に電力を供給している）のように、**provide**（予測してあらかじめ準備し、必要とする人に供給する）、**supply**（必要なものや足りないものを定期的に長期にわたって大量に支給する）などが使われます。

4つ目は、「**損害・被害などを及ぼす**」系で、**The earthquake caused serious damage to the town.**（その地震は町に大きな被害を及ぼした）のように、**cause** などが使われます。

5つ目は、「**力などを加え影響などを及ぼす**」系で、**His last words had [made] a great impact on me.**（彼の最後の発言が私に大きな影響を与えた）、**She made a good impression on us.**（彼女は私たちに良い印象を与えた）のように **have** や **make** などが使われます。

最後の6つ目は、「**割り当てる・課する**」系で、**His boss assigned him the most difficult task.**（上司は彼に最も困難な仕事を与えた）のように **assign** などが使われます。

本問①の「ノーベル平和賞を与える」場合は、「**権限の行使として、授ける・認める・付与する**」系で、「**審査して賞などを授与する**」というニュアンスの **award** がぴったりです。**The teacher awarded the first prize to her.**（先

生は彼に１等賞を与えた）のように用いられます。

　本問②の「**環境に損害を与える**」場合は、「**損害・被害などを及ぼす**」系で **cause**（何かを引き起こす原因となる）がぴったりです。英語では **cause 〜 damage** や **do 〜 damage** というコロケーションで表現され、**give 〜 damage** はほとんど使われないので要注意です！

　本問③の「**子供たちに悪影響を与える**」場合は、「**力などを加え影響などを及ぼす**」系で、**have 〜 impact on 〜** というコロケーションがぴったりです。

　他にも「**与える**」**動詞**には、**hand**（手から手へと渡す）、**offer**（情報・サービス・商品など人々が望むものを提供する）、**present**（実績を評価して賞などを公式の儀式などで与える）、**contribute**（お金・援助・アイディアなどを団体に提供する）、**extend**（礼儀正しく、親切に助けを申し出たり、同情や感謝の気持ちを伝える）などがあり、**He handed me a little rectangle of white paper.**（彼は、私に長方形の白い小さな紙を手渡した）、**I was offered a place at Harvard University.**（私はハーバード大学の職を持ちかけられた）、**We presented him a watch on his retirement.**（私たちは定年退職する彼に時計を贈呈した）、**He contributed a lot of money to the hospital.**（彼は病院に多額の寄付をした）、**Aid in the form of food and housing was extended to those in need.**（困っている人に食料や住居などの援助が施された）のように使われます。

一目でカンタン理解！「与える」系動詞の使い分け **MAP！**

- give him a present
  彼にプレゼントをあげる
- provide the victims with food
  被災者に食料を提供する
- supply the town with water
  町に水を供給する
- have a great impact on the public
  世間に大きな影響を与える
- do serious damage
  大きな損害を与える

与える

「与える」を意味する語のコロケーションを Check!

	money	damage	an impact	an impression
give	○	×	△	○
supply	△	×	×	×
provide	○	×	○	△
have	△	△	◎	○
cause	×	◎	×	×
make	×	×	○	◎

☞ 最も広く用いられているのは give で、money では give と provide が同程度に用いられていますが、damage（損害）では cause が、impact（影響）では have が、impression（印象）では make が、それぞれ give よりも多く用いられています。

さらにワンランク UP! 「与える」を表す重要表現をマスター!

- **confer**　名誉・学位・称号などを人に授与する
  The president **conferred** a doctor's degree on him.
  （学長から彼に博士号が授与された）
- **donate**　寄付する、贈与する、血液や臓器などを提供する
  He **donated** one million yen to his old school.
  （彼は母校に100万円を寄付した）
- **endow**　能力・才能などを授ける、大学・病院などに財産を寄付する
  She is **endowed** with beauty.（彼女は美貌に恵まれている）
- **furnish**　必要なものを提供・供給したり、家具を備え付ける
  The volunteers **furnished** the homeless with food.
  （ボランティアの人々はホームレスに食事を与えた）
- **render**　義務感や期待を受けて決断・判断などを下す、サービスなどを施す
  render a [decision, salute, service]
  （決断を下す、あいさつをする、サービスを施す）
- **impart**　人に情報・知識・知恵を与える
  impart [knowledge, information, wisdom] to my students
  （生徒たちに［知識・情報・知恵］を与える）
- **administer**　薬物などを投与して、それを管理する
  Oxygen was being **administered** to Mr. Ryan through mask.
  （酸素がマスクを通してライアンさんに投与されていた）
- **infect**　病気をうつす、ウィルスに感染させる、悪影響を及ぼす
  He **infected** me with flu.（彼は私にインフルエンザをうつした）
- **impose**　義務や税金などを負わせる、押し付ける
  The government **imposed** a heavy tax on luxury goods.
  （政府は贅沢品に重い税金を課した）
- **inflict**　負担・苦痛・罰などを与える
  Severe punishment was **inflicted** on the murderer.
  （殺人犯に厳しい刑罰が科された）

これもマスター 「捨てる」系動詞の使い分け

「捨てる」系動詞には、**throw away**（不要になったものをゴミとして捨てる最も一般的な語）、**give up**（それまで自分が関わってきた人や物事をあきらめて見放す）、**get rid of**（嫌なもの・厄介なものを取り除く、処分する）、**leave**（自分だけ立ち去って人やものを放置する）、**discard**（トランプで不要なカードを捨てるから転じて、不要なものや信念などを捨てたり、人を解雇する改まった語）、**dump**（これまでため込んだものをドサッと一気に放り投げる）、**abandon**（やむを得ない理由で、人や愛着のあるもの・場所などを捨てたり、責任・権利・計画などを完全に放棄する）、**desert**（当然守るべき家族や友人を無慈悲に見捨てたり、義務や任務を放棄するなど、法律上または道義上とがめられるべき行為をする）、**dispose of**（不要なものや厄介なものを整理して始末したり、人に譲渡する）、などがあります。

それぞれ、**throw away an empty can**（空き缶を捨てる）、**discard [household goods, my belief, his lover]**（家財を捨てる、信念を捨てる、恋人を捨てる）、**dump industrial waste into the sea**（産業廃棄物を海に投棄する）、**abandon [a pet, our country, the plan]**（ペットを捨てる、祖国を捨てる、計画を断念する）、**desert [his wife and children, his post in time of war]**（妻子を捨てる、戦争の際に部署を離れる）、**Don't leave us when we are in trouble.**（困っている時に見捨てないでください）、**give up my dream of becoming a pianist**（ピアニストになる夢を捨てる）、**get rid of [old clothes, a cold, the bad habit]**（古着を処分する、風邪を治す、悪い習慣をやめる）、**dispose of household goods before setting up a trip**（家財道具を処分して旅に出る）のように用いられます。

ランク7 「言う・話す」系動詞の使い分けをマスター!

> これが使い分けの決め手！ **say, speak, tell, talk** の使い分けができることが重要！

Q：次の日本語を英語で言ってください。

① もう一度おっしゃっていただけますか？
② もう少し大きな声で言っていただけますか？
③ 会議をするのにいつご都合がよろしいか、おっしゃってください。

[**speak / tell /say**]

解 答

① Could you please **say** that again?
② Could you **speak** up a little, please? / Could you **speak** a little louder, please?
③ Please **tell** me when it is convenient for you to have a meeting.

使い分けのポイント

　日本語の「言う・話す」に相当する英語の動詞は **say, tell, talk, speak** ですが、この4つの基本動詞の使い分けをマスターしましょう。

　say は「何かを言う」で **He said he would be back soon.**（彼はすぐ戻ると言った）や **You can say that again.**（全くその通りです）のように、「話す内容」に焦点が置かれている単語で、必ずしも「誰に」対して言ったかという対象を必要としません。誰に話すかをはっきりさせる場合は **Say sorry to him.**（彼にごめんなさいって言いなさい）のように **to** を用います。**I said, "Nice meeting you."**（「お会いできて良かったです」と私は言った）などのように会話の引用にも使わ

れ、**The newspaper says that there was an earthquake yesterday.**（新聞によると昨日地震があったそうだ）や、**The clock says three o'clock.**（時計は3時を示している）のように「書いてある、示している」などの用法もあります。また、**It is said that he is a great musician.**（彼は偉大な音楽家であると言われている）のように「一般に広く言われている」場合にも使います。

　tell は「特定の相手に情報や指示を伝える」という、「メッセージの伝達」が強調されている語で、**Tell me what happened.**（何があったのか話して）、**Please tell him that I will be back at three.**（彼に3時に戻ると伝えておいてください）のように tell の後に「伝える相手や内容」がきます。**The teacher told the student to sit down.**（先生はその生徒に座るように言った）や **Don't tell me what to do.**（あれこれ指示しないで）のように「指示・忠告・命令する」の意味や、**How can you tell?**（どうしてわかるの）、**He can't tell the difference between dreams and reality.**（彼は夢と現実の区別がつかない）のように「わかる、見分ける」の意味も持ちます。さらに **Efforts begin to tell.**（努力の成果があらわれはじめる）、**His age is beginning to tell on him.**（彼も年齢には勝てなくなってきている）のように「人に効果や影響を及ぼす」にまで意味が拡張していきます。

　talk は「対話・おしゃべりする」で、**It's been a pleasure talking to you.**（あなたとお話しできて光栄です）、**Talk to you later.**（ではまた話そうね）のように「二人以上の人が会話のやりとりをして情報を交換、共有する双方向のコミュニケーション」を表す語で、**He is not talking seriously.**（彼はまじめにものを言ってくれない）のように「誰かと口をきく」ことが talk の基本的な意味です。**I'd like to talk about the features of our new products.**（私どもの新商品の特徴についてお話させていただきたいと思います）などのように相手に向かって情報を伝えたり、意見を言う場合にも使うことがありますが、**speak** と違って特定の相手を意識したうえで話すため、打ち解けた少人数での会話に使われることが多くなります。そこから、**You must talk with your boss about the matter.**（その件については上司に相談する必要がある）、**He talked me into [out of] buying an expensive jewel.**（彼は説得して私に高価な宝石を買わせた［買うのをやめさせた］）のように「相談する」や「説得する」などの意味も出てきます。さらに **Money talks.**（金がものを言う）や、**The beer is talking fast.**（ビールの酔いがどんどん回ってきた）のように「（お金やお酒な

どが）しゃべりだす⇒人に影響を及ぼす」のような使い方まであります。また **talk business**（まじめに現実的な話をする、商談する☞ **talk about business**（仕事についていろいろと語り合う）との違いに注意です！）や **talk nonsense**（わけのわからないことをしゃべりだす）などの表現も重要です。

　speak は「口から音声（言葉）を出す」が基本的な意味で、「スピーチのように、一人の人が一方的に話す」という、「一方向のコミュニケーション」に焦点が置かれています。**Could you speak more slowly?**（もっとゆっくり話していただけませんか）、**Do you speak French?**（フランス語を話せますか）のように「言葉や言語を話す」、**He spoke at the conference.**（彼は会議で演説をした）のように「講演・演説する」など、「公の場などで不特定の人に話をする場合」にも用いられます。さらに **Could I speak to Rosa?** や **Could I talk to Rosa?**（ローザにお取次ぎ願えませんでしょうか）のように **talk** と **speak** の両方とも使えることがよくありますが、**speak** の方が改まった場面で、基本的にはきちんとしたまとまりのある内容について話すことを意味します。

　以上のことをもとに本問を考えると、①は「言う内容を重視する」**say** が、②は「口から音声を出す」**speak** が、③は「特定の相手に情報や指示を伝える」**tell** がそれぞれぴったりだとわかりますね。

　その他にも、「言う・話す」系動詞としては、**discuss**（やや堅い単語で、意見の交換や何かを決めるために話し合う）、**argue**（理由を挙げて理路整然と自分の意見を主張する）、**insist**（他の人に反対されても、信じてもらえなくても、強く自分の意見を主張する）、**express**（考えや気持ちを言葉で述べる、行動で表す）、**suggest**（考えや気持ちをそれとなく言う、提案する）、**mean**（何かを意図して言う）、**claim**（確かな証拠がないのに、何かが真実であると一方的に言う）、**refer to**（やや堅い語で、書面や口頭で触れる）、**mention**（会話や文書で、あまり詳細には触れずに簡単に言う）、**state**（意見や情報などを書面や口頭で正式に、はっきりと述べる）、**announce**（決定事項や計画などの情報や事実を公の場で知らせる）などがあります。

　さらに、**Give it to me straight.**（はっきり言ってよ）、**Please give me your impression of the exhibition.**（展覧会の感想を言ってください）、**Please name the price.**（希望価格を言ってください）、**Don't crack a silly joke.**（ばかげた冗談を言うな）、**to put it simply**（簡単に言えば）、などのようなさまざまな言い方もあります。

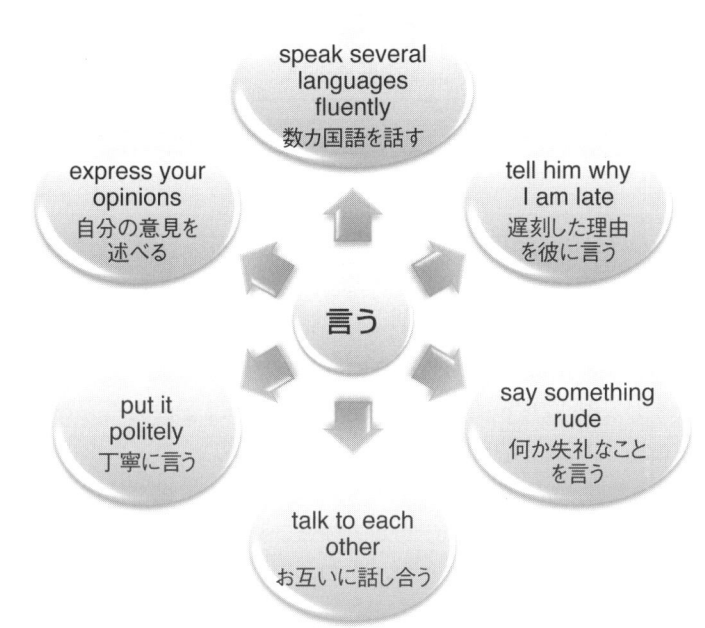

> 一目でカンタン理解！ 「言う・話す」系動詞の使い分け MAP！

- speak several languages fluently
  数カ国語を話す
- tell him why I am late
  遅刻した理由を彼に言う
- say something rude
  何か失礼なことを言う
- talk to each other
  お互いに話し合う
- put it politely
  丁寧に言う
- express your opinions
  自分の意見を述べる

中心：言う

Chapter 1 動　詞

「言う・話す」を意味する語のコロケーションを Check!

	words	business	the truth	something	English
say	◎	×	◎	◎	×
speak	◎	×	○	×	◎
talk	×	◎	×	×	×
tell	×	×	◎	×	×

☞ **words**（言葉、セリフ）では、「話す内容に焦点」が置かれる **say** や「口から言葉を出す」という意味の **speak** が、さらに **business**（ビジネス）や **politics**（政治）では「2人以上の人が会話のやりとりをして情報を交換、共有する」という意味の **talk** が圧倒的に多く用いられています。その一方で **truth**（本当の事）では、「情報を伝える」という意味の **tell** の使用頻度が高くなります。

注：say a word（ひとこと言う）、say a few words（ちょっと発言する、簡単な挨拶をする）、say [speak, tell] the truth（本当の事を言う）、talk business（まじめな話をする、商談する）、talk politics（政治を論じる）のように使われます。

さらにワンランク UP！ 「言う・話す」を表す重要表現をマスター！

☐ **imply** 自分の思っている事をそのまま言うのでなくそれとなく言う、ほのめかす
Are you **implying** that I am not telling the truth?
（私が本当の事を言っていないと暗に言っているのですか）

☐ **pronounce** 厳粛な口調で述べるニュアンスを持つ語で、公的に見解を述べる。判決を言い渡す。宣言・宣告する
I now **pronounce** you husband and wife.
（今あなた方を夫婦と宣言します）

☐ **declare** 公の場などで、はっきり述べる、宣言する
The country **declared** war on America.
（その国はアメリカに宣戦布告した）

- **proclaim** 何か重要なことを公式に言うことで宣言する
  The region **proclaimed** its independence.
  (その地域は独立を宣言した)
- **address** 聴衆に向かって演説・講演をするなど、大人数を相手に公の場などで、フォーマルなスピーチをする、もしくは直接人に語りかける
  She is due to **address** a conference on human rights next week.
  (彼女は来週会議で人権について講演する予定です)
- **assert** 証拠はないが権利・要求・正当性などを、自信を持って強く断言する
  He **asserts** that animal testing is the most effective way to guarantee the safety of new products.
  (彼は動物実験が、新製品の安全性を保証する最も効果的な方法だと断言する)
- **affirm** 強い確信を持って、何かが真実・事実だと主張する、支持する
  He **affirmed** that the information was true and correct.
  (彼はその情報は事実と相違ないと主張した)
- **allege** 証拠なしに何かを事実だとか、誰かが違法行為などをしたと主張する
  It was **alleged** that the politician accepted bribes from several companies.
  (その政治家はいくつかの会社から賄賂を受け取ったと言われている)
- **advocate** ある見解や主義などに賛成し、それを擁護し提唱する
  They have **advocated** the improvement of women's position in society.
  (彼女は社会における女性の地位向上を唱えてきた)
- **articulate** 自分の考えや気持ちをはっきりと言う、明瞭に発音する
  She **articulated** her ideas precisely.
  (彼女は自分の考えを明確に述べた)
- **contend** 何かを得るために争う。何かの正当性を強く主張し論争する
  The lawyer **contended** that his client was innocent.
  (弁護士は彼の依頼人が無実だと主張した)

☐ **maintain**　他の人の賛同を得られず、信じてもらえなくても自分の信念を強く主張し続ける

She **maintained** that she was coerced into making a false confession.
(彼女は虚偽の自白を強要されたと主張した)

ランク 8　「良くする」系動詞の使い分けをマスター！

> これが使い分けの決め手！
> **improve, develop, enhance** の使い分けを知ることが重要！

Q：次の日本語を英語で言ってください。

① 科学技術の発展のおかげで、その国の生活水準はかなり良くなった。
② 我々は世界の平和と安定を促進しなければならない。
③ 着物は日本女性の美をいっそう高めます。

[enhance / promote / improve]

解答

① The advance in technology has significantly **improved** the standard of living in the country.
② We should **promote** global peace and stability.
③ Kimonos further **enhance** the beauty of Japanese women.

使い分けのポイント

「良くする」と言われて思い浮かぶのは、**improve** や **develop** でしょうが、**improve** はもともと「一定のレベル以下の良くない物を、足りない部分を補ってまともなレベルに引き上げる」というニュアンスの言葉なので、**"Improve your English."** と言うと失礼になるので **"Make your English better."** と言いましょう。一方 **develop** は、**de**（否定）＋ **velop**（包み）＝（包みを解く）というつくりから、「隠れているものを引き出して伸ばす」というニュアンスがあります。**develop science and technology**（科学技術を発展させる）、**develop physical strength**（体力をつける）、**develop a photograph**（写真を現像す

る）のようにプラスイメージの表現から、**develop cancer**（ガンにかかる）、**develop engine trouble**（エンジンが故障する）などのようにマイナスイメージの表現もあり、日本語の「良くする」よりも守備範囲が広く、反対の「悪くする」の意味も持つのです。

　その一方で、日本語の「良くする」には、「何をどのように良くするのか」によって**4つの方向性**があります。

　1つ目は、**improve**に代表される、「良くない点を改善する」系で、**You should improve your health by moderate exercise.**（適度に運動して健康を改善するべきだ）のように用いられます。

　2つ目は「促進・発展させる」系で、**develop**、**promote**（好ましい状況を作ることによって促進する）、**encourage**（勇気づけたり奨励することで物事の進行を助長する）、**foster**（技能・感情・関係などを育む）、**facilitate**（良い結果が生じるように物事の進行を容易にする）などがあり、**She developed her musical talent in France.**（彼女はフランスで音楽的才能を伸ばした）、**Warmth and rain encourage the growth of plants.**（暖かさと雨は植物の成長を促進する）、**We have to make tenacious efforts to promote world peace.**（世界平和を推進するために粘り強く努力しなければならない）、**It is important to foster a good relationship with neighboring countries.**（隣国との良い関係を促進することは大切だ）、**Walking in the morning facilitates the circulation of blood.**（朝の散歩は血行を良くする）のように用いられます。

　3つ目は、**enhance**（価値・質・魅力・可能性などをさらに高める）に代表される「高める」系で、**The new system has greatly enhanced the production capacity of the company.**（新しいシステムで会社の生産力は大いに高まった）、**This movie has significantly enhanced his reputation.**（この映画で彼の評判はかなり高まった）のように用いられます。**improve**の「現状を改善する」というニュアンスに対して、**enhance**は「良いものをさらに良くする」というニュアンスがあります。

　4つ目は、**enrich**（何かを付け足すことによって価値・重要性を高め、特質・精神・栄養などを豊かにする）に代表される「豊かにする」系で、**You should enrich your vocabulary by reading a wide variety of books.**（いろいろな本を読むことで語彙を豊かにするべきだ）、**The milk has been enriched by adding Vitamin D.**（そのミルクはビタミンDを加えることで栄養価が高

められている）のように用いられます。

　本問①の**「生活水準を良くする」**場合には「良くない点を改善する」系で **improve** が、本問②の**「平和と安定を促進する」**場合には、「促進する」系で **promote** が、本問③の**「美をいっそう高める」**場合には、「良いものを高める」系の **enhance** がぴったりです。

> 一目でカンタン理解！　「良くする」系動詞の使い分け**MAP**！

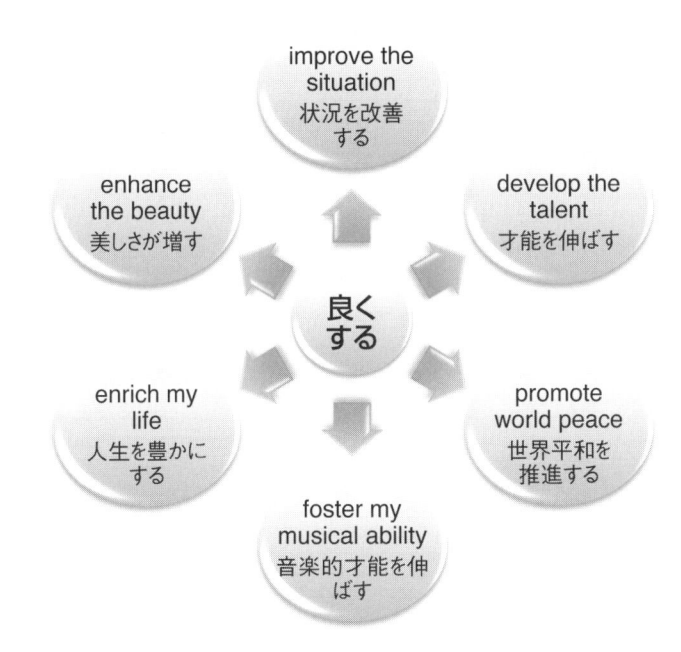

- improve the situation 状況を改善する
- develop the talent 才能を伸ばす
- promote world peace 世界平和を推進する
- foster my musical ability 音楽的才能を伸ばす
- enrich my life 人生を豊かにする
- enhance the beauty 美しさが増す

（中央：良くする）

「良くする」を意味する語のコロケーションを Check!

	the situation	the relationship	health	the beauty	his talent
improve	◎	◎	◎	○	○
develop	○	◎	△	△	◎
promote	○	○	○	○	○
facilitate	○	△	△	△	×
enhance	○	○	○	◎	△

☞「現状を改善する」ニュアンスの improve は situation（状況）、relationship（関係）、health（健康）で多く用いられ、「隠れているものを引き出して伸ばす」ニュアンスの develop は、特に relationship（関係）や talent（才能）で使用頻度が多くなります。「良いものをさらに良くする」ニュアンスの enhance は、beauty（美しさ）で多く用いられます。

enhance your beauty

develop his talent

> さらにワンランク UP!　「良くする」を表す重要表現をマスター!

- **better**　以前の結果より上の基準を達成したり、良い結果を得る
  ☞現状でも悪くはないが、満足とは言えない点をさらにいっそう良くする！
  The company **bettered** working conditions.
  (その会社は労働条件を改善した)
- **refine**　理論や方法などを改善する、不純物を取り除く
  Our products are constantly being **refined**.
  (わが社の製品は絶えず改良されている)
- **upgrade**　機械やソフトなどの質や効果を高めたり、人を昇進させる
  You should **upgrade** the software from version 1.1 to 1.2.
  (ソフトを1.1から、1.2にバージョンアップしたほうがよい)
- **cultivate**　教育や訓練によって才能などを伸ばす、産業・学問・友情などを育成する
  cultivate [a talent, the mind, friendship]
  (才能を伸ばす、精神を養う、友情を深める)
- **polish up**　練習して能力や技術を高める、完成前の文章に磨きをかける
  polish up [my English, its image, your essay]
  (自分の英語力に磨きをかける、イメージを良くする、エッセイを推敲する)

ランク9 「害する」系動詞の使い分けをマスター！

> これが使い分けの決め手！
>
> **injure, hurt, damage** の使い分けができるようになることが基本中の基本！

Q：次の日本語を英語で言ってください。

① 彼の何気ない一言で彼女の感情は害された。
② 穀物は台風のひどい被害を受けた。
③ 戦争で多くの兵士が致命的な傷を負った。

[damage / hurt / wound]

解 答

① Her feelings were **hurt** by his casual remark.
② The crops were badly **damaged** by the typhoon.
③ Many soldiers were fatally **wounded** in the war.

使い分けのポイント

　日本語の「害する」には、「傷つける」系、「悪化させる」系、「弱体化させる」系の3つの方向性があります。

　まず、1つ目の「傷つける」系動詞には、**injure, hurt, damage, harm** の4つがありますが、最も一般的な語は **injure** で、**Two children were injured in the accident.**（2人の子供が事故で負傷した）、**Direct exposure to sunlight injures the eyes.**（直射日光にあたると目を傷める）、**This incident could seriously injure his reputation.**（この事件で彼は評判を落とすことになるだろう）のように、「人や動物の体・健康・外見・感情・名声、物の価値」など、有形・無形のもののどちらを傷つける場合にも用いられます。

そしてこの **injure** をくだけた感じにしたのが **hurt** で、**injure** が特に「**事故などで人や動物に肉体的な損害を与える場合**」に用いられるのに対して、**hurt** は、**I hurt my leg.**（脚を痛めた）、**I don't want to hurt her feelings.**（彼女の感情を傷つけたくない）のように、「**日常生活の中で肉体や感情などを傷つけてしまう**」場合（injure よりも軽傷なイメージ）に多く用いられる形式ばらない語です。

それに対して「**モノの価値・外観・機能などを損なう**」場合に用いられるのが **damage** で、**The storm damaged hundreds of houses.**（嵐で何百軒もの家屋が損傷した）、**Too much washing will damage your hair.**（洗い過ぎると髪を傷めますよ）のように無生物を主語にして、有形・無形のモノに損害を与える場合に多く用いられ、ふつうは人間や生き物それ自体を傷つける意味では用いられません。

そしてこの **damage** より広い意味を持つのが **harm** ですが、**harm** は **harm him physically [financially]**（彼を肉体的に［財政的に］痛めつける）のように人間や生き物に対して肉体的・精神的・財政的に傷害を与える場合にも用いられます。一方、特に「**戦争で武器や鋭利な刃物などで襲撃して負傷させる**」場合には、**A bullet wounded his leg.**（弾丸で足に傷を受けた）のように、**wound** が用いられます。

2つ目の「**悪化させる**」**系動詞**には、**worsen**（これまでよりも悪い状態にする）、**aggravate**（状況・病気・悩みなどを増大させる）、**exacerbate**（病気・苦痛・恨みなど良くない事態をいっそう悪くする）、**degrade**（品位・価値・評価などを落とす、卑しくする）、などがあり、**Global warming and environmental degradation are worsening the food shortage.**（地球温暖化と環境悪化により食糧不足が深刻化している）、**Inflation aggravated the economic depression.**（インフレによって経済不況が悪化した）、**Her husband's death exacerbated her misery.**（夫の死で彼女の不幸はいっそう増した）、**He degraded himself by his rude behavior.**（彼は粗暴な振る舞いで品位を落とした）、のように用いられます。

3つ目の「**弱体化させる**」**系動詞**には **undermine**（健康や権威などを徐々に弱める）、**weaken**（力・健全さを減少させる）などがあり、**The country's provocative military action undermined efforts for a peaceful solution.**（その国の挑発的な軍事行動が平和的解決の努力を無にした）、**Overwork at that** time permanently undermined his health.（その時の過労がもとで彼は健康を永久に損なった）、**The disease has weakened her immune system.**（その病気のせいで彼女の免疫システムが弱まった）、**Insufficient rest will weaken your health.**（十分に休息をとらないと健康を損なうことになる）のように用いられます。

【一目でカンタン理解！】「害する」系動詞の使い分けMAP！

- injure the eyes 目を傷める
- hurt her feelings 彼女の感情を傷つける
- worsen the situation 状況を悪化させる
- undermine the health 健康を害する
- harm his reputation 彼の名声を傷つける
- damage the environment 環境を損なう

中心：害する

「害する」を意味する語のコロケーションを Check!

	the environment	the situation	the relationship	the health	the feelings
injure	×	×	×	△	○
hurt	×	○	◎	△	◎
damage	◎	○	◎	◎	○
harm	○	○	○	◎	△
worsen	×	○	○	△	△
exacerbate	×	○	○	△	△
undermine	○	◎	◎	◎	△

☞ **health**（健康）では **damage** ＞ **undermine** ＞ **harm** の順に多く用いられ、**environment**（環境）では **damage** が圧倒的に多く、次に **harm, undermine** が同程度に用いられ、**feelings**（感情）では、**hurt** が最も多く用いられます。

さらにワンランク UP!　「害する」を表す重要表現をマスター!

☐ **dampen**　勢い・気力・熱意などをくじく、鈍らせる
Her casual remarks **dampened** his enthusiasm.
（彼女の何気ない一言で彼の熱意は冷めてしまった）

☐ **strain**　緊張させる、無理をしすぎて悪くする
Relations between the two nations have become more **strained** than before.
（両国間の関係は以前よりも悪くなっている）

☐ **compound**　問題や面倒なことをいっそうひどくする
Our problem was **compounded** by the accident.
（私たちの抱える問題は事故のために一層ひどくなった）

- **intensify**　事態が深刻化する、激化する
  The war has **intensified** in the Middle East.
  （中東での戦争が激化した）
- **sap**　健康・自信・勇気などを徐々に弱める
  The disease **sapped** his strength.（病気のため体力が徐々に衰えた）
- **impair**　価値・能力・健康・美しさなどを損なう
  ☞状態がしだいに悪化し、その結果が長く続くことを暗示することが多い
  One's health is **impaired** by overwork.
  （人の健康は過労によって損なわれる）

これもマスター　「叩く」系動詞の使い分け

「叩く」系動詞には、**strike**（手や手に持ったものでたたく最も一般的な語）、**hit**（狙いをつけて力を込めて、通例1回だけたたく、strike よりもくだけた語）、**beat**（続けざまに、またはリズムをつけてたたく）、**knock**（注意を引くためにドアなど手の甲でしっかりたたく）、**bang**（ドンと音を立ててたたく）、**tap**（軽くポンとたたく）、**rap**（軽くコツコツとたたく）、**punch**（げんこつでなぐる）、**slap**（手のひらでたたく）などがあり、**strike him in the face**（彼の顔をなぐる）、**hit him on the head**（彼の頭をたたく）、**beat a drum**（太鼓をたたく）、**knock on the door**（ドアをノックする）、**bang on the table with his fist**（こぶしでドンとテーブルをたたく）、**tap her on the shoulder**（彼女の肩をポンとたたく）、**rap at the door**（ドアをコツコツとたたく）、**punch a man on the chin**（男のあごをなぐる）、**slap her face**（彼女のほおを平手で打つ）のように用いられます。

ランク10 「大きくする」系動詞の使い分けをマスター！

> これが使い分けの決め手！
>
> **increase, extend, expand, enlarge** の使い分けをマスター！

Q：次の日本語を英語で言ってください。

① 喫煙は肺ガンになる危険を増大させる。
② 私はこの写真を拡大してもらうつもりだ。
③ その市は隣町まで鉄道を延長することを計画している。

[enlarge / extend / increase]

解答

① Smoking will **increase** the risk of lung cancer.
② I'm going to have this picture **enlarged**.
③ The city is planning to **extend** the railroad to the next town.

使い分けのポイント

「大きくする」と言われて思い浮かぶのは、「成長させる、育てる」などの意味を持つ **grow** でしょうが、**grow a peach tree**（桃の木を育てる）、**grow the business**（ビジネスを拡大する）、**grow my hair long**（髪を長く伸ばす）などのように使われる一般的な語です。

それに対して日本語の「大きくする」には、「何をどのように大きくする」のかによって **3つの方向性**があります。

1つ目は「**数量・程度を増やす**」系で、**increase**（具体的な数値を大きくする）、**multiply**（数や量を倍加させる）、**augment**（やや形式ばった語で、既にあるものに、さらに外部から何かをつけ加えることで増大させる）、**raise**（水準・給料・価格・温度などを上げる）などの動詞が用いられ、**Our company is** planning to increase the number of workers and stores.（わが社は従業員と店舗数を増やすことを計画中だ）、**Warm temperature multiplies the bacteria in milk.**（温度が高いと牛乳中のバクテリアは増殖する）、**I must augment my income by doing extra work.**（時間外労働をして収入を増やさなければならない）、**The government has made a decision to raise consumption tax.**（政府は消費税の値上げを決定した）のように使われます。

　2つ目は「**拡大する**」系で **spread**（一面にさっと広げる）、**expand**（内から外へと四方八方に広げていく）、**enlarge**（これまでよりも規模をさらに大きくする）、**swell**（膨らまして大きくする）などが用いられ、**The Romans spread their civilization throughout Europe.**（ローマ人たちはヨーロッパ中に文明を広めた）、**The new company quickly expanded their share of the market.**（その新しい会社は市場をたちまち拡大した）、**I'm going to enlarge my house by adding a new room.**（新しく一部屋増築する予定だ）、**She swelled an omelet out with boiled potatoes.**（彼女はゆでたジャガイモを入れてオムレツを大きくした）などのように使われます。

　3つ目は「**延長する**」系 で、**extend**（ある目標点に到達するように空間的・時間的に引き延ばす）や **lengthen**（有形・無形を問わず長くする）、**prolong**（予定の時間を長くする）、**protract**（不当に・不必要に時間を長引かせる）などが用いられ、**I'll extend my stay in Japan for a few days longer.**（日本滞在をもう2、3日延ばすつもりだ）、**I asked the tailor to lengthen my skirt to below the knee.**（私は仕立屋に頼んでスカート丈をひざ下まで延ばしてもらった）、**The conference was prolonged into the evening.**（会議は長引いて夕方まで続いた）、**He deliberately protracted a discussion.**（彼は議論を故意に長引かせた）のように使われます。

　本問①の「**肺ガンになる危険を増大させる**」の場合は、「肺ガンになる確率（パーセンテージ）の数値が大きくなる」ので、「**具体的な数値を増加させる**」というニュアンスを表す **increase** がぴったりです。それに対して、本問②の「**写真を拡大する**」の場合には、「拡大する」系で、「これまでよりも規模をさらに大きくする」というニュアンスの **enlarge** がぴったりです！本問③の「**鉄道を延長する**」の場合には、線路の長さを引き延ばしていくので「**延長する**」系 で、「**空間的に引き延ばす**」というニュアンスの **extend** がぴったりです！

> 一目でカンタン理解！ 「大きくする」系動詞の使い分け **MAP**！

- grow a peach tree 桃の木を育てる
- increase the number of workers 労働者の数を増やす
- expand the business 事業を拡大する
- extend the meeting 会議を延長する
- enlarge the picture 写真を引き伸ばす

中心：大きくする

「大きくする」を意味する語のコロケーションを **Check**！

	the number	the meeting	the business	the knowledge	the risk
grow	○	×	◎	×	×
increase	◎	×	○	◎	◎
expand	○	×	◎	◎	○
enlarge	△	×	△	○	×
extend	○	◎	◎	○	○

☞最も広い範囲で用いられるのは **increase** で、特に **number**（数）や **risk**（危険）では他の動詞よりも多く用いられますが、**meeting**（会議）では「**延長する、延期する、拡張する**」のニュアンスの **extend** が他の動詞よりも多く用いられ、**business**（ビジネス、事業）では **extend** に加えて、「**育てる**」ニュアンスの **grow**、「**拡大する**」ニュアンスの **expand** が他の動詞よりも多く用いられます。

注：increase は「商取引を増やす」という意味では多いですが、「事業を拡大する」という意味では使われません。

enlarge the picture　　extend a deadline

さらにワンランク UP!　「大きくする」を表す重要表現をマスター!

- **stretch**　ストレッチをするように伸縮するものを力で引っ張って伸ばす
  She **stretched** the soup with vegetables.
  (彼女は野菜を入れてスープを増量した)
- **strengthen**　強くする、増強する
  ☞ strength（強さ）＋ en（～にする）
  These exercises will greatly **strengthen** your muscle.
  (これらの運動はあなたの筋肉を大いに増強するでしょう)
- **heighten**　高める、増大する
  ☞ height（高さ）＋ en（～にする）
  The news **heightened** public awareness about nuclear disarmament.
  (そのニュースで核軍縮に対する人々の意識が高まった)
- **accumulate**　積もる、貯まる、増える
  He **accumulated** his wealth by hard work.
  (彼は懸命に働いて富を貯めた)

ランク11 「小さくする」系動詞の使い分けをマスター！

> これが使い分けの決め手！

lower, decrease, reduce の使い分けが基本！

Q：次の日本語を英語で言ってください。

① この薬は末期患者の激しい苦痛を<u>軽減する</u>だろう。
② 新たな規制のために経済はひどく<u>弱体化した</u>。
③ もう少し声を<u>小さくして</u>もらえませんか。

[**lower / relieve / weaken**]

解答

① This medicine will **relieve** the terrible sufferings of terminally-ill patients.
② The new regulations have severely **weakened** the economy.
③ Could you **lower** your voice a little, please?

使い分けのポイント

「小さくする」と言われて、すぐに思い浮かぶのは、**make ～ small** ですが、日本語の「小さくする」には、「何を小さくするか」によって、4つの方向性があります。

1つ目は「**数量を減少させる**」系で、**reduce**（re（元に）＋duce（導く）というつくりからもとの状態になるまで人為的に引き下げる）、**decrease**（段階的に持続して減少させる）、**diminish**（何らかの外的要因が働いて規模を小さくさせる）、**lessen**（これまでよりもさらに少なくする）、**lower**（数量・価格・割合などを下げる）、**lose**（体重を減らす）などの語が用いられ、**I reduced my weight from 70 kg to 60 kg by dieting.**（ダイエットをして体重を70キロか

73

ら60キロまで減らした）、**We have to decrease the number of the employees.**（従業員の数を減らさなければならない）、**The war diminished the wealth of the country.**（戦争はその国の富を減らした）、**They lessened working hours.**（就業時間をさらに減らした）、**Can you lower the price?**（値引きしてもらえますか）、**I have to lose weight on a diet.**（ダイエットして体重を減らさなければならない）などのように表現されます。

　2つ目は「**程度を軽減させる**」系で、**reduce**（程度の範囲を小さくする）、**relieve**（苦痛・負担などから解放する）、**lighten**（軽くする）、**alleviate**（和らげる）、**lower / turn down**（音量などを下げる）などの語が用いられ、**reduce air pollution**（大気汚染を減らす）、**Moderate exercise is an effective way to relieve stress.**（適度な運動はストレス解消に効果的な方法だ）、**My boss lightened my workload.**（上司は私の仕事量を軽減してくれた）、**The new road will alleviate the traffic congestion.**（新しい道路のおかげで交通渋滞が軽減できるでしょう）、**Can you turn down [lower] the sound of TV?**（テレビの音量を下げてくれませんか）のように表現されます。

　3つ目は、「**余計なものを取り除く**」系で、**shorten**（短くする）、**cut down (on)**（消費量などを減らす、費用などを切り詰める）などの語が用いられ、**She has shorten her skirt by five centimeters.**（彼女はスカートを5センチほど短くした）、**The doctor told me to cut down on smoking.**（医者は私にタバコを減らすように言った）や **We must cut down on expenses to make ends meet.**（赤字にならないように経費を切り詰めなければならない）のように表現されます。

　4つ目は「**摩耗させる**」系で、**wear**（使い古す）、**exhaust**（使い果たす）、**deplete**（激減させ空っぽにする）、**weaken**（衰弱させる、弱体化させる）などがあり、**He wore out his shoes in a month.**（彼は1か月で靴を履きつぶしてしまった）、**He has exhausted almost all of his savings.**（彼は貯金をほとんど全て使い果たしてしまった）、**Natural resources in the world are rapidly being depleted.**（世界の天然資源は急速に枯渇している）、**His long illness has weakened him.**（病気が長引いて彼は衰弱した）のように使われます。

一目でカンタン理解！ 「小さくする」系動詞の使い分け MAP！

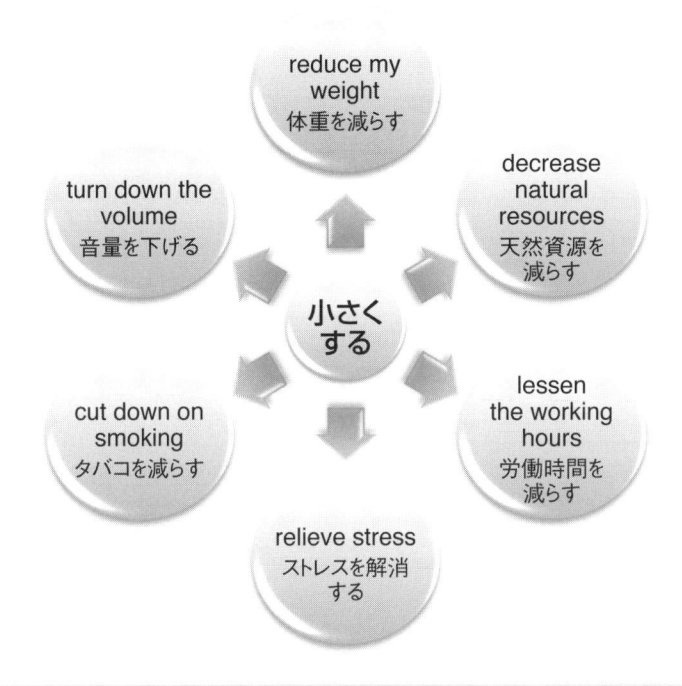

- reduce my weight 体重を減らす
- decrease natural resources 天然資源を減らす
- lessen the working hours 労働時間を減らす
- relieve stress ストレスを解消する
- cut down on smoking タバコを減らす
- turn down the volume 音量を下げる

中央：小さくする

「小さくする」を意味する語のコロケーションを Check!

	the number	your voice	the risk	the stress	the pain
reduce	◎	△	◎	◎	◎
decrease	◎	×	◎	◎	△
diminish	○	×	△	×	△
lessen	◎	○	◎	×	○
lower	◎	◎	◎	○	△

☞ 最も広い範囲で用いられるのは「数量を減少させる」系でも「程度を軽減させる」系でもある **reduce** ですが、**number**（数）、**risk**（危険）など数量化できるものについては **decrease** も同様に高い頻度で用いられます。さらに **stress**（ストレス）や **pain**（痛み）などでは **lessen** が多く用いられます。

注：「ストレスを解消する」は relieve stress が最も多く用いられます。

lower your voice 　　　relieve stress

---

さらにワンランク UP!　「小さくする」を表す重要表現をマスター!

☐ **slash**　予算などを思い切って大幅に削減する、切り下げる
The budget has been **slashed** by 50%.
（予算は半分に削減された）

☐ **curtail**　話・期日などを短縮する、事業・権利などを縮小する、費用などを節減する
His company is planning to **curtail** its overseas operations.
（彼の会社は海外での営業活動の縮小を計画中だ）

☐ **narrow**　差異などを小さくする、狭める
We must **narrow** the gap between the rich and poor in the area.
（我々はその地域の貧富の差をなくさなければならない）

☐ **soothe**　怒りや悲しみ・苦痛などを和らげる、静める
He tried to **soothe** her anger.（彼は彼女の怒りを静めようとした）

☐ **contract**　筋肉や金属などを引き締める、収縮させる
The heart pumps blood by **contracting** its muscles.
（心臓は筋肉を収縮させることで血液を押し出す）

これもマスター 「減少する」系動詞の使い分け

「減少する」系動詞で、もっとも一般的な語は **fall**（落ちる）ですが、もっと意味を明確にするために、**peter out**（先細りに消える、次第に衰えてだんだんなくなる、疲れ果てる）、**shrink**（縮む、数量や価値などが少なくなる）、**decline**（勢いが衰える、価値が低下する、数量が減少する）、**lessen**（形・数量・程度が少なくなる、小さくなる、軽くなる）、**diminish**（大きさ・程度・重要性などが減少する）、**sag**（重量・圧力のためにたわむ、落ち込む、沈下する）、**dwindle**（人口・価値などが次第に減少する）、**dip**（一時的に減少する・沈む）、**decrease**（段階的に持続して減少する）、**slump**（人気などが急に落ちる、ビジネスなどが不振に陥る、意気消沈する、物価などがガタ落ちする）、**take a nosedive**（相場などが急落・暴落する、経済などが急に失速する、売り上げなどが急に減る）、**plunge**（数量・価値などが急に落ち込む）、**plummet**（数値・金額などが急落・暴落する）などが用いられます。

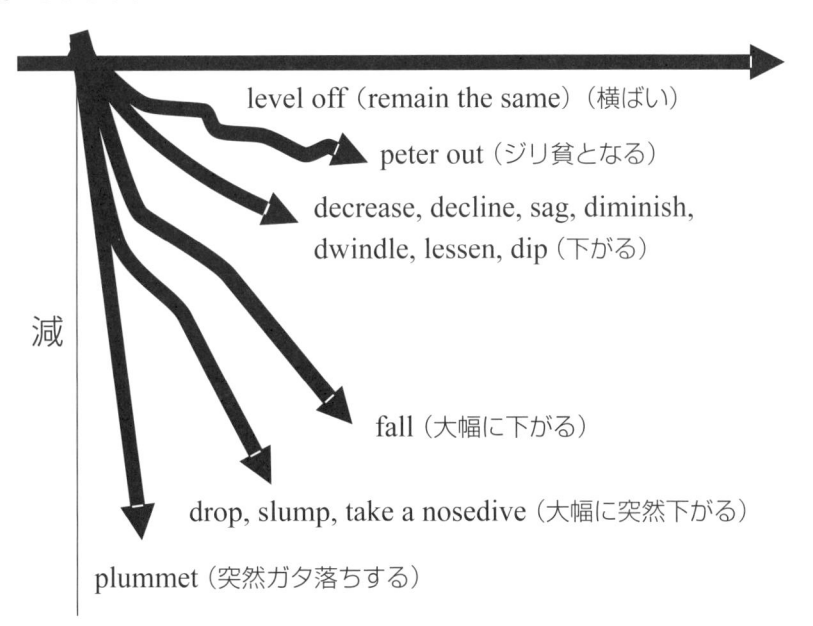

減

- level off (remain the same)（横ばい）
- peter out（ジリ貧となる）
- decrease, decline, sag, diminish, dwindle, lessen, dip（下がる）
- fall（大幅に下がる）
- drop, slump, take a nosedive（大幅に突然下がる）
- plummet（突然ガタ落ちする）

ランク12 「起こる・起こす」系動詞の使い分けをマスター！

> これが使い分けの決め手！
>
> **happen, occur, break out, take place** の使い分けが基本！

Q：次の日本語を英語で言ってください。

① 何かいいことが起こりそうな予感がする。
② 彼女は今日来ないだろうという考えが頭の中にふと起こった（浮かんだ）。
③ 19世紀初頭、その2国間で戦争が起こった。

[break out / happen / occur]

解 答

① I have a feeling that something good will **happen**.
② It **occurred** to me that she would not come today.
③ War **broke out** between the two nations in the early nineteenth century.

使い分けのポイント

「起こる」と言えば、すぐに思い浮かぶ最も一般的な語は **happen** ですが、**happen** には「あることがたまたま偶然起こる」というニュアンスがあり、偶然性や意外性を表すので、**不特定の出来事や、具体的ではない出来事**に用いられることが多い語です。何が起こったのかわからない場合やこれから何が起こるかわからない場合に好んで使われます。

それに対して、**occur** は、**happen** とほぼ同じく思いがけないことが起こる場合に用いられることも多いのですが、**happen** よりも堅くフォーマルな語で、主に「**具体的な事柄や事件の発生**」に対して使われ、**The accident occurred at**

midnight.（その事故は午前０時に起こった）のように、発生した時期や頻度もともに明示される場合が多いのが特徴です。さらに **occur** には、「何もない状態から何かが現れる、発生する」というニュアンスもあり、「考えなどが浮かぶ、ふと思いつく」や「存在する、ある」という意味も持ち、**A good idea occurred to me.**（よい考えがふと頭に浮かんだ）や **This kind of plant occurs only in Asia.**（この種の植物はアジアにしかない）のように使われます。また **How did the fire［war］start?**（火事［戦争］はどうして起こったのか）のように **start** も使われます。

さらに、「戦争や暴動、火事や疫病などネガティブな出来事が突発的に起こる」場合には、「突然静寂を切り裂いて外に飛び出してくる」イメージの **break out** がよく用いられ、**War broke out in Europe.**（ヨーロッパで戦争が勃発した）や **An epidemic broke out.**（伝染病が発生した）のように使われます。

その反対に、「あらかじめ予定されていたことや、計画されていたことが起こる」場合には、「しかるべき場所につく、位置につく」というイメージの **take place** がよく用いられ、**The meeting will take place next Wednesday.**（会議は来週の水曜日に開かれます）や **When will the wedding take place?**（結婚式はいつ行われるのですか）のように使われます。

また、「相手に出来事が起こった理由や事情を尋ねる」ような場合には、「身の回りに出来事がひょっこりやって来る」イメージで、**come about** が用いられ、**Can you tell me how the accident came about?**（どうしてその事故が起きたか説明してくれますか）や、**How did it come about that she lost her job?**（どういう事情で彼女がクビになったのですか）のように使われます。

本問①の「何かいいことが起こる」場合には、「あることがたまたま偶然起こる」というニュアンスの **happen** がぴったりです。これから何が起こるかわからないわけですから、具体的な出来事が起こる場合に用いられることが多い **occur** よりも自然な感じがします。本問②の「考えがふと頭に浮かんだ」場合には、「具体的な考えなどが浮かぶ」という意味を持つ **occur** が、本問③の「戦争が起こる」の場合には、「突然静寂を切り裂いて外に飛び出してくる」イメージの **break out** がぴったりです！

その他にも「起こる」系表現としては、**This festival originated in the Kamakura period.**（この祭りは鎌倉時代に起こった）、**A violent protest has arisen against this plan.**（この計画に対してはすでに激しい反対運動が起

こっている）などもあります。

一目でカンタン理解！「起こる」系動詞の使い分け**MAP**！

- What's happening?
  どうしたんだ
- The accident occurred at noon.
  その事故は正午に起こった
- War broke out in Europe.
  ヨーロッパで戦争が起こった
- The Olympic Games will take place in Tokyo.
  オリンピックが東京で行われる
- How did the accident come about?
  どうしてその事故は起こったのだ？

起こる

「起こる」を意味する語のコロケーションを Check!

	the accident	the problem	the meeting	the war
happen	○	○	△	△
occur	◎	◎	△	△
break out	×	×	×	◎
take place	△	×	◎	△

☞ **accident**（事故）や **problem**（問題）など偶然生じる場合もあるものには **happen** も用いられますが、**accident** では **10 倍以上**、**problem** では **5 倍以上** **occur** の方が多く使用されます。さらに、**the meeting**（会議）では **take place** が、**war**（戦争）では **break out** が他の動詞の使用頻度よりも **10 倍以上**高くなります。

The war broke out.　　The meeting took place.

> **さらにワンランク UP!** 「起こる・起こす」を表す重要表現をマスター!

☐ **cause**　因果関係を強調して、主に「悪いこと」を引き起こす場合に用いる

Obesity generally **causes** chronic disease such as diabetes.
(肥満は糖尿病などの慢性病を引き起こす)

☐ **lead to ~**　一定期間後に結果を引き起こす、ある結果・状態に向かうという意味

Excessive dieting can **lead to** various health problems such as eating disorders.
(極端なダイエットは、摂食障害などのさまざまな健康問題を引き起こすことがある)

☐ **result from ~**　~から結果的に起こる、生じる
　⇔ **result in ~**　結果的に~をもたらす、~に終わる

The traffic accident **resulted from** his reckless driving.
(その交通事故は彼の無謀な運転から生じた)

⇔ His reckless driving **resulted in** the traffic accident.
(彼の無謀な運転がその交通事故をもたらした)

☐ **bring about ~**　ある状況に変化をもたらすという場合に用いる

His invention **brought about** a great advance in science.
(彼の発明は科学に大きな進歩をもたらした)

☐ **give rise to ~**　不愉快で意外なことを引き起こす場合に用いる堅い表現

Her speech **gave rise to** a bitter argument.
(彼女の発言は激しい論争を引き起こした)

これもマスター 「現れる」系動詞の使い分け

「現れる」系動詞には、**appear**（①突如現れたり、出没する ②テレビなどに出演する、法廷に出廷する、本や製品などを出版・販売するなど公の場に出る）、**show up**（パーティーなどの約束の場にしばしば遅れて顔を出す）、**turn up**（①探し物が偶然見つかる ②仕事などの約束の場に到着する）、**spring up**（突然、泉のように湧き出る）、**emerge**（今まで見えなかったもの・隠れていたものが秘密の状態や苦境などから現れる）、**arise**（状況や問題などが生じる）、**rise**（太陽や月が現れる）、**surface**（周りの人に知られるように明らかになる）、**originate**（発生したり存在し始めたりする）、**materialize**（目に見えないものが実体化する）などがあります。

それぞれ、**A man in black suddenly appeared in front of me.**（黒服を着た男が突然私の前に現れた）、**She showed up late for the party.**（彼女はパーティーに遅れてやって来た）、**I'm sure your watch will turn up soon.**（時計はすぐに出てくると思うよ）、**Convenience stores sprang up in this area.**（この地域にコンビニが急に増えた）、**A huge ship emerged from the fog.**（霧の中から巨大な船が現れた）、**New problems arise from one after another.**（次々に新たな問題が生じる）、**The sun rose above the horizon.**（太陽が水平線から昇った）、**Differences began to surface within them.**（彼らの意見の食い違いが表面化し始めた）、**This custom originated in England.**（この習慣はイギリスで生まれた）、**A figure of a man suddenly materialized from behind a tree.**（木の陰から突然人影が現れた）のように用いられます。

ランク13 「つくる」系動詞の使い分けをマスター！

> これが使い分けの決め手！ **make, build, create** の使い分けをマスター！

Q：次の日本語を英語で言ってください。

① 面接試験では第一印象を良くしようと努めなさい（⇒良い第一印象をつくる）。
② グローバル化の時代において、他国と相互に友好と信頼の関係をつくることが大切だ。
③ そのエコカーは燃費において世界記録をつくった。

[build / make / set]

解答

① Try to **make** a good first impression at job interviews.
② In the age of globalization, it is important to **build** mutual friendship and trust among countries.
③ The eco-car **set** a world record for fuel efficiency.

使い分けのポイント

「つくる」といえば、すぐに思い浮かぶのは **make** と **build** ですが、**make** には「すばやく無から有を生み出す」というニュアンスがあり、**She made her own clothes.**（彼女は自分で服を作った）のように「材料や部品を使って物を作る」だけでなく、**make a plan**（計画を立てる）のように「立てる、立案する」、**make myself a cup of coffee**（自分でコーヒーを入れる）のように「準備する、整える」、**make a phone call**（電話をする）のように「する」の意味や、**You can make it if you hurry.**（急げば間に合うよ）のように「間に合う、都合が

つく」、She will make him a good wife.（彼女は彼の良い妻になるだろう）のように「なる」の意味にまで広がっていきます。

さらに make a difference in my life（人生を変える）や make war（戦争をはじめる）、make trouble（面倒を引き起こす）のように「ある状況をもたらす、引き起こす」という用法もあり、本問①のように make an impression で「印象を与える」という意味にもなるのです。

それに対して、build には「時間をかけてじっくりと積み重ねて作り上げる」というニュアンスがあり、build a new house（新しい家を建てる）のように「建造する」以外に、build our customers' trust（顧客の信頼を築く）、build a new career（新たなキャリアを築く）のように、「比較的長い時間をかけて物事や状況を築く」という場合に用いられます。それゆえ、信用（trust）、関係（relationship）、自信（confidence）、人格（character）、評判（reputation）などの言葉との相性が良い点が make や他の「つくる」系動詞との大きな違いです。

例えばコロケーションの視点から使用頻度を見てみると、信頼（trust）では build trust の方が、make trust よりも 15 倍以上多く用いられているのに対して、印象（impression）では、make an impression の方が、build an impression よりもなんと 100 倍以上も多く用いられているのです！

make や build 以外にも「つくる」系動詞には、create（今までにないまったく新しいものを創造する）、invent（工夫や努力を重ねて新しいものをつくり出す、発明する、言い訳などをでっち上げる）、produce（技能や才能を駆使して製品をつくり出す）、generate（考え・利益・電気・エネルギーなどを生み出す、自然に発生させる）、manufacture（工場などで機械を使って大量生産する）、form（形作る、チームなどを組織・編成する）、shape（具体化する、考え・意見などをまとめて形成する）、found（学校・病院など設立する）、establish（安定した組織・会社・地位・関係などを設立・確立する）などがあり、create a new fashion（新しい流行を作り出す）、invent a device（装置を発明する）、produce world-famous cars（世界的に有名な車を製造する）、generate a lot of profits（多くの利益を生み出す）、manufacture automobiles（自動車を生産する）、form a new cabinet（新しい内閣をつくる）、shape public opinion（世論を形成する）、found a new hospital（新しい病院を設立する）、establish a good relationship（良好な関係を築く）などのように用いられま

す。

　一方、問題③の「世界記録をつくる」などのような場合には **set** が用いられます。**set** には「ある物や状況を一定のレベルに定める、整える」というニュアンスがあり、そこから**記録（record）、基準（standard）、前例（example）、ムード（mood）、トレンド（trend）、お膳立て（stage）、目標（goal）** などを作るときによく用いられ、**He set the mood for the meeting.**（彼が会議のムードを作った）、**The company set a new fashion trend.**（その会社が新しいトレンドを作った）、**They set high standards of customer service.**（彼らが顧客サービスの高い水準を作った）、**He set a stage for negotiations.**（彼が話し合いの場を作った）のように表現することができるのです。

　またその他にも **find** や **spare** などの基本動詞を使って、**I can't find the time to exercise.**（運動する時間が作れない）や、**I couldn't spare even 30 minutes for it.**（30分の時間も作れなかった）のような表現もできます。

――一目でカンタン理解！――　「つくる」系動詞の使い分け**MAP**！

つくる

- make a pretty doll　かわいい人形をつくる
- build self-confidence　自信をつける
- create a new fashion　新たな流行をつくり出す
- invent a lot of devices　たくさんの装置を発明する
- produce a world-famous car　世界的に有名な車を製造する
- set a world record　世界記録をつくる

「つくる」を意味する語のコロケーションを Check!

	goods	trust	an impression	a team	laws
make	◎	×	◎	○	◎
build	×	◎	×	◎	×
create	○	○	○	○	◎
invent	×	×	×	×	×
produce	◎	△	△	△	×

☞ **goods**（商品）では **produce ＞ make ＞ create** の順に用いられ、比較的長時間かけて築く **trust**（信用）では **build** が圧倒的に多く、**create** はその3分の1以下の使用頻度です。一瞬で生じる **impression**（印象）や、**laws**（法律☞ **lawmaker** で「国会議員」の意味）では、**make ＞ create** の順で多く用いられます。

さらにワンランク UP! 「つくる」を表す重要表現をマスター!

- **assemble**　たくさんの物を集めてまとめる、組み立てる
  assemble [a model plane, a team, data]
  （模型飛行機を組み立てる、チームを作る、データを集める）
- **construct**　建物や橋などを建造したり、考えを組み立てて文章を作る
  construct a [building, new theory]
  （建物を建設する、新しい理論を構築する）
- **organize**　必要な準備をしたり、情報や仕事を整理し、系統立ててうまく機能させる
  organize [a baseball team, data]
  （野球のチームを組織する、データをまとめる）
- **compose**　物や部分がまとまって形作られる、曲・詩・文章を創作する
  compose a(n) [symphony, essay, letter]
  （交響曲を作曲する、随筆を書く、手紙を書く）

□ **fabricate**　話や書類を捏造する、品物や装置を製造する
fabricate a [chemical, document]
（化学製品を製造する、書類を偽造する）

□ **forge**　本物と間違うように違法なコピーをしたり、他の集団や国と強い関係を築く
forge a [sword, passport, friendly relationship]
（刀をつくる、パスポートを偽造する、友好関係を築く）

□ **mold**　型に入れて作る、人格・思想・運命などを形作る
mold [statues from clay, the character of a child, my own destiny]
（粘土から彫像を作る、子供の性格を形成する、自分の運命を自分で決める）

これもマスター　「料理する」系動詞の使い分け

「料理する」系動詞には、まず火を通さなくても使われる「加熱しない」系として **make**（サラダやサンドイッチなどを作る）、**prepare**（食事を用意する）、**fix**（あり合わせのもので簡単にこしらえる）などがあります。一方「加熱する」系では、**cook**（材料に加熱して作る）が一般的に広く使われ、さらに意味を明確にするために「焼く系」として、**bake**（パンなどをオーブンで焼く）、**roast**（肉をオーブンやくし刺しであぶる）、**grill** や **broil**（網に乗せて直火で焼く）が用いられ、「煮る・蒸す」系では **boil**（ゆでる、煮る）、**stew**（材料に水や調味料を加えて柔らかくなるまで煮る）、**simmer**（とろ火でグツグツ煮る）、**steam**（蒸す）、さらに「油で調理する」系として **fry**（油で炒める・揚げる）、**deep-fry**（たっぷりの油で天ぷらやフライにする）などの使い分けが重要です。

ランク14 「壊す」系動詞の使い分けをマスター！

> これが使い分けの決め手！
>
> **break** だけでなく、**destroy, demolish, ruin** などさまざまな「壊す」の類語の使い分けをマスター！

Q：次の日本語を英語で言ってください。

① 彼女は息子をわがままに育ててだめにした。
② 彼女は走り高跳びの世界記録を破った。
③ その古代都市は大地震で廃墟となった。

[break / ruin / spoil]

解 答

① She let her son have his own way and **spoiled** him.
② She **broke** the world record for high jump.
③ The ancient capital was **ruined** by a massive earthquake.

使い分けのポイント

「壊す」と言われてまず思い浮かぶのは **break** と **destroy** ですが、**break** には、**break a toy**（おもちゃを壊す）のように「モノを壊す」の意味があるのはもちろんですが、**break a glass**（コップを割る）、**break a rod**（さおを折る）、**break a string**（ひもを引きちぎる）、**break my leg**（脚の骨を折る）、**break off bread to eat**（パンをちぎって食べる）、**break blister with a needle**（針で水ぶくれをつぶす）のように、「比較的固い物を刃物以外の力で瞬間的にいくつかの部分にする」ことを表します（ちなみに刃物を使う場合には **cut** が用いられます）。

そこからさらに意味が拡張して、**break a contract [her promise]**（契約を

破棄する［彼女との約束を破る］）のように「**法律・契約・約束などを破る**」、**A woman can make or break a man.**（男を生かすのも殺すのも女次第だ）のように「**破滅させる、ダメにする**」、さらには、**break the record for high jump**（走り高跳びの記録を更新する）のように「**記録などを更新する**」、**They broke a secret code.**（彼らは秘密の暗号を解読した）のように「**暗号などを解読する**」など、**break** の基本コンセプトは「**破壊と創造**」で、ただ単に「**破壊する**」だけでなく「**新たなものを創造する**」というニュアンスまで持つのです。

一方、**destroy** には「**長い時間をかけてつくり上げたもの（すなわち build や construct したもの）に大きな損害を与えて完全に壊し存在しなくする**」というニュアンスがあり、**destroy the town**（町を壊滅させる）のように「**地域や建物を破壊する**」だけでなく、**destroy himself**（自殺する）、**destroy his dream and career**（彼の夢と一生を台無しにする）、**destroy our friendship**（友情を壊す）、**destroy his reputation**（名声を傷つける）、**destroy our trust between the two countries**（両国間の信頼を損なう）などのように「**比喩的に友情や人生などを台無しにする**」という意味もあります。

それに対して、日本語の「壊す」には「**破壊・全滅させる**」系、「**ダメにする**」系、「**粉々に粉砕する**」系の3つの方向性がありますが、**break** と **destroy** を使えばそのほぼ全部をカバーできます。しかし、いろいろな場面で使われる一般的な **break** や **destroy** よりもさらに明確で具体的なニュアンスを出すために、「**何をどのように壊すのか**」によってさまざまな語の使い分けが重要になってくるのです。

たとえば、1つ目の「**破壊・全滅させる**」系では、「**ダイナマイトなどで建物や障害物などを爆破して完全に取り崩してがれきの山にする**」場合や、比喩的に「**理論・学説などを紛糾する**」場合には、**demolish [an old building, a barrier, his new theory]**（古い建物を取り壊す、障害物を打破する、彼の新しい理論を粉砕する）のように **demolish** が使われます。

次に2つ目の「**ダメにする**」系では、「**特に乗り物などを乱暴で手荒な手段でダメにする**」場合や、比喩的に「**人生・希望・計画などを台無しにする**」場合には、**wreck [my car, his life]**（廃車にする、彼の人生を無茶苦茶にする）のように **wreck** が使われ、「**力や災害などの外的要因で破壊する場合だけでなく、時の経過とともに徐々に内的要因で崩壊する場合も含み、荒廃してしまった状態を強調する**」場合には、**ruin [the town, my life, his reputation]**（町を廃墟

にする、人生を棒に振る、彼の評判を台無しにする）のように **ruin** が使われ、「**物や人が本来持っていた価値や有用性などをダメにして使いものにならなくする**」場合には、**spoil [an egg, my own chance of life, a child]**（卵を腐らせる、人生のかけがえのないチャンスをつぶす、子供を甘やかしてだめにする）のように **spoil** が使われます。

　最後の3つ目の「**粉々に粉砕する**」系では、「**外部から圧力をかけて押しつぶす**」場合には、**He crushed an egg in one hand.**（彼は片手で卵を握りつぶした）のように **crush** が使われ、「**パチッと鋭い音を立ててひびを入れる**」場合には、**The dish was cracked, not broken.**（皿は割れたのではなく、ひびが入っていた）のように **crack** が使われ、「**強い衝撃によってガチャンと激しい音を立てて壊す**」場合には、**She smashed the vase against the wall.**（彼女は花瓶を壁にぶつけて割った）のように **smash** が使われ、「**突然破片を飛び散らして、粉々にする**」場合や比喩的に「**夢や希望などを粉砕する**」場合には、**shatter [a light bulb, her dream]**（電球を割る、彼女の夢を粉砕する）のように **shatter** が使われ、「**骨のように堅い物を砕く、折る**」場合には、**He fractured his leg.**（彼は脚の骨を折った）のように **fracture** が使われます。

一目でカンタン理解！「壊す」系動詞の使い分けMAP！

- break my heart 心を痛める
- destroy the town 町を破壊する
- demolish the building 建物を取り壊す
- wreck a car 廃車にする
- ruin my life 人生を台無しにする
- eradicate poverty 貧困をなくす

壊す

demolish the building

eradicate terrorism

「壊す」を意味する語のコロケーションを Check!

	the town	the building	the dream	the machine	poverty
break	×	△	◎	◎	×
destroy	◎	◎	○	◎	×
demolish	△	◎	×	△	×
ruin	◎	△	○	△	×
crush	△	△	△	○	×
shatter	×	×	○	×	×
eliminate	○	×	×	×	◎
eradicate	×	×	×	×	◎

☞最も広い範囲で用いられるのは **destroy** ですが、**dream**（夢）や **machine**（機械）では **break** が、**building**（建物）では **demolish** が多く用いられます。さらに **poverty**（貧困）では「撲滅する」というニュアンスの **eliminate** や **eradicate** が多く用いられます。

> さらにワンランク UP! 「壊す」を表す重要表現をマスター!

- **dismantle**　機械・システムなどを解体する、計画などを破棄する
  dismantle the [machine, engine, program]
  （機械を解体する、エンジンを解体する、計画を破棄する）
- **ravage**　国や町が戦争・災害・病気などによって完全に破壊される
  ☞物的に破壊するプロセスに重点を置く語
  The town was **ravaged** by the [war, fire, disease].
  （町が［戦争・火事・病気］によって完全に破壊された）
- **devastate**　自然災害・爆撃などが都市・国土などを壊滅的に破壊する
  ☞ **ravage** された結果、荒廃した状況になっていることを強調する語
  The whole area was **devastated** by the earthquake.
  （その地域全体が地震で壊滅的な被害を受けた）
- **vandalize**　特に芸術・文化・公共の建物などを壊す
  The cultural legacy in that country was **vandalized** by terrorists.
  （その国の文化遺産がテロリストによって破壊された）
- **annihilate**　敵や生物の種を完全に絶滅させる
  A full-scale nuclear war could **annihilate** all mankind.
  （全面核戦争が起こったら全人類は絶滅してしまうかもしれない）
- **eliminate**　望ましくないものを取り除く、排除する
  eliminate [risks, errors, terrorism]
  （危険を取り除く、間違いをなくす、テロを撲滅する）
- **eradicate**　問題・病気・貧困などを根こそぎ撲滅する
  eradicate [crime, malaria, poverty]
  （［犯罪・マラリア・貧困］を根絶する）

これもマスター 「殺す」系動詞の使い分け

「殺す」系動詞で最も一般的な語は kill（人・動物を殺す、植物を枯らす）ですが、もっと意味を明確にするために、「**家畜用の動物を殺す**」は slaughter > butcher、「**重要人物を殺す**」は kill > assassinate（暗殺する）、「**罪のない一般市民を殺す**」は slaughter > butcher（残虐かつ殺す必要もないのに殺し、恐怖におののかせる）> massacre（無抵抗な人を大虐殺する）、「**人類・民族を抹殺する**」は eliminate（敵を抹殺する）> annihilate（町や村などを全滅させる）、「**特定の集団や種を殺す**」は decimate（ある場所にいる多くの人を殺す）> exterminate > eliminate、「**害虫などを駆除する**」は exterminate > eliminate の順に多く用いられます。さらに、「**計画的に人を殺す、殺人罪を犯す**」は murder、「**罪人を処刑する**」は execute がよく用いられます。

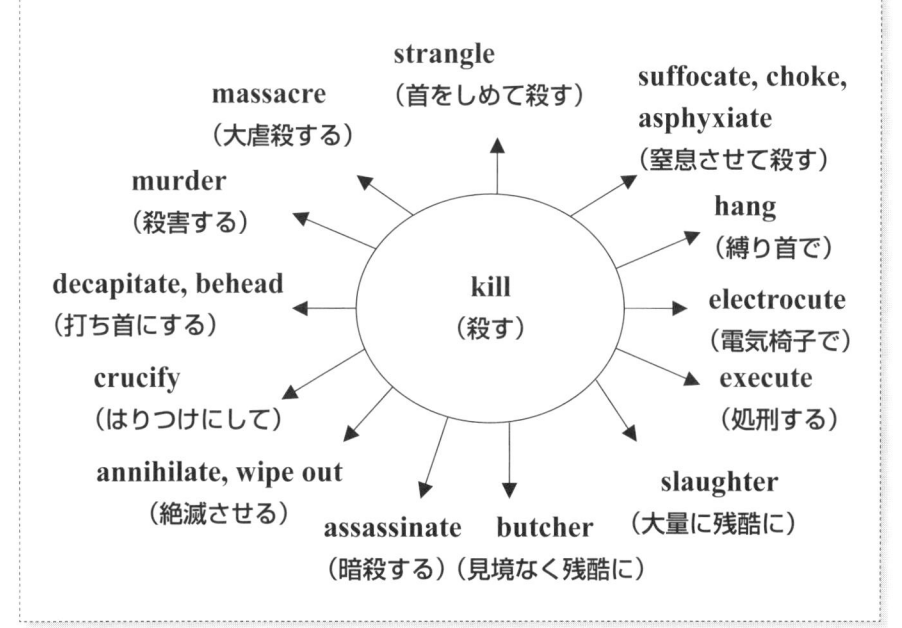

- **strangle**（首をしめて殺す）
- **massacre**（大虐殺する）
- **suffocate, choke, asphyxiate**（窒息させて殺す）
- **murder**（殺害する）
- **hang**（縛り首で）
- **decapitate, behead**（打ち首にする）
- **electrocute**（電気椅子で）
- **crucify**（はりつけにして）
- **execute**（処刑する）
- **annihilate, wipe out**（絶滅させる）
- **assassinate**（暗殺する）
- **butcher**（見境なく残酷に）
- **slaughter**（大量に残酷に）

中心：**kill**（殺す）

ランク15 「あう」系動詞の使い分けをマスター！

これが使い分けの決め手！ meet, fit, match の使い分けをマスター！

Q：次の日本語を英語で言ってください。

① わが社の新製品は変化する市場の要求に<u>合っている</u>。
② このネクタイは君には<u>合わない</u>。
③ 彼女は彼と性格が<u>合わなくて</u>離婚した。

[get along with / meet / suit]

解 答

① Our new product **meets** the demands of a changing market.
② This tie does not **suit** you.
③ She couldn't **get along with** him and divorced.

使い分けのポイント

英語で「あう」と言えば、最もよく使われるのは **meet** ですが、日本語の「あう」よりもずいぶん広い範囲で使うことができます。もともと **meet** の基本コンセプトは「**2つのものの出会いと要求の一致**」で、**The class will not meet today.**（今日は授業がない）のように「**（人が）出会う、知り合う**」の意味があるのはもちろんですが、**The Yankees meet the Red Sox tomorrow.**（ヤンキースは明日レッドソックスと対戦する）のように「**対戦・対決する**」、**Three rivers meet at this point.**（3つの川がここで合流する）のように「**道路・線路・川などが交わる、合流する**」、さらに **meet a bill**（勘定を支払う）のように「**（費用・負債などを）支払う**」、**meet disaster**（災害にあう）、**meet with**

96

the accident（事故にあう）のように「(災難などを) 経験する、被る」という意味から、She met harsh criticism with a smile.（彼女は厳しい批判に笑顔で対処した）、meet the tight schedule（きついスケジュールをこなす）、meet the challenge（試練に挑む）のように「(困難などを) うまく対処する」という積極的な意味にまで拡張していきます。

　本問①の「**要求を満たす**」場合にも meet を使うことができ、**meet the demand**（要求を満たす）だけでなく、**meet their expectation**（彼らの期待に応える）、**meet the deadline**（締め切りに間に合わせる）のように「**(要求・期待などに) 応える、かなう**」というニュアンスで使うことができます。

　それに対して日本語の「**あう**」には「**会う**」と「**合う**」があり、「**会う**」には、**meet**（お互いがあらかじめ日時や場所を決めて会う）、**see**（日常的に会う、一方的に見かける）、**encounter**（思いがけなく出くわす、敵・危険・困難などに遭遇する）、**run into** や **bump into**（人に偶然ばったり会う）、**come across**（物を偶然目にする、ふと見つける）などがあり、**see him at the station**（駅で彼を見かける）、**encounter the enemy in the woods**（森の中で敵に遭遇する）、**run [bump] into an old friend on the street**（通りで旧友に偶然ばったり会った）、**come across an old picture in a drawer**（引出しの中に昔の写真を偶然見つけた）のように用いられます。

　一方「**合う**」には **match, fit, suit** がよく使われます。**match** は、**No one can match him in tennis.**（誰もテニスでは彼にかなわない）、**His actions do not always match his words.**（彼の言行は必ずしも一致しているわけではない）のように、「**お互いに匹敵する、対戦させる、一致する**」というニュアンスがあり、そこから **This jacket matches that skirt.**（このジャケットはあのスカートとよく合う）のように「**2 つのものがよく釣り合う、調和する**」という意味も持ちます。

　fit は、**This key does not fit the key hole.**（このカギは鍵穴に入らない）、**This expression exactly fits my feelings.**（この表現は私の気持ちを表すのにぴったりだ）、**I will fit my schedule to yours.**（私の予定をあなたに合わせましょう）のように、「**2 つのものがぴったり合う**」というニュアンスがあり、そこから **These gloves fit me well.**（この手袋はぴったりだ）のように、「**サイズ・形などが適合する**」という意味でも使われます。

　suit は、**That does not suit all tastes.**（それは万人向きではない）、**Monday**

suits me best.（月曜日がいちばん都合が良いです）のように「状況・条件・仕事などに適する、向いている、好都合である」というニュアンスがあり、そこから、**Blue suits you very well.**（青は君にとてもよく似合う）のように、「(服装・色・髪型・名前などが) 似合う」という意味でも使われます。そこで本問②も **suit** で表現できますが、**That dress becomes you very much.**（そのドレスは君に良く似合う）のように **become** を用いることもできます。

　他にも **go well with**（うまく調和する）、**agree with**（食べ物や気候などが体質に合う）などもあり、**The color of the curtain does not go well with the white wall.**（カーテンの色は白い壁と合わない）、**This food does not agree with me.**（この食べ物は私には合わない）のように使われます。

　さらに本問③のように、「人と人がうまく折り合う、仲良くやっていく」場合には **We are getting along together.**（私たちは仲良くやっている）のように **get along（with ～）** で表現されます。口語では **We hit it off right from the start.**（私たちは会ってすぐにうまが合った）のように **hit it off** がよく使われます。

一目でカンタン理解！ 「あう」系動詞の使い分け **MAP！**

- meet the demand　要求を満たす
- Blue suits you well.　青は君に良く似合う
- These gloves fit me well.　この手袋はぴったりだ
- The skirt matches the jacket.　そのスカートはジャケットとよく合う
- come across an old picture　偶然古い写真を見つける
- run into an old friend　昔の友達にばったり会う

中央：あう

「あう」を意味する語のコロケーションを Check!

	the demand	the schedule	the purpose	the jacket	the color
meet	◎	◎	◎	×	○
suit	△	○	◎	○	○
fit	△	○	◎	○	○
match	○	○	△	○	◎

☞ **demand**（要求）や **schedule**（スケジュール）では、**meet** が最も多く用いられますが、**purpose**（目的）では **meet, suit, fit** が、**jacket**（ジャケット）では **suit, fit, match** がほぼ同程度に用いられます。

これもマスター 「避ける」系動詞の使い分け

「避ける」系動詞には、**avoid**（意識的に努力して望ましくない物を避ける）、**escape**（差し迫った危険・災いから抜け出す）、**evade**（策略や巧妙な手口で上手く責任などを逃れる）、**elude**（網の目をすり抜けるように巧みに身をかわして危険から逃れる）、**shun**（道徳心・嫌悪感・用心などのため、あるものを避ける）、**dodge**（ドッジボールの時のように、ひらりと身をかわして避ける）、**keep away from**（人などに会わないようにする、危険に近寄らないようにする）などがあり、**You must avoid making that mistake again.**（同じ間違いを繰り返さないようにしなさい）、**He narrowly escaped being killed.**（彼は危うく殺されるところだった）、**He evaded paying taxes last year.**（彼は昨年、税金を払わなかった）、**The criminal cunningly eluded the eyes of the police.**（犯人は上手く警察の目をかいくぐった）、**She shuns physical contact.**（彼女は身体的接触を避ける）、**He dodged the blow.**（彼は一撃をかわした）、**Keep away from the dog.**（その犬に近づくな）のように用いられます。

ランク16 「教える」系動詞の使い分けをマスター！

> これが使い分けの決め手！
> **teach** だけでなく、**tell, show, instruct, educate** などさまざまな「教える」の類語の使い分けをマスター！

Q：次の日本語を英語で言ってください。

① 人々に喫煙が健康に及ぼす危険性について<u>教え</u>なければならない。
② お名前とご住所を<u>教え</u>てください。
③ 駅に行く道を<u>教え</u>てくださいませんか。
④ この機械の仕組みをわかりやすく<u>教え</u>てくださいませんか。

[educate / explain / give / show]

解答

① We have to **educate** people about the health risks[hazards] of smoking.
② Please **give** me[us] your name and address.
③ Would you **show** me the way to the station?
④ Would you **explain** the mechanism of this machine?

使い分けのポイント

「**教える**」と言えば、まず思い浮かぶのは **teach** ですが、日本語の「**教える**」は、大きく分けると「**教育・教授する**」と「**情報を告げ知らせる**」の2つの方向性があり、英語では使い分ける必要があります。

teach は前者で、**We must teach students about information technology.**（私たちは生徒に情報技術を教えなければならない）、**I teach biology at a high school.**（私は高校で生物を教えている）などのように「**知識・学問・技能など**

101

が身につくように教える」という意味で用いる最も一般的な語です。**The story teaches children a moral lesson.**（その物語は子供に道徳的な教訓を教える）や **My parents taught me the difference between right and wrong.**（私の両親は私に善悪の区別を教えた）などのように「ものの考え方・振る舞い方を教える」場合にも用いられます。**The experience taught me the value of teamwork.**（その経験は私にチームワークの大切さを教えてくれた）のように、物を主語にすることもできます。

　後者の「情報を伝える」という意味では、**Could you tell me how to use the product?**（その製品の使い方を教えていただけませんか）のように、**tell** がよく使われます。**Please inform us of any changes in your personal information as soon as possible.**（個人情報に変更があった場合は直ちにお知らせください）のように「公式に情報を知らせる」の **inform**、**Please let me know when you are available.**（ご都合の良い日を教えてください）などのように **know** や、**She gave me detailed information about the company.**（彼女はその会社について詳しい情報を教えてくれた）のように **give** を使った表現もあります。

　本問①の「教える」は、「潜在能力を引き出し、伸ばす」という含みを持つ単語で、「学校などで、幅広い分野の知識や専門的知識を授けるために時間をかけて教育を施す。道徳的・精神的成長を促す。精神を養う」という意味の、**educate** を使います。

　本問②の「教える」は、「情報を伝える」の意味で **tell** や **give** を使って表現できます。**Please tell me your phone number.** が一般的によく使われます。**Please give me your phone number.**（電話番号を教えてください）は口語のカジュアルな表現で、**May I have your phone number?** のように **may** を使うと丁寧な言い方になります。

　本問③の「駅に行く道を教える」も、「知っていることを告げる」という意味なので、**show** を使いますが、その他、**tell, guide, direct** を使って表現することができます。この４つの動詞の使い分けをマスターしましょう。

　tell は「情報を言葉で伝える」という意味の一般的な語なので、**Could you tell me how to get to the nearest station?**（最寄りの駅への行き方を教えていただけますか）のように道を聞くときに最もよく用いられます。

　show は「見せる」という意味なので、「相手に実際に行き方・やり方・使い

方などを見せて説明し、**教える**」ことを表します。従って、**I showed her the quickest way to the bank.**（彼女に銀行へ行く一番の近道を教えた）ならば、「**地図などで示したり、一緒について行ったりして道案内した**」ということです。

guide は **She guided me around the area.**（彼女はその地域を案内してくれた）や **She guided us to the hotel.**（彼女は私たちをホテルに案内した）のように、「**自分がよく知っている場所を一緒について行って案内する**」場合に使います。

direct は「指図する、指揮する、管理する、案内する」などの意味を持つ単語ですが、**He directed me to the bus terminal.**（彼はバスターミナルへの行き方を教えてくれた）だと、「**一緒については行かず、口で教えたり、指し示したりして道順を教えてくれた**」ということになります。

そして、さらにこれらの動詞よりも「**もっと詳しく伝える**」ものとして、**explain** や **describe** があります。

本問④の「**機械の仕組み**」を説明する場合には、「**複雑なものをわかりやすく説明する**」わけですから、**explain** がぴったりで、tell me the mechanism や show me the mechanism では軽い感じがして mechanism を説明するには不自然な感じがします。

explain は ex（外に）＋ plain（明白な、平らな）というつくりから、「**物事を明白に平たくわかりやすく説明する**」というニュアンスがあり、**explain the difficult sentence**（難解な文の意味をわかりやすい言葉で言い換える）、**explain an obscure point**（不明な点を明らかにする）のように使われます。

一方、**describe** には de（下に）＋ scribe（書く）＝（書き留める）というつくりから、「**メモを取るように、物事の特徴・印象などを具体例をあげて言葉で鮮明に描写する**」というニュアンスがあり、**Could you describe the man?**（その人の様子を教えてくれませんか）のように使われ、身長や体格・服装・年齢などをあげていろいろな特徴について具体的に述べる感じになります。

一目でカンタン理解！ 「教える」系動詞の使い分け **MAP！**

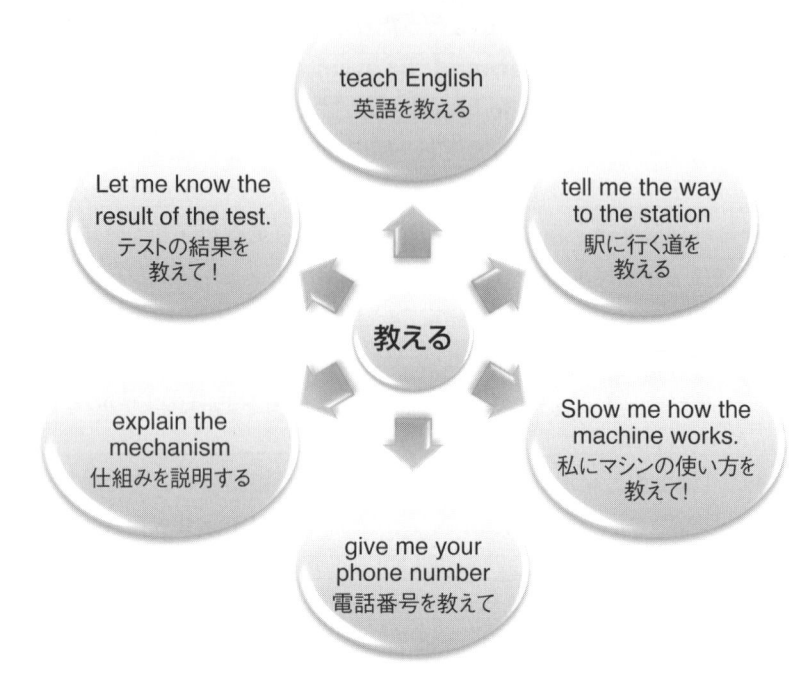

- teach English
  英語を教える
- Let me know the result of the test.
  テストの結果を教えて！
- tell me the way to the station
  駅に行く道を教える
- explain the mechanism
  仕組みを説明する
- Show me how the machine works.
  私にマシンの使い方を教えて！
- give me your phone number
  電話番号を教えて

中央：**教える**

「教える」を意味する語のコロケーションを **Check!**

	music	tennis	morals	socialism	skills
teach	◎	○	◎	◎	◎
instruct	×	○	×	×	×
educate	×	×	△	○	×
train	×	○	×	×	○
coach	×	◎	×	×	×

☞ **music**（音楽）、**morals**（道徳）、**socialism**（社会主義）など、「知識・学問」系では **teach** の使用頻度が最も高くなります。しかし「スポーツ」系の **tennis** では、**coach** ＞ **train** ＞ **instruct** ＞ **teach** の順で多く用いられます。また **skill**（技能、技術）では、**teach** の方が **train** よりも数倍多く用いられています。

注：instruct 人 in 物、educate 人 about [in / on] 物、train 人 in 物、coach 人 in [for] 物のかたちで用いられます。

さらにワンランク UP! 「教える」を表す重要表現をマスター!

- **train**　特定の技術を身につけさせるため、実習や訓練で教育する。訓練する
  We **train** our staff to provide the very best service.
  (私どもは、最高のサービスをご提供できるようスタッフに教育を行っています)

- **instruct**　知識や技術などを系統立てて教える。知らせる。指図する、命令する
  I **instructed** them how to use a fire extinguisher.
  (私は彼らに消火器の使い方を教えた)

- **enlighten**　情報・知識を与え、より理解を深めさせる。啓発・啓蒙・教化する
  I was greatly **enlightened** by his speech.
  (私は彼の演説に大いに啓発された)

- **drill**　何度も繰り返して徹底的に教え込む、訓練する
  The teacher **drilled** her students in the basics of reading, writing, and arithmetic.
  (先生は読み書き算数の基礎を生徒達に教えた)

- **discipline**　規則に従い、秩序ある行動をするよう行儀・振る舞いなどをしつける。自制心を養う訓練をする
  I **disciplined** the unruly children.
  (言うことを聞かない子供のしつけをした)

- **coach**　スポーツなどの技術向上やテスト合格などのために、特定の種目や科目を、個人もしくは少人数に指導する
  He **coached** the soccer team for the World Cup.
  (彼はワールドカップに向けて、サッカーチームのコーチをした)

- **lecture**　大学などで講義をする
  She **lectured** on archaeology at university.
  (彼女は大学で考古学の講義をした)

- **tutor**　一人もしくは少人数に特定の教科などを教える。個人指導・家庭教師をする

    He **tutored** her in mathematics at home.
    (彼は彼女の数学の家庭教師をした)

- **school**　習得に努力を要する知識・技術・考え方・振る舞いなどを教え込む。訓練する。教育をする

    He is well **schooled** in philosophy.
    (彼はしっかりと哲学の教育を受けた)

- **ground**　教科などの基礎を教え込む

    The professor **grounded** us in economics.
    (教授は私たちに経済学の基礎を教えた)

- **impart**　知識・情報などを伝える。分け与える

    This course aims to **impart** knowledge of architecture.
    (このコースは建築学の知識を教えることを目的としている)

Tell me the way to the station

I'll show you how it works.

ランク 17 「扱う」系動詞の使い分けをマスター！

> これが使い分けの決め手！　**treat, handle, manage** の使い分けが基本！

Q：次の日本語を英語で言ってください。

① 彼らは私を家族の一員のように扱ってくれた。
② 商品を丁寧に扱ってください。
③ その会社は輸入品を扱っている。

[**deal in / handle / treat**]

解　答

① They **treated** me like[as] a family member.
② Please **handle** the merchandise[items/products] with care.
③ The company **deals in** imported products.

使い分けのポイント

「扱う」と言えば、**handle** や **manage** が思い浮かびますが、**handle** の語源は **hand** で **Wash your hands before handling food.**（食べ物を扱う前に手を洗ってください）、**handle a new device**（新しい装置を操作する）、**handle a problem**（問題に対処する）、**I can handle it.**（自分でできます。任せてください）、**handle the new project**（新しい企画を担当する）のように、「**手で触れる、手で動かす、扱う、操作する、処理する、管理する、担当する**」という意味で使われます。

また、**handle** と同様に **hand** を語源に持つ **manual**（手の、手動の）の派生語である **manage** も同じように「**扱う、操作する、対処する、管理する**」の意味

ですが、**manage a complex machine**（複雑な機械を扱う）、**manage difficult customers**（気難しい客に対処する）、**manage your family budget**（家計をやり繰りする）など、「扱いにくい人やものなどをうまく扱う」「困難を乗り越え、努力してうまく物事を成し遂げる」というニュアンスを持つ単語です。**manage**（口語では run）**the restaurant**（レストランを経営する）のように「実際に経営・管理に携わる」という意味でも使われます。

　deal with もよく使われる表現で、**We have to deal with the energy crisis urgently.**（我々は早急にエネルギー危機に対処しなければならない）、**This article deals with a variety of topics.**（この記事はさまざまなテーマを扱う）など、「解決のために必要な行動を取って、問題に対処する」「書物・講演などで取り上げる、論じる」という意味があります。これに対して **cope with** は「困難な状況をうまく対処する」の意味で用いられます。

　treat は「特定の待遇をする、特定のやり方で扱う」という意味を持つ語で、**treat me as a child**（私を子供として扱う）、**treat the matter as strictly confidential**（その問題を極秘に扱う）の **as**（～として）や、**treat the information carefully**（その情報を注意して扱ってください）の副詞（**carefully**）のように、どのように扱うかを説明する語（句）と一緒に使います。

　本問①の「家族の一員のように扱う」は「特定の待遇をする」という意味なので **treat** を使います。

　本問②の「商品を扱う」は、「手で触れ、扱う」ので **handle** がぴったりです。

　本問③の「輸入品を扱う」は「～を商う、商売する、扱う、取引する」の **deal in** を使って表現します。「お店に商品を置いています」と言うときは、**The shop carries imported products.**（その店は輸入品を扱っています）と **carry** を使うことができます。

　この他、会話で非常によく用いられるのが **take care of** で、**"I'll take care of the situation [bill]"**.（まかせてください［勘定を払っておきましょう］）というふうに使います。

一目でカンタン理解！ 「扱う」系動詞の使い分け **MAP**！

- handle the personal information
  個人情報を扱う
- treat him as a criminal
  彼を犯人扱いする
- deal in stocks
  株取引をする
- manage time effectively
  時間を有効に使う
- deal with the problem of poverty
  貧困問題に取り組む

扱う

「扱う」を意味する語のコロケーションを Check!

	a machine	a horse	the problem	the money	the topic
handle	◎	◎	○	○	○
manage	×	×	○	◎	×
treat	×	○	×	×	×
deal with	○	×	◎	○	◎

☞ 最も広い範囲で用いられるのは **handle** ですが、**problem**（問題）や **topic**（話題）では、「**対処する、扱う**」というニュアンスをもつ **deal with** が、**money**（お金）では「**うまく管理する**」というニュアンスを持つ **manage** が最も多く用いられています。

さらにワンランク UP! 「扱う」を表す重要表現をマスター！

☐ **operate** 機械やシステムなどを操作する、店などを経営・管理する
I can **operate** a computer remotely.
（コンピュータを遠隔操作することができる）

☐ **control** 自分の意のままに物事を動かす力を持って、支配・統制・管理する
The shareholders **control** the company.（株主が会社を管理している）

☐ **direct** manage より指導力を強く発揮して、導くことに重点が置かれている単語で、管理・監督・運営・指揮する
The police chief **directed** the investigation of the incident.
（警察署長がその事件の調査を指揮した）

☐ **supervise** 語源は super（〜の上に）＋ vise（見る）で、人がきちんと仕事をしているか、活動などが適切に実施されているかなどを監督・管理・指揮する
She **supervises** the construction work.
（彼女は建設工事の監督をしている）

☐ **meet** 困難な状況や問題などにうまく対処する、処理する
We need to **meet** the challenge of rising energy costs.
（エネルギーコストの上昇という課題にうまく対処する必要がある）

☐ **address** 問題や状況について考え、問題を解決しようとし始める、取り組む、対処する
The government has to **address** the issue of aging urgently.
（政府は早急に高齢化問題に対処しなければならない）

☐ **approach** 特定の方法で、問題・課題などに取りかかる、着手する
He **approached** the matter from a different perspective.
（彼は違った観点からその問題に取り組んだ）

☐ **tackle** 社会問題など、困難な問題・状況に決然と立ち向かう
We must **tackle** the unemployment problem.
（我々は失業問題に取り組まなければならない）
☞ **tackle**（ラグビーやアメフトのタックル）をイメージ！

- **wrestle with**　困難な問題などの解決に取り組む、格闘する

    The leader has begun to **wrestle with** the economic crisis.
    （指導者は経済危機に対処し始めている）
    ☞ **wrestling**（レスリング、相撲）をイメージ！

- **grapple with**　困難な問題などを解決しようと、問題に取り組む、立ち向かう

    They have to **grapple with** the problem of world population growth.
    （世界人口増加問題に取り組まなければならない）

- **manipulate**　手で巧みに扱う。うまく処理する。自分の望む結果が得られるように、巧みに、また不正に操作する

    The news media **manipulates** public opinion.
    （ニュースメディアは世論を操作している）

- **juggle**　巧みに操る、複数の活動を上手に処理する

    He **juggled** work and family.（彼は仕事と家庭を両立させた）
    ☞ **juggler**（ジャグラー、曲芸師）をイメージ！

ランク18 「調べる」系動詞の使い分けをマスター！

> これが使い分けの決め手！
>
> check, examine, study, investigate などさまざまな「調べる」の類語の使い分けをマスター！

Q：次の日本語を英語で言ってください。

① 彼女は花を顕微鏡で調べた。
② 企業は製品の設計をする前に消費者の動向を調べなければならない。
③ その単語の意味を辞書で調べてみなさい。

[consult / examine / survey]

解答

① She **examined** the flower under a microscope.
② Companies must **survey** consumer trends before they design a product.
③ **Consult** your dictionary for the meaning of the word.

使い分けのポイント

「調べる」と言えば、最も一般的に使われるのが check で、もともと「正確さ・安全性などが基準に適っているかどうか突き合わせて照合する」というニュアンスの単語ですが、on や out などの前置詞や副詞とセットで使うことで、**check on a report**（報告書の真偽を調べる☞ on ～ = ～に関して専門的に）、**check out my car**（車に問題がないことを確認する、車検に出す☞ out ～ = ～の外に出して、はっきりと）、**check him for weapons**（彼が武器を持っていないか身体検査をする☞ for ～ = ～を求めて、捜して）、**check over these figures**

（これらの数字を点検する☞ over ～ = ～中を、～一面を）、**check through my address book**（住所録を調べる☞ through ～ = ～の初めから最後までざっと）、**check up on my health**（健康状態を検査する☞ up ～ = ～を取り上げて）、**check with Jane**（確認のためジェーンに問い合わせる☞ with ～ = ～との関係で）などのように、「何をどのように、どの程度の深さまで調べるのか」によってさまざまな使い方があります。

　他にも **look** や **find** などの基本動詞にも、**look up a word in a dictionary**（辞書で単語の意味をかんたんに調べる）、**look up a place on a map**（地図で場所をちょっと調べる）、**look into the causes of an accident**（事故の原因を深く調べる）、**look over source materials**（資料をざっと調べる）、**find out a person's telephone number**（電話番号を調べて探し出す）、**find out about someone's career**（経歴を調べ探り出す）などのような使い方があります。

　さらにもっと意味を明確に出すためにさまざまな動詞が使われ、その中でもよく知られているのが **examine** です。**examination** で学校などの「**試験、テスト**」を表すように、**The students were examined in chemistry.**（学生たちは化学の試験をされた）という使い方以外に、**The police examined the room for evidence.**（警察は証拠を捜してその部屋を調べた）、**I had my son examined by a doctor.**（息子を医者に診てもらった）、**examine a prospective purchase**（これから購入しようとする品物を吟味する）などのように、「**ある決定を下す前に、人や物の状態・性質をくわしく調べたり検査する**」というニュアンスで一般的によく使われます。

　その他にも「**調べる**」**動詞**には、**study**（ある特定のテーマについて研究する）、**investigate**（犯罪や物事の原因などを手順を踏んで組織的に綿密に調べる）、**survey**（状況・動向などを全体的に見渡して調べる）、**research**（新情報を発見するために調査する）、**inspect**（ビジネスなどで基準に合っているかどうか点検・検査・品質管理［QC = quality control］する☞ TOEIC 頻出単語！）、**search**（隠されている物を求めて場所や人の体などを調べる）などがあり、**They are studying the political situation in Japan.**（彼らは日本の政治情勢を研究している）、**The police are investigating the murder.**（警察はその殺人事件を調査中だ）、**They surveyed the living conditions in the village.**（彼らはその村の生活状況について調査した）、**Many customers research prices on the Internet before making their choice.**（どれを買うか決める

前にネットで価格を調べる客が多い)、**They inspected their products for defects before shipping.**(彼らは出荷前に欠陥がないかと製品を検査した)、**They searched his room for the missing ring.**(彼らはなくなった指輪がないか、彼の部屋を調べた)のように使われます。

　本問①の「**顕微鏡で花を調べる**」場合には、**examine** がぴったりですが、さらに「**研究する**」というニュアンスの **study** が使用できます。

　本問②の「**消費者の動向を調べる**」場合には、**sur**(上から)＋**vey**(見る)というつくりから、「**見渡す、概観する、測量する**」というニュアンスを持つ **survey** がぴったりです。さらに、「**調査、研究**」を表す名詞の **survey** や **research** を用いて、**conduct a survey [research] of ～**(～に関する調査を行う)といった表現もできます。

　本問③の「**単語の意味を辞書で調べる**」場合には、「**専門家などに相談したり、辞書や地図を参考にする**」というニュアンスを持つ **consult** がぴったりです。さらに **check** や **look** を用いて、**Look [Check] up the meaning of the word in your dictionary.** のように表現することもできます。この場合 **look** の方が **check** よりも多く用いられます。

一目でカンタン理解！ 「調べる」系動詞の使い分け**MAP**！

- examine your body 体を調べる
- investigate the crime 犯罪を捜査する
- consult a dictionary 辞書を調べる
- inquire into a problem 問題の原因を探究する
- inspect the machine 機械を点検する
- survey the trend 流行を調査する

調べる

「調べる」を意味する語のコロケーションを Check!

	your body	the trend	the room	the machine	the crime
examine	◎	○	◎	◎	○
investigate	×	△	◎	×	◎
research	×	◎	×	×	○
inspect	△	×	△	◎	△

☞ 最も広い範囲で用いられるのは **examine** ですが、警察などが組織的かつ綿密に調べることが多い **crime**（犯罪）では **investigate** の方が多く用いられています。さらに、**trend**（傾向）では **research** が、**machine**（機械）では **inspect** が他の動詞の 10 倍以上多く用いられています。

inspect the machine

investigate the crime

> さらにワンランクUP! 「調べる」を表す重要表現をマスター!

☐ **probe**　真相などを突き止める、探査する、偵察する
　☞ space probe で宇宙探査機
　The committee **probed** his involvement in the financial scandal.
　(委員会は彼の汚職事件への関与を探った)

☐ **scrutinize**　精細に調べる、綿密に検査する、詮索する
　The lawyer **scrutinized** the document before signing it.
　(弁護士は署名をする前にその文書に詳しく目を通した)

☐ **trace**　由来・出所などを調査する、突き止める、跡をたどる
　She tried to **trace** the history of his family.
　(彼女は彼の家系を調査しようとした)

☐ **interrogate**　取り調べを行う、尋問する
　The police **interrogated** the suspect for several hours.
　(警察は容疑者を数時間にわたって取り調べた)

☐ **inquire**　人に尋ねる、問い合わせて調べる
　We have to **inquire** into the leak of the examination questions.
　(試験問題の漏えいについて調査しなければならない)

ランク19 「認める」系動詞の使い分けをマスター！

> これが使い分けの決め手！

admit, recognize, acknowledge の使い分けをマスター！

Q：次の日本語を英語で言ってください。

① 会社側は非を認めて顧客に謝罪した。
② 彼は世界で偉大な作家の一人であると認められている。
③ 両親は私の結婚を決して認めようとしないだろう。

[admit / approve / recognize]

解答

① The company **admitted** their mistake and apologized to their customers.
② He is **recognized** as one of the greatest novelists in the world.
③ My parents will never **approve** of my marriage.

使い分けのポイント

　日本語の「認める」には、「事実であるとしぶしぶ受け入れる」系（**admit**）、「業績などをスゴイと評価する」系（**recognize**）、「上の立場から許可する」系（**approve**）、「物事の存在を認める」系（**acknowledge**）の4つの方向性があります。

　本問①の **admit** には、「否定していたことを、外部からの圧力や説得によって事実であるとしぶしぶ認める」というニュアンスがあり、**He admitted defeat.**（彼は敗北を認めた）、**He admitted that he was wrong.**（彼は自分が間違っていることを認めた）、**This rule admits no exceptions.**（この規則には例外は認

められない）のように使えます。さらに、**ad（〜に）＋mit（送る）**というつくりから、「入学や入会を許す」や「権利・資格などを与える」というニュアンスもあり、**admit a student to college**（大学に入学を認める）、**be admitted to bar**（弁護士として認可される）などのようにも使われます。

その他にも「事実であるとしぶしぶ受け入れる」系動詞には、**confess**（本当のことを白状する・告白する）や**concede**（一歩譲って相手と意見を合わせる）などがあり、**He confessed to me that he had stolen the bike.**（彼は自転車を盗んだことを私に白状した）、**He finally conceded that he was wrong.**（彼はついに自分が間違っていたことを認めた）のように使われます。

本問②の**recognize**には、**re（再び）＋cognize（知る）**というつくりから、「業績などをスゴイと認める、認識する、評価する」というニュアンスがあります。**His boss recognized him as being qualified for the job.**（彼の上司は彼はその仕事に適任だと認めた）、**They recognized his long service in the firm.**（会社は彼の永年勤続を表彰した）のように使えます。

本問③ **approve**には「上の立場から許可を与えたり、上から目線で人や物事を満足すべきものとみなす」というニュアンスがあります。**Her father will not approve of her getting married to me.**（彼女の父親は彼女が私と結婚するのを許してくれないだろう）、**The proposal was approved by the committee.**（その提案は委員会で採択された）のように使え、**approve of**よりも**approve**だけの方が公的で強い感じがします。

さらに「認める」系動詞には、「物事の存在を認め、さらに感謝する」というニュアンスの**acknowledge**があり、**We acknowledged your letter.**（お手紙は確かに受け取りました）、**The president acknowledged his contribution to the company.**（社長は彼の会社への貢献を認めた）、**I acknowledge his help and advice.**（私は彼の援助と助言に対して感謝している）のように使われます。「業績などをスゴイと評価する」というニュアンスを持つ**recognize**と違い、**acknowledge**には「以前から知ってはいたが、できれば隠したいと思っていたことを公に明らかにする」というニュアンスもあります。また「物事を好意的、あるいは積極的に受け入れる」というニュアンスの**accept**もあり、**He accepted his defeat gracefully.**（彼は潔く負けを認めた）、**The theory is now widely accepted.**（その理論は今や広く認められている）などのように使われます。

一目でカンタン理解！ 「認める」系動詞の使い分け **MAP**！

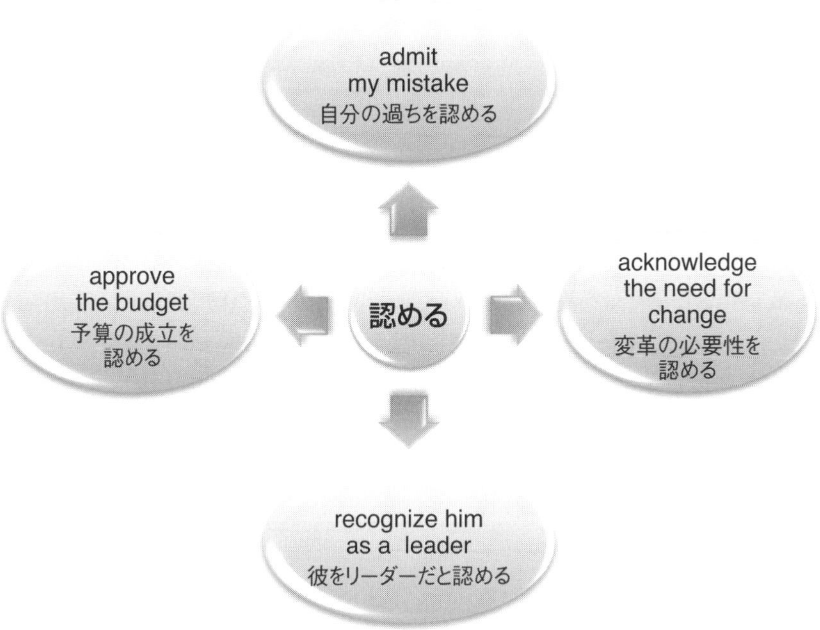

- admit my mistake
  自分の過ちを認める
- approve the budget
  予算の成立を認める
- acknowledge the need for change
  変革の必要性を認める
- recognize him as a leader
  彼をリーダーだと認める

中央: 認める

approve the budget

admit my defeat

「認める」を意味する語のコロケーションを Check!

	one's mistake	the proposal	one's defeat	the budget
admit	○	×	◎	×
recognize	◎	×	△	△
approve	×	◎	×	◎
acknowledge	○	△	○	×

☞ **mistake**（誤り）では、**recognize**（認識する）＞**admit**（しぶしぶ認める）＞**acknowledge**（存在を認める）の順で、**defeat**（敗北）では、**admit**＞**acknowledge**＞**recognize** の順で多く用いられ、**proposal**（提案）や **budget**（予算）では、**approve**（上から目線で許可を与える）が圧倒的に多く用いられます。

ランク20 「要求する」系動詞の使い分けをマスター！

> これが使い分けの決め手！ **claim, require, request** の使い分けが基本！

Q：次の日本語を英語で言ってください。

① 労働組合は5％の賃上げを要求しています。
② その会社で昇進するにはTOEICで一定レベル以上の点数を取ることが要求されます。
③ 彼は会社に対して不当解雇の損害賠償を要求した。

[claim / demand / require]

解答

① The labor union is **demanding** a 5 percent pay raise.
② The company **requires** a certain level of TOEIC scores for promotion.
③ He **claimed** damages against the company for unfair dismissal.

使い分けのポイント

「要求する」には、「望む」系（**want, wish, hope, expect**）、「強要する」系（**demand**）、「必要とする」系（**need, require**）、「主張する」系（**claim**）、「依頼する」系（**request**）の5つの方向性があります。

「望む」系動詞には、**want**（ある物が欠けているので補わないとヤバイ！という必要に迫られ、強い切迫感を持って要求する ☞ I want to ～ という言い方は場合によっては押しつけがましい感じがするので要注意です！）、**wish**（実現不可能とわかっていても、心の中でひそかに願う）、**hope**（実現可能であると信

じて、そうあって欲しいと望む）、**desire**（wantよりも堅い語で、非常に強く望み、性的なニュアンスもある）、**expect**（当然なされるべきこととして人に期待する）などがあり、**I want my money back now.**（今すぐお金を返してもらおうか）、**I wish I had a lot of money.**（お金がたくさんあればなあ）、**I'm hoping to borrow some money.**（お金を少しお借りしたいのですが…）、**She desperately desired to be rich.**（彼女は金持ちになることを強く望んでいた）、**I can't expect him to pay the money back.**（彼はお金を返してくれそうもない）のように用いられます。

　次に、「強要する」系動詞には、本問①の **demand** があり、「権威を持って、時には高圧的に強く要求する」というニュアンスを持ち、「相手に有無を言わさないほどの強さ」があります。**demand payment of the tax**（税金の支払いを要求する）、**demand a reduction in ABC staffing**（ABC社のスタッフ削減を要求する）、**This project demands a lot from you.**（このプロジェクトは多大な献身を要求する）などのように使えます。

　「必要とする」系動詞には、本問②の **require** があり、「規則上または当然のこととして必要とする」「公の決まりごとなどによって要求する」というニュアンスを持ち、**All students are required to wear a school uniform.**（全生徒は学校の制服を着るよう求められている）、**This work requires intense concentration.**（この仕事には、高度な集中力が必要だ）のように使われます。

　それに対して **need** は「何か足りないものを補う必要性に迫られている」というニュアンスがありますが、**want** ほどの切迫感やあつかましさはなく、**I want you.** は「君は僕のものだ」と感情的に訴えかける感じがしますが、**I need you.** は周りの客観的な状況や相手の能力の高さなどを評価した上で、「君の存在が必要だ」という感じになります。

　「主張する」系動詞には、本問③の **claim** があり、**claim his innocence**「彼の無罪を主張する」のように「主張する」に加えて、「所有・財産・補償などを当然自分のものとして要求する」というニュアンスを持ち、顧客からの「苦情」の意味を表す日本語の「クレーム」の意味とは違います。**claim a reward**（報酬を請求する）、**claim the right to the property**（財産に対する権利を要求する）、**claim my luggage**（空港などで荷物を受け取る）などのように使えます。

　「依頼する」系動詞には、テレビやラジオの **request program**（リクエスト番組）などにみられるように、「相手に依頼したり、懇願したりする」というニュ

アンスの **request** があり、**ask for** 〜（〜を求める）や **beg for** 〜（〜を請う）よりも「**ていねいに上の立場の人に対してお願いする**」ような改まった感じで相手に強く訴えかける言葉です。そこで **She requested a prompt reply from me.**（彼女は私にすぐに返事をくださいと言った）、**He requested a loan from a bank.**（彼は銀行に貸し付けを申し込んだ）のように使えます。

一目でカンタン理解！ 「要求する」系動詞の使い分け MAP！

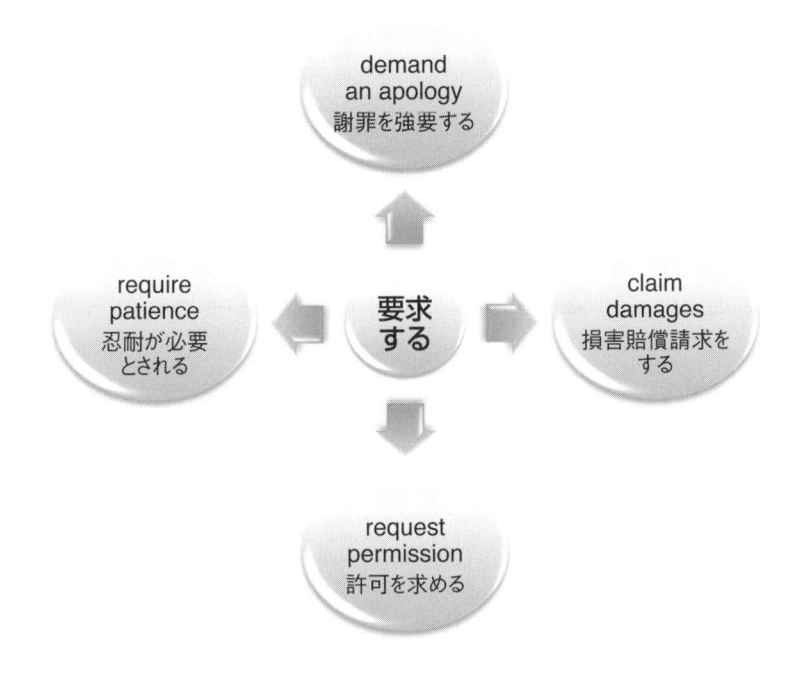

要求する

- demand an apology 謝罪を強要する
- claim damages 損害賠償請求をする
- request permission 許可を求める
- require patience 忍耐が必要とされる

「要求する」を意味する語のコロケーションを Check!

	the money	attention	an apology	permission	damages
demand	◎	○	◎	×	○
require	◎	◎	○	○	×
claim	◎	△	×	×	◎
request	○	△	△	◎	×

☞ **apology**（謝罪）では **demand**（高圧的に要求する）が、**attention**（注意）では **require**（必要とする）が、**permission**（許可）では **request**（丁寧にお願いする）が、**damages**（損害賠償金）では **claim**（当然の権利として要求する）が多く用いられています。

demand an apology

claim damages

> さらにワンランク UP!　「要求する」を表す重要表現をマスター!

- **appeal**　事が急を要し、真剣になってお金や情報を公に求める
  The United Nations has **appealed** for help from international community.
  (国連は国際社会に援助を要求した)
- **plead**　切迫して心から強く感情を込めてお願いする
  I **pleaded** with creditors for more time.
  (私は債権者たちに支払いの猶予を頼んだ)
- **petition**　政府や権力に対して公に請求する
  Villagers **petitioned** the local authority to provide better bus service.
  (村人たちは役場にバスの運行を改善してくれるように請求した)
- **solicit**　お金や助言やサポートを懇願する
  It is illegal for public officials to **solicit** money in exchange for favors.
  (公務員が見返りとしてお金を要求するのは違法だ)
- **long for**　特にすぐに起こりそうもない時に、あることを非常に強く望む
  He is **longing for** her arrival with all his heart.
  (彼は心から彼女の到着を強く望んでいる)
- **yearn for**　あこがれやなつかしさを感じて強く望む
  He is **yearning for** home.
  (彼はしきりに故郷に帰りたがっている)

ランク21 「変える・変わる」系動詞の使い分けをマスター!

これが使い分けの決め手! change だけでなく、さまざまな「変える」の類語の使い分けが重要!

Q：次の日本語を英語で言ってください。

① それぞれの国にはそれぞれの気候がある。
　　（⇒ 気候はその国ごとにいろいろと変わる）。
② ソーラーパネルは太陽光を吸収し、それを電気に変えるように作られている。
③ このドレスをもっと大きいのと変えていただけませんか。

[convert / vary / exchange]

解答

① Climates **vary** from country to country.
② Solar panels are designed to absorb sunlight and **convert** it into electricity.
③ Could you **exchange** this dress for a larger one?

使い分けのポイント

　日本語の「変える・変わる」には、「全面的に変身する」系、「部分的に修正する」系、「いろいろなバージョンになる」系、「交換する・取り替える」系、「位置・立場がずれる」系の5つの方向性があります。

　1つ目の「全面的に変身する」系は、change, turn, convert, transform などがあります。「変える・変わる」と言われてまず思い浮かぶのは change でしょうが、change は「もとの形をとどめないほど全面的に変える・変わる」というニュアンスを持ち、「はっきりと違ったものへの根本的な変化や、他の物と

の置き換えを暗示する」ので、**The witch changed the prince into a lion.**（魔法使いは王子をライオンに変えた）、**I'll change trains at the next station.**（次の駅で列車を乗り換えよう）、**Please change dollars into yen.**（ドルを円に換えてください）のように用いられます。

turn には、「クルっと回転して向きを変えるかのように、短時間で全く違う状態に変化させる」というニュアンスがあり、**turn water into ice**（水を氷に変える）、**turn to Christianity**（キリスト教に改宗する）、**a turning point in history**（歴史の転換期）などのようにさまざまな使い方ができます。

convert は、**con**（完全に）＋**vert**（回転させる）というつくりから、**convert the attic into a bedroom**（屋根裏部屋を寝室にする）や **convert to another religion**（他宗教に改宗する）のように「新しい用途や目的に応じて大幅に改造する、信念や宗教などを新しいものに転向する」という意味を持ちます。一方、**transform** は、**trans**（～を超えて）＋**form**（形作る）というつくりから、**transform heat into power**（熱を動力に変える）や **transform an educational system**（教育制度を変える）のように、「形や構造・性質などをすっかり変形させる、一変させる」という意味を持ちます。

2つ目の「部分的に修正する」系には、**alter, modify, amend, revise** などがあります。**alter** には、「部分的に変更する、寸法などを直す、資料などを改ざんする」などの意味があり、**alter a plan**（計画を一部変更する）、**alter a will**（遺書を書き換える）、**I had my dress altered for my daughter.**（私のドレスの寸法を娘が着ることができるように直してもらった）、**That alters the case.**（そうなると事情が少し変わってきますね）などのように使われ、必ずしも良いものに変更するとは限りません。それに対して **modify** は同じく部分修正でも「何か新しいものをつけ加えてより良いものにする」というニュアンスがあり、**modify my ideas**（考えを改める）、**modify the machine to serve a new function**（新しい機能に適うように機械を改造する）、**Are you for or against genetically-modified food?**（あなたは遺伝子組み換え食品に賛成ですか、反対ですか）などのように使われます。

さらに、「改訂、改正」する場合には、**amend** や **revise** を用いることができます。**amend** は、**a**（～から離す）＋**mend**（改良する）というつくりから、**amend a bill**（法案を修正する）や **amend the Japanese Constitution**（日本国憲法を改正する）のように、「（法律・憲法などを）修正する・改正する」と

いう意味や、**amend my behavior**（自分の行動を改める）のように、「**間違った行いや振る舞いを改める**」という意味も持ちます。一方 **revise** は、**re**（再び）＋**vise**（見る）というつくりから、**revise improper descriptions**（不適切な記述を訂正する）や **revise the Juvenile Law**（少年法を改正する）のように「**見直す、訂正する、改訂する**」という意味を持ちます。

　3つ目の「いろいろなバージョンになる」系には **vary** があり、**Customs vary from country to country.**（習慣は国によって異なる）、**vary according to age and sex**（年齢や性別によって異なる）のように使われます。名詞形のバラエティー（**variety** 多様性、変化に富むこと）や、バリエーション（**variation** 変化、変動）はほとんど日本語になっていますが、**vary** は「あるものが時・場所・場合に応じて段階的・部分的に変化する」というニュアンスを持っています。

　4つ目の「交換する・取り替える」系には、**exchange** や **replace** などがあり、**I'd like to exchange all these yen for dollars.**（この円を全てドルと交換したいのですが）、**This air conditioner will soon need to be replaced with a new one.**（このエアコンはそろそろ新しいものと取り替える必要がある）のように使われます。

　5つ目の「位置・立場がずれる」系には **shift** があり、**The outfielders shifted their positions for the slugger.**（強打者に備えて外野手は守備位置を変えた）、**The wind shifted from the north to the west in the evening.**（夕方になると風向きが北風から西風に変わった）、**He shifted into high gear and speeded up.**（彼はギアをトップに入れてスピードを上げた）などのように使われます。

　その他にも「変える・変わる」系動詞には、**translate**（言い換える、翻訳・通訳する）、**reform**（改革・改良する）などがあり、**I would like you to translate this passage into Japanese.**（この文章を日本語に直してもらいたいのですが）、**The new government is trying to reform the taxation system.**（新政府は税制度を改革しようとしている）のように使われます。

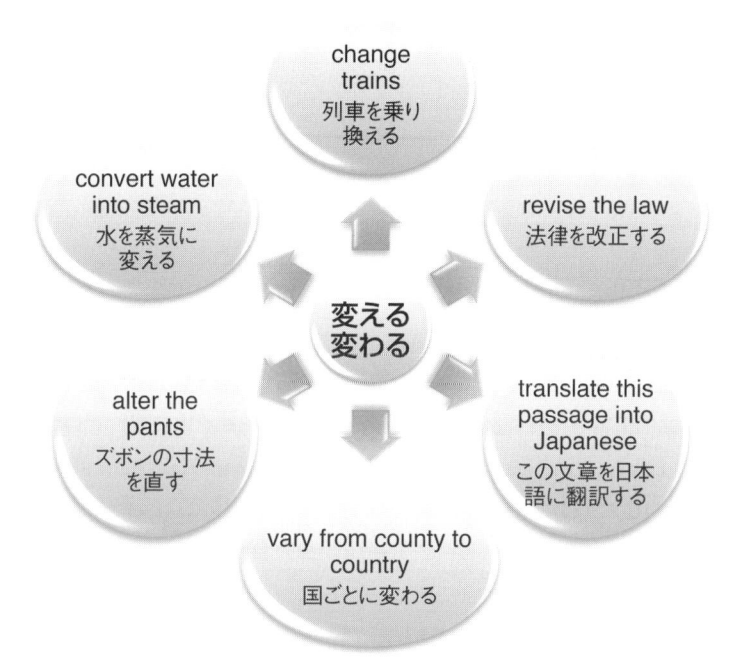

一目でカンタン理解！「変える・変わる」系動詞の使い分けMAP！

- change trains
  列車を乗り換える
- convert water into steam
  水を蒸気に変える
- revise the law
  法律を改正する
- 変える/変わる
- alter the pants
  ズボンの寸法を直す
- translate this passage into Japanese
  この文章を日本語に翻訳する
- vary from county to country
  国ごとに変わる

Chapter 1　動詞

alter the dress

exchange money

「変える」を意味する語のコロケーションを Check!

	the law	the dress	money	my religion	my behavior
change	◎	◎	○	◎	◎
transform	×	×	×	×	○
convert	×	×	△	○	×
amend	◎	×	×	×	×
revise	◎	×	×	×	×
alter	○	◎	×	×	×
exchange	×	○	◎	×	×

☞最も広い範囲で用いられるのは change ですが、law（法律）では change＞amend＞revise の順に、dress（洋服）では change＞alter の順に、money では exchange＞change の順に、religion（宗教）では change＞convert の順に、behavior（振舞い）では change＞transform の順に多く用いられています。

> さらにワンランク UP!　「変える・変わる」を表す重要表現をマスター!

- **adapt**　用途や状況に合わせて改造して適応させる、本や劇などを改作する

    This book is **adapted** for children.
    (この本は子供向けに書き換えられている)

- **adjust**　相手や対象にちょうど合うように調整する

    You should **adjust** your schedule according to the situation.
    (状況に応じてスケジュールを変えなければいけません)

- **revamp**　時代や状況に合うように刷新・改革する

    We need to **revamp** the educational system.
    (我々は教育制度を刷新する必要がある)

ランク22 「わける」系動詞の使い分けをマスター！

これが使い分けの決め手！ divide, separate, share の使い分けをマスター！

Q：次の日本語を英語で言ってください。

① 生徒たちは試験結果によって3つのクラスに分けられます。
② ゴミ出しの際には燃えるゴミと燃えないゴミは分けなくてはいけません。
③ 幼い子供には、空想と現実を分けて考えることが難しい時がある。

[divide / tell / separate]

解　答

① The students are **divided** into three classes according to their exam results.
② You must **separate** burnable from non-burnable waste when you take it out for collection.
③ Young children sometimes have difficulty **telling** fantasy from reality.

使い分けのポイント

　日本語の「わける」には、「分離する」系（separate）、「分割する」系（divide）、「分類する」系（classify）、「分かち合う」系（share）、「区別する」系（tell, distinguish）の5つの方向性があります。

　まず、1つ目は「分離する（separate）」系で、**I separated the grain from the chaff.**（穀物をもみ殻と分けた）、**separate my summer and winter clothes**（衣類を夏物と冬物に分ける）、**set the day's expense aside from the money**

132

in my wallet（今日使うお金を財布から分けておく）のような表現があります。

2つ目は「分割する（divide）」系で The coach divided the players into two teams.（コーチは選手を2つのチームに分けた）、part my hair in the middle（髪を真ん中で分ける）、pay in 12 installments（支払いを12回に分ける）のような表現があります。

3つ目は「分類する（classify）」系で、Plants can be classified into several types by leaf shape.（植物は葉の形によって数種類に分類される）、These videos are arranged according to genre.（これらのビデオはジャンル別に分類してある）、sort out letters according to their addresses（手紙を宛先によって分類する）、divide books according to authors（著者別に本を分類する）などのような表現があります。

4つ目は、「分配する（share）」系で、I shared the apple with my younger sister.（リンゴを妹に分けてあげた）、I shared the chocolate with my friends.（チョコレートを友人と分けて食べた）、He shared his property among his three children.（彼は財産を3人の子供に分けた）、Can you spare me an egg?（卵を1個分けてくださいませんか）のような表現があります。

最後の5つ目は、「区別する（tell, distinguish）」系で、We must distinguish between error and crime.（過失と犯罪は分けて考えねばならない）、I make a clear distinction between work and play.（仕事と遊びをはっきり分けて考えている）のような表現があります。

以上のことをもとに本問を考えると、本問①の「生徒をクラス毎に分ける」場合には、「分割する」系で、divide が、本問②の「ゴミを燃えるものと燃えないものに分ける」場合には、「分離する」系で、separate が、そして本問③の「空想と現実を分ける」場合には、「区別する」系で、tell がぴったりです。

その他にも、「分ける」を表す表現には、He pushed his way through the crowd.（彼は人込みを分けて進んだ）、go Dutch / go halves on the expenses（費用を半分ずつに分ける）、portion out the vegetable salad onto individual plates（野菜サラダを銘々皿に分ける）、partition a room into two parts（一部屋をふたつに分ける）のようなものがあります。

一目でカンタン理解！ 「わける」系動詞の使い分けMAP！

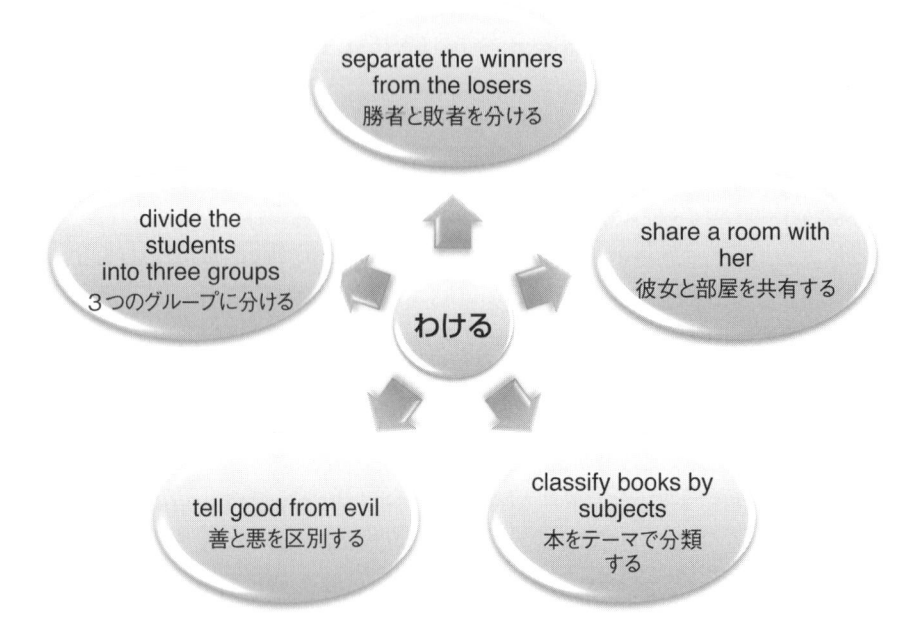

- separate the winners from the losers
  勝者と敗者を分ける
- divide the students into three groups
  3つのグループに分ける
- share a room with her
  彼女と部屋を共有する
- tell good from evil
  善と悪を区別する
- classify books by subjects
  本をテーマで分類する

わける

さらにワンランクUP！ 「わける」を表す重要表現をマスター！

☐ **differentiate**　違いを生じさせる、差異をもうける
　☞ difference（違い）＋ ate（～にする）
　We must **differentiate** ourselves from our competitors.
　（競争相手と差をつけなければならない）

☐ **discriminate**　人や集団の違いを識別する
　discriminate [between things, the original from the copy]
　（物事の違いを見分ける、オリジナルとコピーを区別する）
　☞ **distinguish** が「両者のはっきりとした違いを際立たせるという」ニュアンスがあるのに対して、**discriminate** は「微妙な違いまで厳密に評価して識別する」というニュアンスがあります。

- **classify**　分類する、等級（クラス）に分ける
  - ☞ class（クラス）+ ify（〜にする）

  They can be **classified** into three groups.
  （それらは3つのグループに分類できる）

- **categorize**　部門に分ける、分類する、範ちゅうに分ける
  - ☞ category（部門、種類、カテゴリー）+ ize（〜にする）

  His latest work can be **categorized** as a novel.
  （彼の最新作は小説に分類される）

- **split**　真二つに割る、一直線に縦に引き裂く

  My pants got **split** when I bent over.
  （かがんだらズボンが裂けてしまった）

  - ☞ The committee was **evenly split** on the issue.（その問題に関して委員会は真二つに分かれた）と The profit was **equally divided** among five.（利益は5人で山分けした）の違いに注意！

- **discern**　はっきりしない違いを五感で識別する、見分ける
  - ☞ dis（分離）+ cern（ふるい分ける）

  It is difficult to **discern** between the true and the false.
  （本物とにせ物を見分けるのは困難だ）

ランク23 「妨げる」系動詞の使い分けをマスター！

> これが使い分けの決め手！
>
> **prevent, disturb, block** の使い分けが基本！

Q：次の日本語を英語で言ってください。

① 事故を防止するために直ちに新たな措置を講じなければならない。
　（⇒事故の発生を未然に妨げる）
② 彼は絶えず質問して授業を妨害した。（⇒平穏な授業の運営を妨げる）
③ 私がしゃべっている時に口を挟まないでくれ。（⇒会話の進行を妨げる）
④ この先どうして車が通れないの？（⇒車の通行を妨げる）

[block / disturb / interrupt / prevent]

解　答

① We should take new measures to **prevent** the accident immediately.
② He **disturbed** the class with his constant questions.
③ Don't **interrupt** me while I'm talking.
④ What's **blocking** traffic ahead?

使い分けのポイント

「妨げる」には、「阻止する」系（prevent）、「平和や秩序など安定した状態を乱す」系（disturb）、「進行中の出来事を邪魔する」系（interrupt, disrupt）、「障害物を置いて塞ぐ」系（block）、「注意などをそらす」系（distract, divert）、「干渉・介入する」系（interfere）の6つの方向性があります。

　本問①の **prevent** は「阻止する」系で、pre（前に）＋vent（来る）、すなわ

ち「先に来てじゃまをする」というつくりから「人の行為や物事が起こるのを前もって完全に妨げる、予防する」というニュアンスがあります。**prevent price increase**（物価の上昇を防ぐ）、**prevent the disease from spreading**（その病気が蔓延しないように措置をとる）、**prevent weight gain**（体重を増やさないようにする）などのように使えます。さらに、「阻止する」系には、**hold back** や、**keep ～ from** … などがあり、**The police held back the crowd.**（警察は群衆を阻止した）、**I couldn't keep him from doing it.**（私は彼にそうすることを阻止できなかった）のように使われます。

　本問②の **disturb** は「平和や秩序など安定した状態を乱す」系で、ホテルなどの部屋にかける **DO NOT DISTURB**（起こさないでください）の掲示にみられるように、「平穏さや注意力をかき乱す」というニュアンスがあり、**disturb the class**（授業の進行を妨げる）、**I'm sorry to disturb you.**（お邪魔してすみません）、**Don't disturb the paper on the desk.**（机の上の書類を動かさないでくれ）のように使われます。

　本問③の **interrupt** は「進行中の出来事を邪魔する」系で、**inter**（～の間で）＋**rupt**（破裂する）というつくりから「話の腰を折ったり、仕事や交通などの流れを遮断する」というニュアンスがあります。**Excuse me for interrupting you, but there is a phone call for you.**（お話し中失礼しますが、あなたにお電話です）、**Don't interrupt me while I'm talking.**（私が話している最中に割り込まないでください）のように使えます。さらに **dis**（離れて）＋**rupt**（破裂する）というつくりから「活動や通信や交通などを一時不通にして混乱を生じさせる」というニュアンスの **disrupt** もあり、**The power service was disrupted for hours by the earthquake.**（地震のため何時間も停電した）のように使われます。

　本問④の **block** は「障害物を置いて塞ぐ」系で、**block** には積み木やコンクリートブロックなどの塊というイメージがありますが、そこから「何か障害物を置いて物事の流れを止める、遮断する、封鎖する」というニュアンスを持ちます。**The railroad was blocked by the heavy snow.**（鉄道は大雪のため不通になった）、**What's blocking your plan?**（何があなたの計画を妨げているのですか）、**My nose is blocked up.**（鼻がつまってしまった）などのように使います。さらに「道に立ちはだかって行く手をふさぐ」というイメージから、**Why are you always getting in the way?**（どうしていつも私の邪魔ばかりする

の？）という表現もあります。

　その他にも、**「妨げる」系動詞**には**「注意などをそらす」系動詞**の **distract** や **divert**、**「干渉する・介入する」系動詞**の **interfere** などがあり、**The noise outside distracted him from his study.**（騒音がうるさくて彼は勉強に集中できなかった）、**The government is trying to divert people's attention from the real issues.**（政府は人々の注意を現実の問題からそらそうとしている）、**Don't interfere with my private concerns.**（私のプライベートに口出ししないでください）のように用いられます。

一目でカンタン理解！「妨げる」系動詞の使い分け **MAP**！

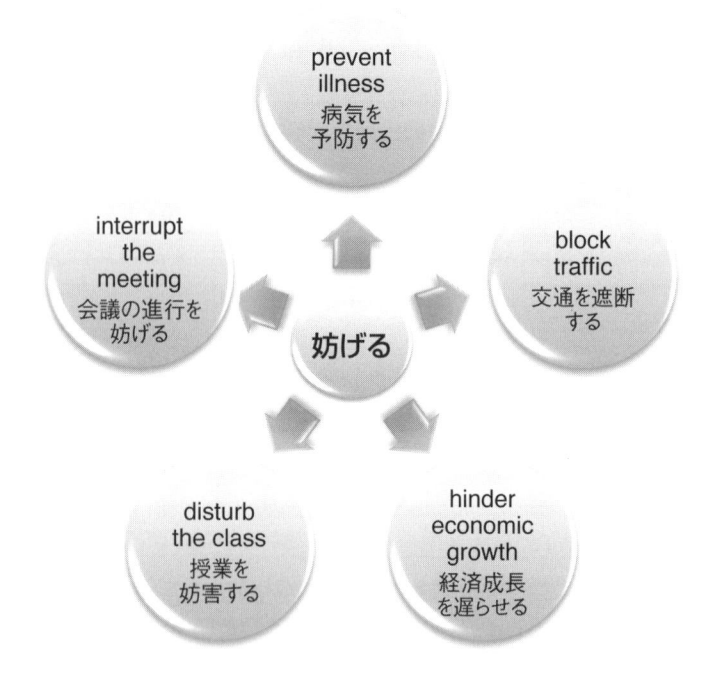

- prevent illness　病気を予防する
- block traffic　交通を遮断する
- hinder economic growth　経済成長を遅らせる
- disturb the class　授業を妨害する
- interrupt the meeting　会議の進行を妨げる

妨げる

「妨げる」を意味する語のコロケーションを Check!

	the plan	the meeting	the disaster	illness	traffic
prevent	◎	○	◎	◎	×
disturb	○	◎	×	×	△
block	○	×	△	×	◎
interrupt	○	○	×	×	○

☞最も広い範囲で用いられるのは **prevent**（前もって阻止する）ですが、特に **disaster**（災害）や **illness**（病気）では圧倒的に多く用いられています。その一方で、**meeting**（会議）では **disturb**（かき乱す）が、**traffic**（交通）では **block**（流れを止める）が最も多く用いられています。

disturb my sleep

block the traffic

| さらにワンランク UP! | 「妨げる」を表す重要表現をマスター！|

- [ ] **check**　急に動きを力ずくで食い止める、感情などをぐっと我慢する
  check [my steps, him in his work, my anger]
  （思わず足をとめる、彼の仕事を邪魔する、怒りをぐっと抑える）
- [ ] **delay**　事故や天候などが進行を遅らせる
  The mail was **delayed** by a heavy snowfall.
  （大雪のため郵便が遅れた）
- [ ] **hamper**　束縛・足かせにより、進行・発展・過程などを妨害する
  hamper the [progress, development, process]
  （［進行・発展・過程］を妨害する）
- [ ] **hinder**　一時的に事柄の進行や人の行為を遅らせたり、止めたりして妨げる
  Consumption tax hike will **hinder** economic growth.
  （消費増税は経済成長を妨げることになるだろう）
- [ ] **impede**　障害や妨害物によって運動や進行を遅らせたり、邪魔したりする
  impede the [progress, growth, development]
  （［進行・成長・発展］を遅らせる）
- [ ] **frustrate**　挫折させる、欲求不満にさせる
  Illness **frustrated** his plan for the trip.
  （病気で彼の旅行の計画は挫折した）
- [ ] **retard**　発育や成長を予想以上に遅らせる
  Smoking **retards** children's health growth.
  （喫煙は子供の健全な発育を妨げる）
- [ ] **inhibit**　行動や活動を抑圧したり、成長や発達を遅らせたりする
  Lack of sleep can **inhibit** the function of the brain.
  （睡眠不足になると頭の働きが悪くなることがある）

ランク24 「含む」系動詞の使い分けをマスター！

> これが使い分けの決め手！
>
> **include, contain, involve の使い分けが基本！**

Q：次の日本語を英語で言ってください。

① 新鮮な野菜にはさまざまなミネラルが含まれている。
② これは税込の値段ですか。（⇒税金も含まれていますか）
③ この仕事は大きな危険を伴う。（⇒大きな危険を含んでいる）
④ 彼の新刊には教育から福祉まで広範な話題が含まれている。

[contain / cover / include / involve]

解 答

① Fresh vegetables **contain** a variety of minerals.
② Are taxes **included** in this price?
③ This job **involves** a great risk.
④ His new book **covers** a wide range of topics from education to welfare.

使い分けのポイント

　日本語の「含む」には、「大きな器の中などに実際に物理的に含む」系（contain）、「頭の中のイメージとして含む」系（include）、「話題やテーマなどとして含む」系（cover）、「必然的な条件、当然の結果として含む」系（involve）の4つの方向性があります。

　本問①の contain には、con（一緒に）+tain（保つ）というつくりから、「容器などの枠の中の内容物として包含する、含有する」という「何か大きな器の中

に入っている」イメージがあります。**This glass contains water.**（このコップには水が入っている）、**This building contains six rooms.**（この建物は6部屋ある）、**This beverage does not contain alcohol.**（この飲み物にはアルコールは含まれていない）のような使い方があります。さらに **contain economic inflation**（インフレを抑える）、**contain an epidemic**（流行病の蔓延を防ぐ）、**contain one's anger [laughter]**（怒りを抑える［笑いをこらえる］）のように「封じ込める」という意味でも使えます。さらに「建物などに収容する、乗り物などに乗せる」というニュアンスの **accommodate** もあり、**This room can accommodate up to fifty people.**（この部屋には50人まで入れる）のように用いられます。

　本問②の **include** には、**in**（中へ）＋**clude**（閉じる）ということから、「あるものが全体の中の一部分あるいは、メンバーの一員として含まれる」というニュアンスがあり、「大きな器の中などに実際に物理的に含む」という **contain** と違って、「頭の中のイメージとして含む」という感じになります。**Are you included on the list?**（あなたの名前は名簿に載っていますか）、**This tour includes a visit to Tokyo Skytree.**（この旅行には東京スカイツリーの観覧も含まれている）などのように使え、実際に「あなた」や「スカイツリー」が何かモノの中に含まれているのではなく、話者の頭の中で概念として含まれているのです。

　一方、**include** とよく混同される「含む」系動詞として本問③の **involve** がありますが、**involve** には、**in**（中に）＋**volve**（回転する）というつくりから、「ある物事に巻き込む、巻き添えにする」というイメージがあります。そこから「必然的な条件として含まれる、当然な結果として伴う」というニュアンスを持ち、**This job would involve my living abroad.**（この仕事に就けば海外に住むことになるだろう）のように用いられます。

　本問④の **cover** には、「覆い（カバー）をかぶせる」という意味から、「範囲などを含む、及ぶ、網羅する」といったニュアンスがあります。**His studies cover a wide field.**（彼の研究は広範囲にわたる）、**This rule covers all cases.**（この規則はあらゆる場合に当てはまる）、**All employees are covered by insurance against accidents.**（従業員はみんな傷害保険に入っている）などのように使えます。

一目でカンタン理解！「含む」系動詞の使い分けMAP！

- include tax 税込である
- contain water 水が入っている
- cover all cases あらゆる場合にあてはまる
- involve a great risk 大きな危険を伴う
- accommodate thirty people 30人収容できる

「含む」を意味する語のコロケーションをCheck!

	water	the cost	tax	the topics	the damage
contain	◎	△	×	○	◎
include	△	◎	◎	○	◎
cover	×	○	△	◎	○
involve	×	△	×	×	○

☞ **water**（水）では **contain**（大きな容器の中に含まれる）が、**cost**（費用）や **tax**（税金）では **include**（頭の中の概念として含まれる）が、**topics**（話題）では **cover**（範囲が及ぶ）が最も多く用いられています。

注：cover the cost, cover the damage の cover は「支払う」の意味になります。

ランク25 「許す」系動詞の使い分けをマスター！

> これが使い分けの決め手！
> **allow, permit, forgive** の使い分けが基本！

Q：次の日本語を英語で言ってください。

① その母親は子供が何でも好きなことをするのを許している。
② 法律によって市場における遺伝子組み換え食品の販売が許されている。
③ 私の無礼をお許しください。

[allow / forgive / permit]

解 答

① The mother **allows** her children to do whatever they like.
② The law **permits** selling genetically-modified food in the market.
③ Please **forgive** my rudeness.

使い分けのポイント

「許す」と言われて、すぐに思い浮かぶのが **Excuse me.**（すみません）の **excuse** や **I beg your pardon?**（何とおっしゃいましたか）の **pardon** などですが、日本語の「許す」には **2** つの方向性があり、一つは、「過失や罪など大目に見る」系で、**excuse** や **forgive** や **pardon** が使われ、「申し訳ありません」という謝り方は、**Excuse me.＜Forgive me.＜Pardon me.** の順に堅く、大げさな言い方になります！もう一つは、「許可を与えて何かをやらせてやる」系で、**allow** や **permit** や **let** が使われ、**let＜allow＜permit** の順に形式ばった言い方になります。

本問①の **allow** には、「人が自由に何かをすることを邪魔せず、その人の自由にいっさいを任せる」というニュアンスがあり、例題のように「**私個人の気持ちや判断で、相手を信頼して好きなようにさせてあげたり、暗黙または『消極的』に同意を与える**」感じです。さらに発展して、**I'll allow your claim.**（あなたの主張を認めます）のように「**認める**」、**You should allow for his age.**（彼の年齢を考慮してあげるべきです）のように「**考慮に入れる**」などのように意味が拡張していきます。また、口語では、**I'll let you come with me.**（一緒に来てもいいよ）、**Let me try once more.**（もう１回やらせてください）、**I'll not let you get away with it.**（そんなことをしてただではおかないぞ）のように **let** の方が頻繁に使われます。しかし、**allow** は具体的に何かの行為をすることを許す感じになりますが、**let** の場合は相手の好きなように放っておく感じになり、**Allow me.** だけで「私にそれをやらせてください」という使い方ができますが、**Let me.** では意味をなしません。

　本問②の **permit** には、per（〜を抜けて）＋ mit（送る）⇒（通過するのを許す）というつくりから、「**人が何かをすることに対して、正式に、そして『積極的』にはっきりと許しを与える**」というニュアンスを持つ点が「個人的な裁量で相手の自由に任せておく」感じの **allow** との違いです。「**規則などによって公に人に許可や認可を与える**」という意味になり、**Our school doesn't permit us to use a cell phone in the classroom.**（私たちの学校では、教室内での携帯電話の使用は禁止されている）や、**The law does not permit the production of the harmful drug.**（法律は有害な薬の製造を許していない）のように使われます。

　本問③の **forgive** には、**Let's forgive and forget.**（過去のことはさらっと水に流そう）という言葉で言い表されるように、「**個人的な感情から同情して過ちや人を許す、勘弁する**」というニュアンスを持ち、そこから「**借金や義務などを帳消しにする、免除する**」という意味や「**罪や過ちを見逃すだけでなく、相手に対する反感や恨みをも水に流す**」という意味も持ちます。さらに **forgive** は、**Excuse me, but 〜**（ちょっとすみませんが〜、ご迷惑でしょうが〜）というように使われる、「ちょっとした過ちや失礼を許す」というニュアンスの **excuse** よりも堅くおおげさな言い方になります。

　それに対して、**pardon** はもともとは公的な機関が罪人を許す場合に使われていた語です。本問③も **Pardon me for my rudeness.** と表現することもでき

すが、もともと、**Criminals were pardoned.**（罪人たちは赦免された）のように「役人や上役が特別に寛容、慈悲の心を示し、恩赦を与えて重い刑罰の全部または一部を免じてやる」という意味から、**「立場の上の者が下の者に対して大目に見てやる、許してやる」**というニュアンスがあり、forgive よりもさらに形式ばった表現でへりくだった感じになります。

さらに、**tolerate criticism [harassment]**（批判［いやがらせ］を大目に見る）、**It cannot be tolerated.**（そんなことは許せない！）のように、**「自分の価値観と違う行為、信仰などを道義心上大目にみてやる」**というニュアンスの **tolerate** もあります。

> 一目でカンタン理解！ 「許す」系動詞の使い分けMAP！

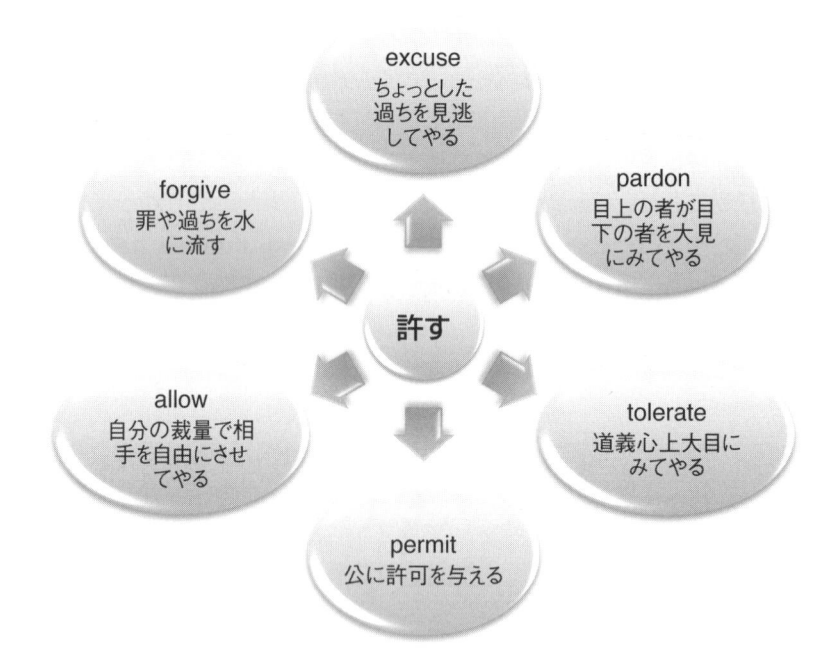

- **excuse** ちょっとした過ちを見逃してやる
- **pardon** 目上の者が目下の者を大目にみてやる
- **forgive** 罪や過ちを水に流す
- **tolerate** 道義心上大目にみてやる
- **allow** 自分の裁量で相手を自由にさせてやる
- **permit** 公に許可を与える

中心：**許す**

| さらにワンランク UP! | 「許す」を表す重要表現をマスター！

- **authorize**　政府などが行動・計画・処置などを、権限を与えて正式に許す
  They are **authorized** by the state law to carry guns.
  （銃の所持が州法で許されている）
- **sanction**　正式手続きにより正当と認め許可する、法令などに制裁規定を設けることを許す
  The local government **sanctioned** the establishment of the school.
  （地方自治体はその学校の設立を認めた）
- **empower**　人や団体などに法的な権限を与え活動を許す
  I am **empowered** to act on behalf of him.
  （私は彼の代理人として行動することが許されている）
- **license**　特定の事柄についてライセンス（免許）を与えることで法律上許す
  They are **licensed** to sell alcohol.
  （彼らは酒の販売を許可されている）
- **approve**　上の立場から、提案や計画を満足のいく良いものだとみなして許す
  Congress has promptly **approved** the budget.
  （議会はすぐに予算案を承認した）
- **give ~ the OK**　ある特定の行為に対して「やっていいよ」と許可を出す
  My boss has **given** me **the OK** to take a day off on Monday.
  （上司は月曜日に休日をとるのを許してくれた）

これもマスター 「禁止する」系動詞の使い分け

「禁止する」系動詞には、**forbid**（allow［個人の判断で許可する］の反対語で、特に親や教師や上司などのように権威のある者が個人的判断である行動をしないように禁ずる）、**prohibit**（permit［法律などで公的に許可する］の反対語で、改まった場面で法律や規則によって公的に禁止することで、forbidよりも禁止する度合いが強い格式ばった語）、**ban**（核兵器やわいせつな雑誌など社会的・道徳的に受け入れられないものを法律によって禁止する）、**taboo**（原始的な迷信や社会的慣習などからみて好ましくないものを避ける）などがあり、**forbid my son to smoke**（息子にタバコを吸わないように命じる）、**Smoking in movie theaters is prohibited.**（映画館内では禁煙です）、**inhibit my desire for power**（権力欲を抑える）、**Nuclear tests should be banned.**（核実験は禁止されるべきである）、**Drinking alcohol is tabooed in Muslim societies.**（イスラム社会では飲酒が禁止されている）のように用いられます。

ランク26 「守る」系動詞の使い分けをマスター！

> これが使い分けの決め手！
>
> **protect, defend, preserve, conserve** の使い分けをマスター！

Q：次の日本語を英語で言ってください。

① 社会の秩序を守るために規則は守らなければならない。
② 次の世代のために、われわれの文化遺産を守らなければならない。
③ その市は天然資源を守るためにリサイクルを推進してきた。
④ その勇敢な兵士たちは侵略者から国を守った。

[conserve / defend / obey / maintain / preserve]

解答

① We must **obey** rules to **maintain** social order.
② We must **preserve** our cultural heritage for future generations.
③ The city has been promoting recycling to **conserve** natural resources.
④ Those brave soldiers **defended** their country against the invaders.

使い分けのポイント

「守る」と言われて、すぐに思い浮かぶのは、スポーツの世界でよく使われている、「ガード」「ディフェンス」「プロテクター」などから、**guard** や **defend** や **protect** などですが、日本語の「守る」には「維持する」系（**keep, maintain, preserve, conserve**）、「従う・履行する」系（**keep, obey, follow, observe**）、「保護・警護・防衛する」系（**protect, defend, guard**）の3つの方向性があり

ます。

　本問①の「社会秩序を守る」は「維持する」系で、「良好な状態をそのまま保ち続ける」というニュアンスの maintain を使って、maintain social order や「平和を守る（keep peace）」のように「自分のものとしてずっと持ち続ける」というニュアンスの keep も使われます。そして「規則を守る」の部分には、「従う・履行する」系動詞の keep （約束通り守る）、obey（指令通りにする、服従する）、follow（従う、ならう）、observe（遵守する、厳しく守る）などが使われ、keep my promise（約束を守る）、obey my parents（両親の言いつけに従う）、follow his advice（彼のアドバイスに従う）、observe the traffic regulations（交通法規を遵守する）のように用いられます。さらに、go by the rules（定石通りにやる）や stick to the rules（規則を守り通す）のような表現もあります。

　本問②の「次の世代のために文化遺産を守る」も「維持する」系で、こちらの場合は pre（前もって）＋ serve（保つ）というつくりから、「堕落・消滅しないように、現状維持のためにあるものを前もって危害・破壊から守る」というニュアンスの preserve がぴったりです。preserve a city from destruction（都市が破壊されないように守る）、preserve an endangered species from extinction（絶滅危惧種が絶滅しないように保護する）、preserve our peace constitution（平和憲法がなくならないように守る）、preserve fruits with sugar（果物を砂糖漬けにして腐らないように保存する）のように使われます。

　さらに、本問③で用いられる conserve は、preserve とよく混同される語で、con（完全に）＋ serve（保つ）というつくりから、「資源・エネルギーなどがなくならないように大切に使う、節約する」というニュアンスがあり、conserve [natural resources, my strength, woodlands]（天然資源を大切に使う、体力を温存する、森林を保全する）などのように使われ、preserve が、preserve nature（自然を保護する☞ nature preservation 自然保護）のように「現状を維持する」ことに力点が置かれるのに対して、conserve は、conserve energy（エネルギーを節約する＝ energy conservation 省エネルギー）のように「消費量を減らす」ことに力点が置かれます。それゆえ natural resources の場合も、preserve よりも conserve の方が多く用いられるのです。

　本問④の「現実に攻めてきている侵略者から国を守る」という場合は「防衛する」系動詞の defend がぴったりです。the Self-Defense Forces で「自衛隊」

を表すように、「実際に攻撃してくるものに対して防御し、それを撃退する」というニュアンスがあり、**She defended her children from a fierce dog.**（彼女は猛犬から子供たちを守った）や、**The lawyer defended his client eloquently in court.**（その弁護士は裁判で依頼人を雄弁に弁護した）のように使えます。

これに対して **protect** は **pro**（前を）+ **tect**（覆う）というつくりから、「危険を防ぐために、具体的に防御に役立つ手段や対策を用いてかばって守る」というニュアンスがあり、**Wear sunglasses to protect your eyes from direct sunlight.**（直射日光から目を守るためにサングラスをかけなさい）や **Domestic industries are protected by high tariff barriers.**（国内産業は高い関税で守られている）のように使われ、**defend** のような差し迫った危険はあまり感じられず、危害を加えられないようにあらかじめ予防するイメージです。一方 **guard** には「安全維持のために警戒・監視する」というニュアンスがあり、**We must guard our houses from thieves.**（泥棒が家に入らないようにしなければならない）、**Soldiers guarded the president against terrorists.**（兵士たちが大統領をテロリストから守った）のように危険が迫って来ないようにしっかりと用心して見張るイメージです。

一目でカンタン理解！「守る」系動詞の使い分けMAP！

- protect your eyes from the sun　太陽から目を守る
- defend our country　国を守る
- preserve endangered species　絶滅危惧種を守る
- keep your promise　約束を守る
- obey the law　法律を守る

守る

conserve energy

preserve nature

「守る」を意味する語のコロケーションを Check!

	the country	the promise	the law	the culture	nature	energy
protect	◎	×	○	◎	◎	×
defend	◎	×	○	△	△	×
preserve	△	△	△	◎	◎	△
conserve	×	×	×	×	△	◎
keep	◎	◎	◎	○	◎	○
obey	×	×	◎	×	×	×
observe	×	×	◎	×	×	×

☞ **the country**（国）では keep ＞ protect ＞ defend の順に、**nature**（自然）では、keep ＞ protect ＞ preserve の順に、**law**（法律）では obey ＞ observe ＞ keep の順に多く用いられ、**promise**（約束）では keep が、**energy**（エネルギー）では conserve が圧倒的に多く用いられます。

| さらにワンランク UP! |「守る」を表す重要表現をマスター!

- **retain**　保持する、失わないでいる
  The people in that village **retain** an old custom.
  (その村の人々は古い習慣を守っている)
- **sustain**　生命活動などを維持する、行動などを続ける、家族などを養う
  sustain [life, efforts, my family]
  (生命を維持する、努力を続ける、家族を養う)
- **comply with** 〜　命令・要求・規則などに応じる
  He reluctantly **complied** with our request.
  (彼はしぶしぶ我々の要求に応じた)
- **abide by** 〜　規則や決定などに従う、約束などを固守する
  Once you make a promise, **abide by** it.
  (いったん約束をしたら必ず守れ)
- **adhere to** 〜　計画や約束などに固執する、固守する
  He **adheres to** his daily schedule.
  (彼は日課を必ず守る)

☞ 前置詞によって **with**（関心を持つ感じ）＜ **by**（いつもそばにいる感じ）＜ **to**（ピッタリとくっ付いて離れない感じ）の順に「規則などを守る度合い」が強くなることに要注意です!

これもマスター 「助ける」系動詞の使い分け

「助ける」系動詞には、**help**（最も一般的な語で、積極的に加勢し助けを与えようとする）、**aid**（助けを必要な人に対して特に金銭面で助力を与える）、**rescue**（重大な危険にさらされている人を迅速に助け出す）、**save**（危険な状態にある人や物を救い出し安全な状態にしてやる）、**assist**（差し迫った状況ではないので、脇役として補助的に力を貸したり、助言をする）、**support**（何かの目的達成のために具体的な支援をする）、**spare**（命を助けてやる、危害を加えないでおく）、さらに **give ～ a hand**（手を貸す）、**extend a helping hand to ～**（～に救いの手を差しのべる）、**get ～ out of difficulty**（困っている～を助ける）などがあり、**Help me.**（助けて）、**aid him with money and advice**（彼のために金もやり助言もする）、**rescue a boy from drowning**（おぼれている少年を救助する）、**The doctor saved his life.**（その医者は彼の命を救った）、**I assisted him in editing a magazine.**（私は彼が雑誌を編集する補佐をした）、**support his new project**（彼の新しい企画を支援する）、**Please spare my life.**（命ばかりはお助けください）、**Give me your hand.**（手を貸してくれませんか）、**extend a helping hand to the poor**（貧しい人に救いの手を差しのべる）、**get her out of difficulty**（困っている彼女を助ける）などのように用いられます。

ランク27 「なおす」系動詞の使い分けをマスター！

> これが使い分けの決め手！
>
> **repair, correct, cure, heal** の使い分けが基本！

Q：次の日本語を英語で言ってください。

① この車を直してもらいたい。
② 彼女はスカートの裂け目を直した。
③ 自分で書いた英作文をネイティブスピーカーに直してもらった。
④ この病気を完全に治すには最低半年はかかるでしょう。

[correct / cure / mend / repair]

解 答

① I want this car **repaired**.
② She **mended** a tear in her skirt.
③ I had my English composition **corrected** by a native speaker.
④ It will take at least half a year to **cure** this disease completely.

使い分けのポイント

　「なおす」と言われて、すぐに思い浮かぶのは「修理する」という意味の **repair** や **fix** などですが、日本語の「なおす」は、まず「直す」（故障や誤りなどをなおす）と「治す」（病気やケガをなおす）の２つに大きく分類できます。

　まず、「直す」の表現として、本問①のように「車を直す」場合には「修理・修繕する」系で、**repair, mend, fix** が使えますが、「修理に専門的な技術を要する機械、器具類」を直す場合には **repair** が用いられる傾向がありますが、アメリカ英語では **fix** が多く用いられ、イギリス英語では **mend** も使われます。

また、本問②の「スカートの裂け目を直す」ように、「衣類や靴などの破れた個所を繕う」場合には mend が最も多く使われます。さらに mend は「態度などを改める」や、「関係などを改善する」「病人が快方に向かう、事態が好転する」などの意味も持ち、mend your ways（態度を改める）、Her health is mending.（彼女は快方に向かっている）、Things are mending.（事態は好転している）のようにも使えます。さらに他にも patch up the leaky roof（雨漏りのする屋根を応急修理する）のように「布や板などで継ぎをして繕う」というニュアンスの patch なども用いられます。
　一方 fix には「固定する⇒きちんとする⇒修理する」という意味の拡張から、「機械などを調整する、正常な状態にする」というニュアンスがあります。
　本問③の「英作文を直す」の場合には、「誤字や間違いなどを直す」系で、「誤りを訂正する、校正する、添削する」というニュアンスを持つ correct がぴったりです。
　さらに、その他の「直す」系動詞としては、「復旧させる」系で、restore a ruined building（荒廃した建物を修復する）、The temple is under reconstruction.（その寺院は再建中だ）、revive him with artificial respiration（人工呼吸をして彼を生き返らせる）のような使い方や、「（服装や髪や場所などの）乱れなどを整える」系で、straighten one's tie（ネクタイを直す）、fix my hair / tidy up my hair（乱れた髪の毛を整える）、touch up her make-up（化粧を直す）、put a room in order（部屋をきちんと片づける）のような使い方や、「調整する・合わせる」系で、adjust a clock / set a watch to the right time（時計の針を直す）、The director adapted the novel for a movie.（監督は小説を映画用に脚色した）、alter a part of the plan（計画を一部直す）のような使い方や、「やめる・矯正する」系で、correct my shortcomings（欠点を直す）、get over my shyness（人見知りを直す）、get rid of [shake off] this bad habit（悪い癖を直す）のような使い方や、「気分や機嫌を直す」系で、recover my temper [spirits], get back into a good temper [mood]（機嫌を直す）、Let's cheer up and have a drink.（気分を直して一杯やろう）のような使い方まであります。
　一方、「治す」の表現には cure や heal があります。本問④のように「カラダの内部から生じた内臓などの病気や病人を治す」場合には、Please cure my disease. や Please cure me of my illness.（私の病気を治してください）の

ようにcureが使われます。またcureには**「救済する、矯正する」**の意味もあり、**cure social ills**（社会悪を治す）、**cure a person of a bad habit**（人の悪い癖を直す）のようにも用いられます。それに対して**「カラダの外部から生じたケガや、事故や戦争などで生じたトラウマなどの心の傷などを治す」**場合には**Please heal my wound.**（私のケガを治してください）のように**heal**が使われます。さらに、**You cannot go out until you get over [get rid of] your cold.**（その風邪を治さないと外出できませんよ）のように**get over ～**（～を克服する）や**get rid of ～**（～を取り除く）を使って表現することもできます。

一目でカンタン理解！ 「なおす」系動詞の使い分けMAP！

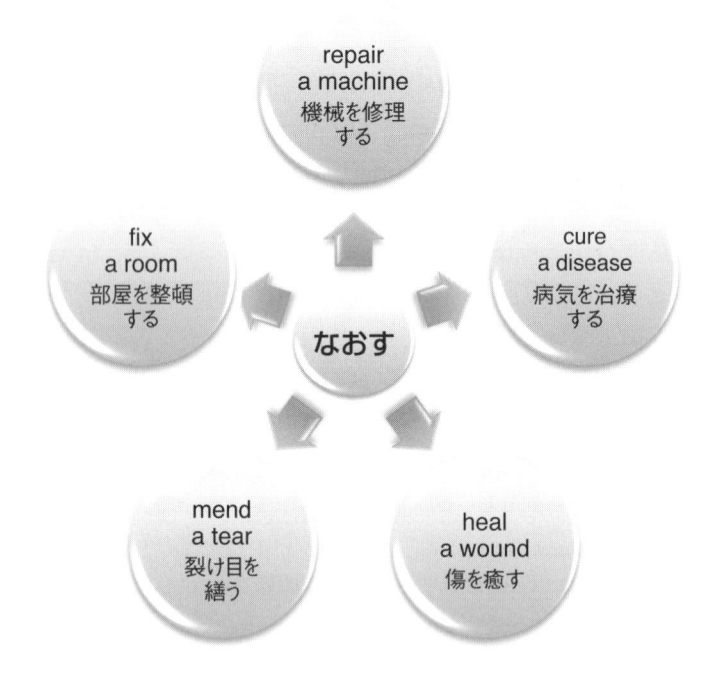

- repair a machine 機械を修理する
- cure a disease 病気を治療する
- heal a wound 傷を癒す
- mend a tear 裂け目を繕う
- fix a room 部屋を整頓する

なおす

「なおす」を意味する語のコロケーションを Check!

	the car	the error	the disease	the wound
repair	◎	△	×	◎
mend	○	×	×	×
fix	◎	◎	×	○
correct	×	◎	×	×
cure	×	×	◎	○
heal	×	×	△	◎

☞ car（車）では fix ＞ repair ＞ mend の順に多く用いられ、error（誤り）では fix ＞ correct の順で多く用いられます。一方 disease（病気）では cure が、wound（傷）では heal と repair が多く用いられています。

cure the disease

heal the wound

ランク28 「貸し借りする」系動詞の使い分けをマスター！

> これが使い分けの決め手！ **borrow, use, rent** の使い分けが基本中の基本！

Q：次の日本語を英語で言ってください。

① あなたのノートを借りてもいいですか。
② 私は月6万円でワンルームマンションを借りている。
③ 君には親切にしてもらった借りがある。
④ 電話をお借りしてもよろしいでしょうか。

[borrow / owe / rent / use]

解 答

① Can I **borrow** your notebook?
② I'm **renting** a one-room apartment for 60,000 yen a month.
③ I **owe** you a favor.
④ May I **use** the telephone?

使い分けのポイント

「貸し借りする」と言えば、すぐに思い浮かぶのが **lend, borrow** やレンタルビデオや、レンタカーなどから **rent**、車や家のローンなどから **loan** といった動詞ですが、「貸し借りする」系動詞は、「無償で貸し借りする」系と「有償で貸し借りする」系の2方向性があります。

まず「無償」系動詞には、**Lend me your pen, will you?**（ペンを貸してくれないか）や **Will you loan me your umbrella?**（傘を貸してくれませんか）のように、「移動可能なものを無料で貸す」というニュアンスの **lend** や **loan**（☞

loan はお金を利息付きや無利息で貸す場合にも用いられます)、**You can borrow three books at a time from this library.**（この図書館では一度に3冊まで本を借りられます）のように、「**移動可能なものを無料で借りる**」というニュアンスの **borrow** があります。さらに図書館から本を借り出す場合には、**check [charge] these books out** も使われます。

　次に「**有償**」系動詞には、**I rent a house from him.**（彼から家を賃借した）、**I rent (out) a house to him.**（彼に家を賃貸した）のように「**部屋・建物・土地など定期的に有料で借りる・貸す**」というニュアンスの **rent**、**The bank did not loan the money to my company.**（銀行は私の会社に融資をしてくれなかった）のように、「**利子を取ってお金を貸し付ける、融資する**」というニュアンスの **loan**、**The land is leased to the company for 20 years.**（その土地は20年契約でその会社に賃貸されている）のように、「**正式の契約書を取り交わして土地・建物・機器など比較的高額で大きなものを有料で貸す・借りる**」というニュアンスの **lease**、**hire a hall for one evening**（ホールを一晩借りる）、**hire a bus for the picnic**（ピクニックのためにバスを借りる）のように、「**お金を払って一時的に物を使用する、人を雇う**」というニュアンスの **hire** や、**hire out boats**（ボートを貸し出す）のように、「**お金をもらって一時的に物を貸し出す**」というニュアンスの **hire out**、**let rooms out to students**（学生たちに部屋を貸し出す）のように、「**家屋を有料で貸し出す**」というニュアンスの **let out**（☞ hire out や let out は主にイギリス英語で用いられます。out をつけることで「貸し出す」の意味になります！）、**charter a plane**（飛行機を貸し切る）のように「**特に団体用に飛行機・バス・列車などを特別な目的のために契約して借りる、貸す**」というニュアンスの **charter** などがあります。

　さらに日本語の「**貸し借りする**」には、「物の貸し借り」以外に、**May I use the telephone?**（電話をお借りしてもよろしいでしょうか？）や、**May I use your bathroom?**（お手洗いをお借りしてもよろしいでしょうか？）のように、「**施設などを使用する・させる**」系、**I owe him my life.**（彼は命の恩人です）、**I owe my success to my parents.**（私の成功は両親のおかげです）のように、「**義務や恩義などを負っている**」系、**May I ask you for your advice?**（お知恵をお借りしていいですか）や、**obtain a helping hand from friends**（友達から助けを借りる）などの「**援助などを与える・受ける**」系などの表現があります。

161

以上をもとに本問を考えると、本問①の**「ノートを借りる」**の場合には**「移動可能なものを無料で借りる」**というニュアンスの **borrow** が、本問②の**「月6万円でワンルームマンションを借りる」**の場合には**「部屋・建物・土地など定期的に有料で借りる」**というニュアンスの **rent** が、本問③の**「親切にしてもらった借りがある」**の場合には**「義務や恩義などを負っている」**系の **owe** が、**「電話を借りる」**場合には**「施設などを使用する・させる」**系の **use** がぴったりです！

> 一目でカンタン理解！ 「貸し借りする」系動詞の使い分けMAP！

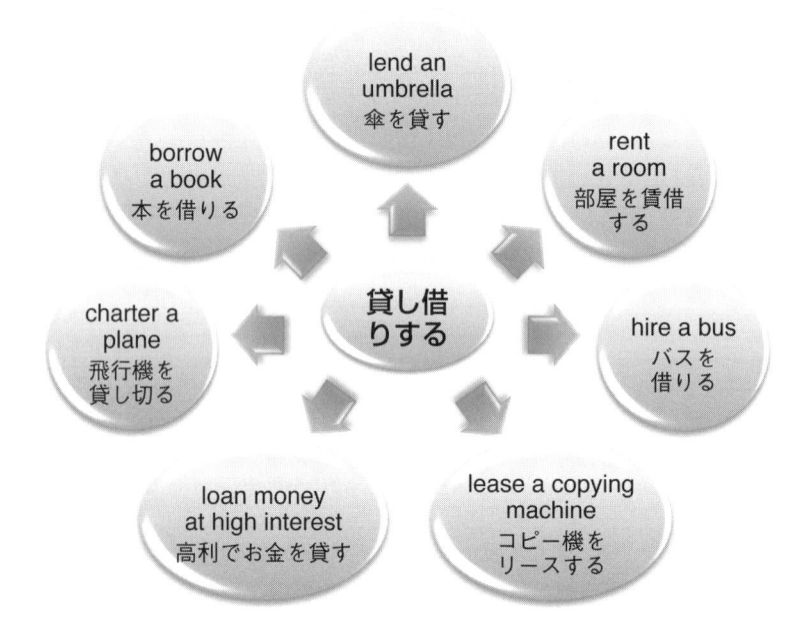

貸し借りする

- lend an umbrella 傘を貸す
- borrow a book 本を借りる
- rent a room 部屋を賃借する
- charter a plane 飛行機を貸し切る
- hire a bus バスを借りる
- loan money at high interest 高利でお金を貸す
- lease a copying machine コピー機をリースする

ランク29 「見る」系動詞の使い分けをマスター！

> これが使い分けの決め手！

watch, look at, see, view の使い分けをマスター！

Q：次の日本語を英語で言ってください。

① 彼女は私の顔をまともに見ることはなかった。
② その暗い部屋の中では何も見えなかった。
③ 敵の動きをよく見ておけ。

[look at / see / watch]

解 答

① She did not **look at** me in the face.
② I could not **see** anything in the dark room.
③ **Watch** the movement of the enemy.

使い分けのポイント

「見る」と言われてまず思い浮かぶのは **look, see, watch** ですが、まず本問①の **look** には「こっち見て、あっち見て！と意識的にある方向に目を向ける」という積極的なニュアンスがあり、**look at ~**（~を見る）や **look into ~**（~の中をのぞく、~を調べる）、**look over ~**（~を見わたす、~にざっと目を通す）のように「目の向う方向先を示す語句」とセットで使われることが多い動詞です。また、**take [have] a look**（ちらっと見る ☞ 名詞の look に冠詞 a をつけることで「ちょっと」というニュアンスが出せます）のような表現もできます。さらに、**How much are you looking at?**（予算はどれくらいですか）、**Look before you leap.**（転ばぬ先の杖 ☞ 飛ぶ前に考えよ）のように「考える、検討す

る、見積もる」などの意味も持ちます。

　それと対照的に、本問②の **see** は「むこうから自然にスーッと目に入る、見えてくる」というニュアンスが基本です。**I looked but saw nothing.**（私は目をこらして見たが何も見えなかった）のように、**look** が「積極的に自分から見ようとしている」のに対して、**see** は「見ようとしなくても自然に見えてくる」という点が両者の違いです。さらに **see** には、**I see what you mean.**（なるほど君の言いたいことはわかるよ）のように「わかる、理解できる」、**Look around and see if you can find your hat.**（君の帽子が見つかるかどうか辺りを見て確かめてごらん）のように「考える、調べる、確かめる」、**I have seen it all before.**（そんなことはすでに経験済みだ）のように「経験する」といった意味があります。「その映画を見たことがある」は **I saw the movie.** であって、I watched the movie. は不自然な感じがします。

　本問③の **watch** には **bird-watching**（野鳥観察）のように、「動いているものをじっと注意して見て観察する」というニュアンスがあり、**sightseeing**（名所の見物・観光）で使われる **see** の「五感全体で感じるイメージ」とは大きく異なります。さらにその目を大きく開いたイメージから **WATCH YOUR STEP**（足元注意）の掲示や、**Watch your mouth!**（口のきき方に気をつけろ！）のように「気をつける、注意する、用心する」や、**He watched for an opportunity to leave.**（彼は逃げるチャンスを待ち構えた）のように「待ち構える」、**She watched the patients all night.**（彼女はその患者を一晩中看病した）のように「世話や看護をする」、**I was being watched by someone.**（私は何者かにずっと監視されていた）のように「監視する」などの意味を持ちます。

　さらに「見る」系動詞には **look, see, watch** といった基本動詞以外にも、もっと意味を明確にするためにさまざまな動詞が用いられます。たとえば、「ジロジロ見つめる」場合には、**stare** や **gaze** が用いられ、**stare** には、**Would you stop staring at me?**（そんなに私を見ないでください）のように「好奇心や驚きで目を大きく開いて見つめる、軽蔑の気持ちでにらみつける」というネガティブなニュアンスがありますが、**gaze** には、**gaze at the stars through the window**（窓から星を眺める）のように、「感動・喜び・あこがれの気持ちで見つめる」というポジティブなニュアンスがあります。

　逆に「チラ見」をする場合には、**glance** や **glimpse** が用いられ、**glance** には「意図的にちらっと見る、ざっと目を通す」というニュアンスがあり、**glance**

about the room（部屋の中をざっと見回す）、**glance through morning papers**（朝刊にざっと目を通す）などのように使われます。一方 **glimpse** には「glance した結果垣間見えたり、何かを少し体験したりする」というニュアンスがあり、**glimpse beautiful flowers through the fence**（垣根越しにきれいな花が見える）、**get a glimpse of Japanese culture**（日本文化を少し体感する）のように使われます。

これに対して「じっくり見る」場合には、**check out**（興味を持って見る、品定めのためじっくり見る）、**view**（味わうようによく見る）、**observe**（注視して観察することで何かに気づく）などがあり、それぞれ **Check out that beautiful blonde!**（あの金髪美人を見ろよ）、**cherry-blossom viewing**（花見）、**observe how the young buds grow**（若芽がどう生育するか観察する）などのように用いられます。

一目でカンタン理解！ 「見る」系動詞の使い分けMAP！

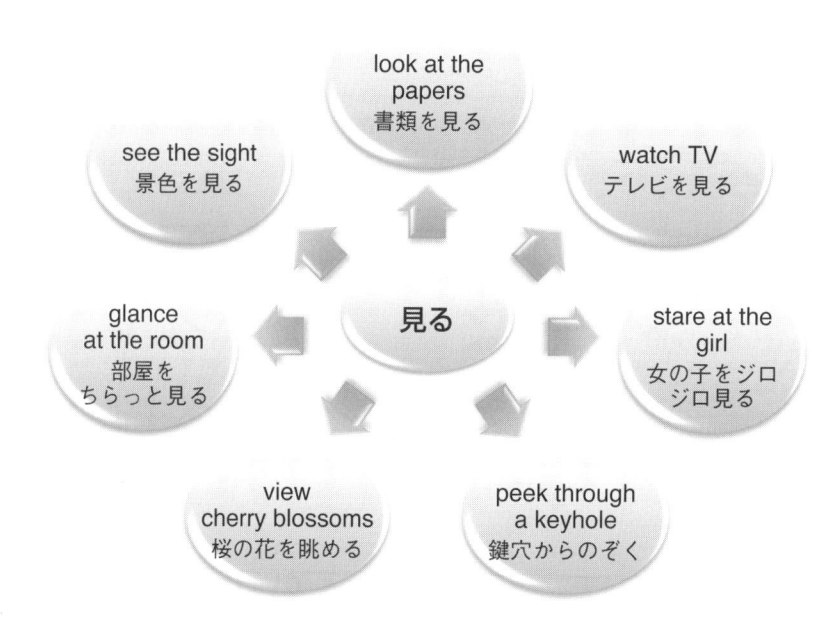

見る
- look at the papers 書類を見る
- watch TV テレビを見る
- stare at the girl 女の子をジロジロ見る
- peek through a keyhole 鍵穴からのぞく
- view cherry blossoms 桜の花を眺める
- glance at the room 部屋をちらっと見る
- see the sight 景色を見る

「見る」を意味する語のコロケーションを Check!

	TV	the sight	the papers
watch	◎	×	×
see	×	◎	◎
look at	×	○	◎
view	×	×	○

☞ **TV** では **watch**（動いているものをじっと注意して見る）が圧倒的に多く用いられ、**the sight**（景色、光景）や **the papers**（書類、新聞）では、**see**（自然に見えてくる、わかる、調べる）や **look at**（意識的にある方向に目を向ける）が多く用いられています。

see the sight

look at the papers

| さらにワンランク UP! | 「見る」を表す重要表現をマスター!

- **glare**　不快に感じて怒ってにらみつける
  She **glared** at me with a threatening look.
  (彼女は恐ろしい形相で私をにらみつけた)
- **peer**　じっと見る、凝視する
  The lady was **peering** at herself in the mirror.
  (その女性は鏡の中の自分をじっと見つめていた)
- **peep**　すき間や穴などからのぞき見する
  He tried to **peep** through a keyhole.
  (彼は鍵穴からのぞき見をしようとした)
- **peek**　見てはいけないものをちらっとのぞく
  I **peeked** through a crack in the wall.
  (壁のすき間からのぞき込んだ)
  ☞Let me have a **peek**. (ちょっと見せてよ) のように have a **peek** at ～ の形でも使われます。
- **witness**　事件などを目撃する、目の当たりにする
  He **witnessed** the car accident on his way home.
  (彼は帰宅中にその自動車事故を目撃した)

これもマスター 「聞く」系動詞の使い分け

「聞く」系動詞には、**hear**（see［自然に見えてくる］に対応する語で、自然に聞こえてくる）、**listen**（look［自分から見ようとする］に対応する語で、自分から意識して聞く）、**pay attention to**（listen よりもさらに注意を払ってよく聞く）、**obey**（言うことを聞く）、**take**（助言などを聞き入れる）、**learn**（聞き知る、真相など突き止める）、**ask** や **inquire**（尋ねる、問い合わせる）、**grant**（願い事を聞く）、さらに **lend my ear(s) to ～**（～に耳を傾ける、耳を貸す）、**turn a deaf ear to ～**（～に耳を傾けない、聞こうとしない）、**make oneself heard**（自分の声や考えなどを人に聞いてもらう）などがあり、**If you listen, you can hear it.**（耳を澄ませば、聞こえるよ）、**Are your listening?**（私の話、ちゃんと聞いてるの）、**Now pay attention to what I say.**（今から私の言うことをよく注意して聞け）、**He obeys his parents.**（彼は両親の言うことをよく聞く）、**He will not take advice from me.**（彼は私の助言を聞こうとしない）、**learn from him that she had an accident**（彼女が事故にあったことを彼から聞く）、**ask the way at a police box**（交番で道を聞く）、**inquire about the details at the office**（事務所に詳細を問い合わせる）、**I will grant your request this time.**（今回は君の願いを聞いてあげましょう）、**lend my ears to him**（彼の話しに耳を貸す）、**turn a deaf ear to his request**（彼の頼みを聞こうとしない）、**try to make myself heard**（自分の言い分を聞いてもらおうとする）のように用いられます。

ランク30 「驚かす」系動詞の使い分けをマスター！

> これが使い分けの決め手！
>
> **surprise** だけでなく、**alarm, shock, amaze** などさまざまな「驚かす」の類語の使い分けが重要！

Q：次の日本語を英語で言ってください。

① 両親を驚かせたくて内緒でパーティーを準備した。
② その歌手の自殺のニュースは彼女のファンを驚かせた。
③ その銃声に野鳥たちは驚いた。

[alarm / shock / surprise]

解答

① Hoping to **surprise** our parents, we organized a party without telling them.
② The news of the suicide of the singer **shocked** her fan.
③ The sound of gunfire **alarmed** the wild birds.

使い分けのポイント

「驚かす」には「不意を突く」系（**surprise**）、「ショックを与える」系（**shock**）、「コワイと思わせる」系（**alarm**）、「スゴイと思わせる」系（**amaze**）の4つの方向性がありますが、そのなかでも「驚かす」と言われてすぐに思い浮かぶのはおそらく **surprise** でしょう。**surprise** には、「予期しないことや意外なことで相手の不意を突く」というニュアンスがあり、**The magician surprised the audience by producing a dove from his hat.**（手品師は帽子からハトを出して観客を驚かせた）、**They surprised the enemy.**（彼らは敵に奇襲攻撃をかけた）などのように使われます。今や「サプライズパーティー」や「サプライ

169

ズゲスト」など日本語でも使われていますが、**surprise** にはどちらかと言えば良い意味での驚きで使われることが多いのです。本問①の場合、両親に内緒でパーティーを開くことで驚かそうとしているのですから、まさに **surprise** がぴったりです。

　それに対して悪い知らせなどの場合には **The sad news shocked everyone.** （その悲しい知らせはみんなにショックを与えた）などのように「ショックを与える」系の **shock** が使われます。本問②の場合には、その歌手の自殺という悲しい知らせであるので、特にその歌手のファンにとっては単なる **surprise**（不意打ち）というよりは、**shock**（衝撃、動揺）というほうがふさわしいと言えるでしょう。**shock** は「強い驚き、恐れ、嫌悪などの精神的な強い衝撃（ショック）を与えることで、相手をぞっとさせたり、ぎょっとさせる」というニュアンスがあります。

　本問③の「銃声に野鳥たちが驚く」場合には、「コワイと思わせる」系の **alarm** がぴったりです。**alarm clock**（目覚まし時計）でよく知られている **alarm** には、実は「差し迫った、あるいは予期せぬ危険を知らせることによって恐怖心を引き起こす」というニュアンスがあります。**I was very alarmed at the anger in her words.**（彼女の言葉の中に彼女の怒りを感じてとても怖くなった）や、さらに **I don't want to alarm you, but he was killed in the accident.**（驚かないで欲しいんだが、彼は事故で亡くなったんだ）のように悪い知らせなどを伝える際の前置きとしても使われます。

　「スゴイと思わせる」系では、**amaze** がよく使われます。**amaze** には「期待以上のすごさで相手をびっくりさせ、スゴイと思わせる」というニュアンスがあり、単に「意外性によって驚かせる」というニュアンスの **surprise** よりも強く、「突然信じられないようなことをしてアッと言わせる」というニュアンスの **astonish** よりも弱いイメージの語で、**We were amazed by her fluency in English.**（我々は彼女の英語の流暢さに驚いた）のように基本的には良い結果に驚くポジティブな場面で多く使われます。

　さらにその他にも、「驚かす」系の表現としては、**I was blown away by the quality of the story.**（その物語の質の高さに圧倒された）などのように **be blown away**（驚きで倒れそうになる）、**I was taken aback by her sudden anger.**（彼女が急に怒りだしてめんくらった）などのように **be taken aback**（度肝を抜かれる、不意をつかれる）、**I was left speechless [struck dumb]** at the sight.（その光景を見て唖然とした）などのように **be left speechless** や **be struck dumb**（驚きで言葉を失う）、**The unexpected good news raised a lot of eyebrows.**（その思いがけない吉報に多くの人が驚いた）などのように **raise one's eyebrows**（人をはっとさせる）など、基本動詞を使ったさまざまな表現があります。

Chapter 1 動詞

一目でカンタン理解！ 「驚かす」系動詞の使い分けMAP！

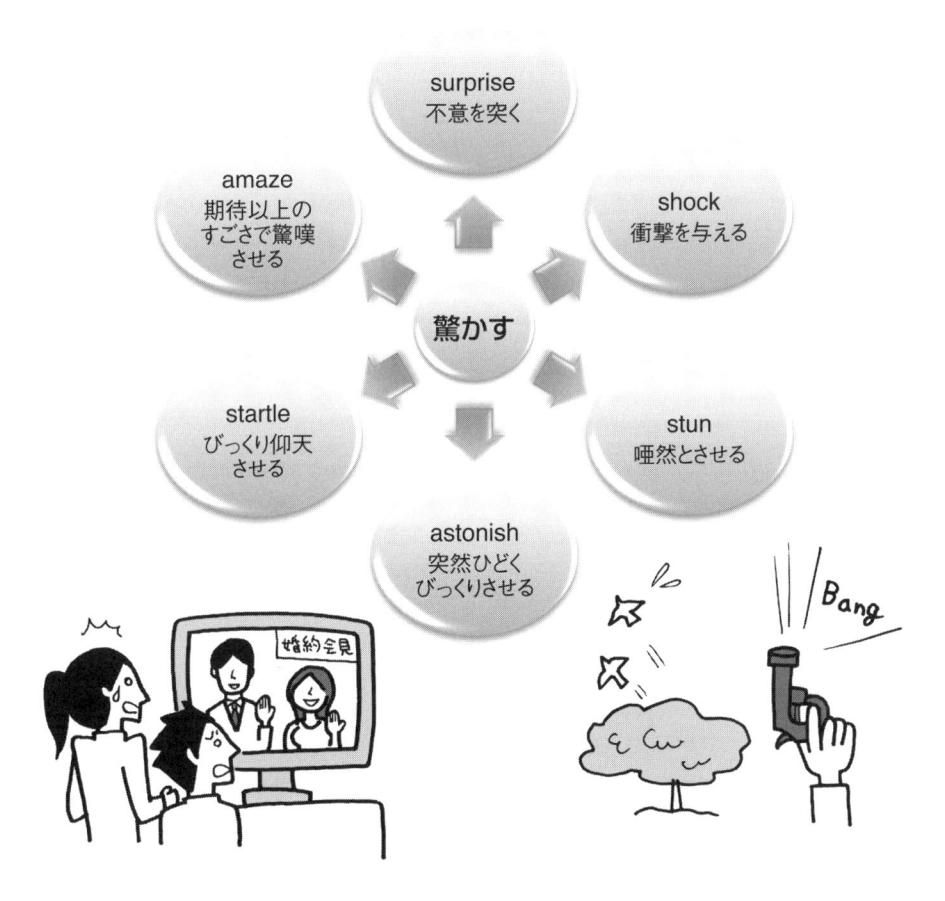

- surprise 不意を突く
- shock 衝撃を与える
- stun 唖然とさせる
- astonish 突然ひどくびっくりさせる
- startle びっくり仰天させる
- amaze 期待以上のすごさで驚嘆させる

驚かす

shock the fans

alarm the wild birds

さらにワンランク UP!　「驚かす」を表す重要表現をマスター！

☐ **startle**　跳び上がるほどハッとさせ固まらせる
　The sound **startled** us into immobility.
　（私たちはその音に仰天して立ちすくんだ）

☐ **astound**　度肝を抜いて、一瞬思考が止まって動けなくさせる
　He **astounded** me with the depth of his knowledge.
　（彼は造詣の深さで私を圧倒した）

☐ **astonish**　突然、信じられないほどの驚異的なことをしてひどくびっくりさせる
　It **astonished** us that he was alive.
　（彼が生存していたので私たちはびっくりした）

☐ **stun**　唖然とさせる、気絶させる
　☞ **stun** gun スタンガン（電気ショックを与える銃）のイメージ！
　☞ **stunning** beauty（どきりとするような美人）のような使い方もできます。
　She was **stunned** speechless.
　（彼女は驚いて口がきけなくなった）

☐ **frighten**　ぞっとさせる、こわがらせる
　The barking of the dog **frightened** the thief away.
　（犬が吠えたので泥棒はびっくりして逃げた）

☞ **surprise＜amaze＜astonish＜astound** の順に驚きの度合いが強くなります！

ランク31　「盗む・奪う」系動詞の使い分けをマスター！

> これが使い分けの決めて！
> **steal, rob, deprive** の使い分けをマスター！

Q：次の日本語を英語で言ってください。

① 列車の中で財布を盗まれた。
② 誰も基本的人権を奪われることはない。
③ その地震で何百もの生命が奪われた。

[claim / deprive / steal]

解　答

① I had my wallet **stolen** in the train.
② Nobody can be **deprived** of their basic human rights.
③ The earthquake **claimed** hundreds of lives.

使い分けのポイント

　「盗む・奪う」と言われて、まず思い浮かぶのが **steal**（許可なくこっそりと取る）や **rob**（力ずくでもぎ取る）ですが、日本語の**「盗む・奪う」**には**「何をどのようなやり方で盗む・奪う」**のかによって、4つの方向性があります！

　1つ目は、**「こっそり自分のモノにする」**系で、**steal**（こっそり盗む）、**pick**（すりを働く）、**shoplift**（万引きする）などがあり、**I had my wallet stolen in the train.**（列車の中で財布を盗まれた）、**I had my pocket picked on the street.**（通りで財布をすられた）、**She shoplifted from the supermarket.**（彼女はスーパーで万引きをした）のように使われます。

　2つ目は、**「力ずくでモノを奪う」**系で、**rob**（強奪する）、**grab**（つかみ取

る)、**snatch**（ひったくる）などがあり、**He was robbed of all his property.** (彼は全財産を奪われた)、**The thief grabbed my money and ran off at full speed.** (強盗は私から現金を奪うと一目散に逃げて行った)、**Somebody snatched my handbag at the station.** (駅でハンドバッグをかっぱらわれた)のように使われます。

　3つ目は、「**人の権利・特権などを奪う**」系で、**deprive**（奪い取る）、**take away**（取り去る）、**usurp**（不法な手段で奪う）、**divest**（はく奪する）などがあり、**deprive somebody of employment opportunities**（雇用機会を奪う）、**I had my license taken away.**（免許をはく奪された）、**His uncle usurped the throne.**（王位は叔父に奪われた）、**divest him of his position**（彼の地位をはく奪する）のように使われます。

　4つ目は「**生命を奪う**」系で、**claim** や **take** が用いられ **The plane crash claimed the lives of fifty people.**（飛行機の墜落で50名の命が奪われた）、**The great fire took hundreds of lives.**（その大火で何百人もの生命が奪われた）のように使われます。

　ちなみに、「**人の注意・関心などを奪う**」場合は、**captivate**（人の心をとりこにする）や **enchant**（うっとりさせる）などが用いられ、**He was captivated by the young girl's beauty.**（彼はその少女の美しさに心を奪われた）、**The spectators were enchanted by his superb performance.**（観客は彼の見事な演技に心を奪われた）などのような表現があります。

　以上のことをもとに本問を考えると、本問①の「**財布を盗む**」場合には **steal** が、本問②の「**人から権利を奪う**」場合には **deprive** や **take away** が、本問③の「**生命を奪う**」場合には **claim** や **take** がぴったりです。

一目でカンタン理解！ 「盗む・奪う」系動詞の使い分け **MAP！**

- steal some money from the safe
  金庫からお金をこっそり盗む
- rob the man of his money
  その男性からお金を強奪する
- deprive the people of their rights
  人々から権利をはく奪する
- claim 50 lives
  50人の命を奪う
- captivate the audience
  聴衆の心を奪う

中心：盗む・奪う

steal some money from the safe

rob the man of his money

Chapter 1 動詞

さらにワンランク UP! 「盗む・奪う」を表す重要表現をマスター!

- **filch** （口語）こっそり盗む、くすねる
  He **filched** a piece of cake from the kitchen.
  （彼は台所のケーキをこっそりくすねた）
- **swipe** （口語）かっぱらう
  Somebody **swiped** my purse.（誰かが私の財布をかっぱらった）
- **pilfer** つまらないものをくすねる、ちょろまかす
  He **pilfered** towels from a hotel.（彼はホテルからタオルをくすねた）
- **wrest** もぎ取る、ねじ取る
  She **wrested** the knife from her child.
  （彼女は子供からナイフをもぎ取った）
- **pocket** こっそりポケットに入れる、着服する
  pocket [public funds, bribe]（公金を着服する、わいろをもらう）
- **ransack** 人家や土地から物を略奪する
  The town was **ransacked** by burglars.（その町は盗賊に略奪された）
- **loot** 暴徒化した人々などが無法状態の中で略奪する
  The mob **looted** the shops and offices.
  （暴徒化した人々が商店や会社を略奪した）
- **plagiarize** 盗作する、他人の作品から文章・表現などを盗む
  plagiarize [his idea, his poem]（彼の考えを盗む、彼の詩を盗作する）
- **embezzle** 公金・資産などを横領着服する、使い込む
  He **embezzled** the company's money.（彼は会社の金を使い込んだ）

Chapter 2
形容詞

ランク1 「すばらしい」の使い分けをマスター！

> これが使い分けの決め手！　「魅了」系と「卓越」系の類語の使い分けが重要！

Q：次の日本語を英語で言ってください。

① 彼は、窓側に立つその非常に魅力的な女性から目を離すことができなかった。
② 観光客たちは、美術館にある精巧ですばらしい工芸品にすっかり魅了された。
③ その登山者は山の頂上から壮大な景色を楽しんだ。

[spectacular / gorgeous / exquisite]

解答

① He couldn't take his eyes off from the **gorgeous** woman standing by the window.
② Tourists were completely fascinated by **exquisite** handicrafts on display in the museum.
③ The climber enjoyed a **spectacular** view from the top of the mountain.

使い分けのポイント

　一口に「**すばらしい**」と言っても、その状況に応じて非常に多くの類語を使い分ける必要があります。ここではその微妙なニュアンスをマスターしましょう！「**すばらしい**」は約7つのカテゴリーに分類され、まず「**驚異**」系では **wonderful**（人のニーズにぴったりと合い、感嘆と驚きでうれしい気分になる）[They had a wonderful time in Paris last fall.（彼らは昨年の秋、パリでとても楽しい時を過ごした）]、**great（わくわくして、満足感や喜びを与える）**[She got a **great** new purse on Fifth Avenue.（彼女は5番街で素敵な新しいハンドバッグを手に入れた）]、**fantastic（意外性と驚きで信じられないほどすばらしく、大変気に入る）**[You look **fantastic** in this red dress!（この赤いドレスは本当によくお似合いですね！）]、**terrific（熱狂させるほど並外れてすばらしく、感嘆し満足する）**[Everybody there was having a **terrific** time at the party.（そこにいた全員が、パーティーで非常に楽しい時間を過ごしていた）]、**excellent（他にはない価値や長所がありすばらしい）**[The restaurant serves **excellent** Japanese sushi.（そのレストランは最高の日本の寿司を出す）]、**amazing（あまりの意外性に驚くほどすばらしく、並外れている）**[It's **amazing** that he organized the charity all by himself.（彼がその慈善事業を一人で取りまとめたなんて驚きだ）] などがあります。

次の「卓越・トップ」系では、**outstanding（他のものと比べて大変すぐれ非凡である）**[She's an **outstanding** employee who is diligent and self-disciplined.（彼女は努力家で自分に厳しい極めて優秀な社員だ）] や、**exceptional（ずば抜けて、並外れた）**[The old man has an **exceptional** ability to predict the future.（その長老は未来を予測する並外れた能力がある）] などがあります。

「魅了」系では、まず「ポジティブ」な意味では問題①の **gorgeous（この上なく美しく魅力があり、多大な満足感を与える）** や、**attractive（魅力的で引きつけられる）**[She found the basketball player very **attractive**.（彼女はそのバスケットボール選手をとても魅力的だと思った）]、**tempting（誘惑的で心をそそる）**[He accepted the **tempting** job offer from the IT company the other day.（彼は先日そのIT企業からの魅力的な仕事のオファーを受け入れた）] などがあり、「ネガティブ」な意味では **seductive（性的アピールが強く誘惑的な、その気にさせるような）**[He fell for Victoria's **seductive** eyes.]（彼はビクトリアの誘惑的な瞳にまんまと引っかかった）、**enticing（いいことをちらつかせて誘惑的な）**[The job offer sounds very **enticing**.]（その仕事のオファーは大変そそられるものだった） などがあります。

「称賛・敬服」系では、**impressive（物や業績が並外れてすばらしく重要性がある）**[It was such an **impressive** performance from the new young tennis player.（それは新しい若手テニス選手のすばらしいプレーだった）]、**awesome**

（すばらしすぎて畏敬の念を抱かせる、最高の）[The movie is **awesome**! You can't miss it!（その映画は最高だ！絶対に観るべきだ！）] などがあり、「美」系では問題②の **exquisite**（完璧なほど美しく、見事な繊細さをあわせ持つ）や、**splendid**（まばゆいばかりに光り輝く、華麗な）[The dancer was wearing a **splendid** costume.（ダンサーはすばらしく華麗な衣装を身にまとっていた）] などがあります。

最後に、「雄大・威厳」系では問題③ **spectacular**（物事や景観が壮大で目を見張るほどすばらしい）、「価値」系では **priceless**（お金で買えない、値段のつけようのない）The last two years I spent with my mother were **priceless**.（母と過ごした最後の2年間は何事にも代え難い）、**invaluable**（非常に有益な、貴重な）You're an **invaluable** asset for our company.（君はわが社にとって、なくてはならない人材だ）などがあります。

 ┌─ 一目でカンタン理解！ ─┐ 「すばらしい」系形容詞の使い分け**MAP**！

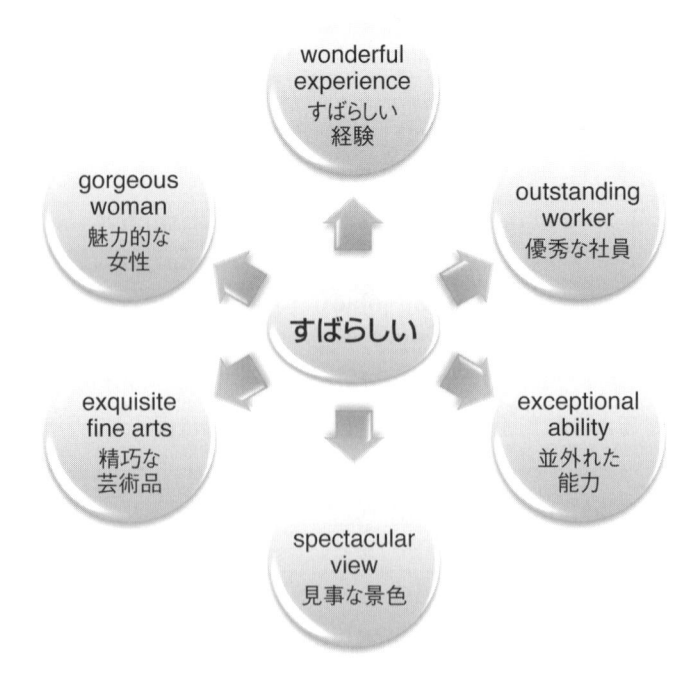

- wonderful experience すばらしい経験
- outstanding worker 優秀な社員
- exceptional ability 並外れた能力
- spectacular view 見事な景色
- exquisite fine arts 精巧な芸術品
- gorgeous woman 魅力的な女性

すばらしい

「すばらしい」を意味する語のコロケーションを Check!

	time	woman	performance	view	ability
wonderful	◎	◎	◎	◎	○
gorgeous	△	◎	△	○	×
impressive	△	△	◎	△	○
spectacular	△	△	○	◎	△
outstanding	△	○	◎	△	◎
exquisite	×	△	△	△	△

☞「素敵な時間」は wonderful time が圧倒的に多く使われます。
　「すばらしい女性」は gorgeous woman と wonderful woman がほぼ同じ頻度で最も多く、outstanding woman よりも数倍多いです。
　「演技、業績」では outstanding と wonderful が圧倒的に多く用いられます。
　「すばらしい景色」では wonderful view, spectacular view がほぼ同じ頻度で最も多く、「能力」の場合は outstanding ability が最も多く使われます。

さらにワンランク UP! 「すばらしい」を表す重要表現をマスター!

☐ **extraordinary**　驚きを伴い、説明がつかないほど並外れてすばらしい
He's the most **extraordinary** man I've ever met.
(彼は私が今まで出会った中で、一番まれにみる才能が傑出した人物である)

☐ **overwhelming**　どう対処すればいいか分からないほど感嘆し驚嘆する
She felt an **overwhelming** desire to have another baby.
(彼女は気持ちを抑えきれないほどに、もうひとり子供を欲しいと思った)

- **captivating**　心をぐっとつかんで離さない
  The novel is based on the **captivating** true story of one entrepreneur.
  (その小説は、一人の起業家の感動的な実話に基づいている)
- **phenomenal**　大変並外れてすばらしく、人の興味を引きつける
  The company's success has been **phenomenal**.
  (その会社の成功は驚異的である)
- **superb**　最高の品質を持ち、姿・大きさなどがすばらしい印象を持つ
  The black leather jacket has a **superb** quality.
  (その黒い革ジャンは最高の品質である)
- **grand**　賞賛や注目をさせるほどスケールが壮大で立派な
  She was invited to a **grand** dinner party held at the old European castle.
  (彼女は古いヨーロッパの古城で開催された壮大な夕食会に招待された)
- **magnificent**　賞賛に値するほどすばらしく、雄大で美しい
  Tourists enjoyed a dramatic landscape of **magnificent** mountains.
  (観光客は壮大にそびえる山々のドラマチックな風景を楽しんだ)

ランク2 「重大な（重要な）」の使い分けをマスター！

> これが使い分けの決め手！
>
> 良い意味と悪い意味の「重大な」の類語の使い分けが基本中の基本！

Q：次の日本語を英語で言ってください。

① 彼は重要な決断をしてうれしかった。
② その新しい秘書は重大なミスをした。
③ その患者はいま重体である。

[serious / critical / important]

解答

① He was happy to make an **important** decision.
② The new secretary made a **serious** mistake.
③ The patient is in a **critical** condition now.

使い分けのポイント

「重大な（重要な）」の最も一般的な語は問題①の **important** ですが、中に **import**（中に運び込む）が含まれていることから、「重く価値のある、大切な、評価の高い」といった「ポジティブな意味で重要」のニュアンスがあり、例文のように **important decision**（大切な決定）、**important meeting with clients**（クライアントとの重大な会議）のように使います。一方、問題②の **serious** は「(事態・病気などが) 重大で深刻な、手に負えない」といったネガティブなニュアンスがあり、**serious mistake**（重大なミス）、**serious illness**（重病）、**The typhoon caused serious damage to the factory.**（台風は工場に深刻な損害をもたらした）のように使います。

この他に、**significant** は「今後に影響を与える因果関係があり、注目に値する重要性を持つ」といったニュアンスで、例えば **significant changes in the policy**（政策の重要な変更）や、**They play a significant role in the economic development.**（彼らは経済発展に重要な役割を担う）のように使います。このように、**significant** は important と比べると「**注目度が高い**」「**将来的な影響が重要**」な場合にぴったりというわけです。（signific- はラテン語で「意味のある」）。

　crucial は crux（十字架、核心）が含まれているので、「**今後の状況や成功に大きく関わる、明暗を分けるほど極めて重要な**」の意味が生まれます。**Timing is crucial.**（タイミングが極めて重要だ）はすなわち、「**いま現在は運命を左右する重大な局面にいる**」という意味なのです。また、**English is crucial to successful business.**（英語がビジネスの成功には絶対に欠かせない）のような例文からも、「成功の明暗を分ける切り札になるのが英語だ」という、**crucial** が持つ「**重大な影響力、非常に高い重要性**」をリアルに感じとれるでしょう。

　critical のニュアンスは crucial の重要性にさらに「**緊急を有する、深刻な切迫感**」が加わったもので、問題③の **critical condition**（危篤状態）や、**It is critical to provide food and medical care to the disaster victims.**（被災者たちへの食糧と医療支援の供給は極めて重要です）のように、「**物事の局面を左右する緊迫した状態・決定的な状況**」に使います。

　この他に、**essential** は essence（本質、真髄）の意味が含まれるので、「**本質的に重要**」でしかも「**その必要性が絶大である**」といったニュアンスを示します。**It's essential to have at least six hours of sleep every day.**（少なくとも毎日6時間の睡眠は不可欠だ）、**Good education is essential to all the children in the world.**（良い教育を受けさせることは、世界中の子供にとって極めて重要です）のように使います。

　vital は、ラテン語 vita（生命）により「**生死に関わるほど重要な、生命維持に絶対不可欠な**」といったニュアンスで、例えば **Water is vital for life.**（水は生命にとって不可欠だ）のように文字通りの意味で使われる場合と、比喩的に **You're vital for our team.**（君は我々のチームに絶対無くてはならない存在だ）のように使われることもあります。

一目でカンタン理解! 「重大な(重要な)」系形容詞の使い分けMAP!

- important meeting 重要な会議
- significant change 大きな変化
- crucial issue 避けては通れない問題
- critical condition 危篤状態
- serious mistake 重大な間違い

中心:**重要な**

「重大な」を意味する語のコロケーションを Check!

	decision	mistake	damage	change	condition
important	◎	×	×	△	×
serious	△	◎	◎	×	◎
significant	△	△	○	◎	×
crucial	△	△	×	×	△
critical	△	△	△	×	◎

☞「**重大な決断**」の場合、**important** が圧倒的に多く使われます(**important** > **critical** > **serious** > **crucial** > **significant** の順)。「**ミス**」は **serious mistake** が最も多く、**critical mistake** の数倍多いです。「**損害**」は **serious damage** が最も多く使われます。「**変化**」は **significant change** が圧倒的に多く、**important** の数倍多くなります。

ランク3 「大きい」の使い分けをマスター！

> これが使い分けの決め手！
>
> まずは **big** と **large** の違いと、大きさの度合いによる類語の使い分けが重要！

Q：次の日本語を英語で言ってください。

① 彼は心が大きい人間だ。
② 全てのファイルを整理するのには莫大な時間とエネルギーがかかる。
③ 警察はその組織的犯罪の大規模な捜査を行った。

[big / extensive / enormous]

解答

① He is a person with a **big** heart.
② It takes an **enormous** amount of time and energy to organize all the files.
③ The police have carried out an **extensive** investigation on the organized crime.

使い分けのポイント

「大きい」は状況によって非常にさまざまに使い分けられますが、まず一番に思い浮かぶのは **big** と **large** でしょう。**big** の語感には、まず「大きさ・高さ・広さ・重さ（体重）などが標準よりも大きい」があり、問題①にあるような **big heart**（心が広い）や、**big problem**（大きな問題）、**big help**（大きな支援）、**They made a big success this year.**（彼らは今年大成功をおさめた）のように使われます。また、「（人物や物事が）重要な・目立つ」の意味もあり、**big mistake**（とんでもない間違い）、**big news**（スクープ）、**He's big in the IT**

186

world.（彼はITの世界では大物だ）、さらには**「強意語」**的に、**big lie**（真っ赤な嘘）、**big money**（大金）、**She's a big fan of the movie star.**（彼女はその映画スターの熱狂的なファンだ）のように使われます。

　これに対して **large** は**「面積・容積・形状が標準よりも大きい」**といったニュアンスで、主に「規模や数量に焦点がある」場合に用いられ、**large size**（Lサイズ）、**large family**（大家族）、**large population**（多数の人口）、**The young pianist felt nervous in front of the large audience.**（その若いピアニストは大観衆の前で緊張した）、また**「空間的に広い・大きい」**という意味で **large room**（大きくて広い部屋）、**We drove to the newly-opened large shopping mall in the suburbs.**（私たちは新しくオープンした郊外の巨大ショッピングモールまで車で行った）のように使われます。つまり **big** は**「口語的で、主観的にデカい」**、**large** は**「数量や割合などをもとに客観的に大きい」**といったイメージです。

　問題② **enormous** は**「（程度や範囲が）ある基準と比べて異常に大きい・度を超える・桁外れの」**というニュアンスがあり、「並外れた大きさ」を表現したい場合にぴったりで、**enormous fortune**（巨万の富）、**They made enormous efforts to win the game.**（彼らは試合に勝つのに多大な努力をした）のように表現できます。

　問題③は**「大規模な、広範囲に及ぶ、徹底的な」**意味なので、**extensive** が最適です。動詞 **extend**「広げる、伸ばす、延長する」から派生した **extensive** は**「横の広がりがグーンと大きい」**ニュアンスがあり、**extensive investigation**（大がかりな捜査）や **extensive damage**（甚大な被害）、**The professor has an extensive knowledge of science.**（その教授は科学の幅広い知識を持つ）のように使います。

　その他に、**huge** は big をさらに強めた表現で、**huge influence**（多大なる影響）、**She ran up huge debts on her credit card.**（彼女はクレジットカードに莫大な借金をため込んだ）のように、**「驚きの感情」**がグッと加わります。さらに、この huge より**「大きさ、程度への驚き、感嘆」**が強いのが **tremendous** で、主に概念的に **tremendous fear**（とてつもない恐怖）、**tremendous achievement**（大いなる飛躍）、**The auto company enjoyed a tremendous increase in sales this year.**（その自動車メーカーは、今年驚異的な売上げ増加を見せた）のような使い方をします。

一目でカンタン理解！「大きい」系形容詞の使い分けMAP！

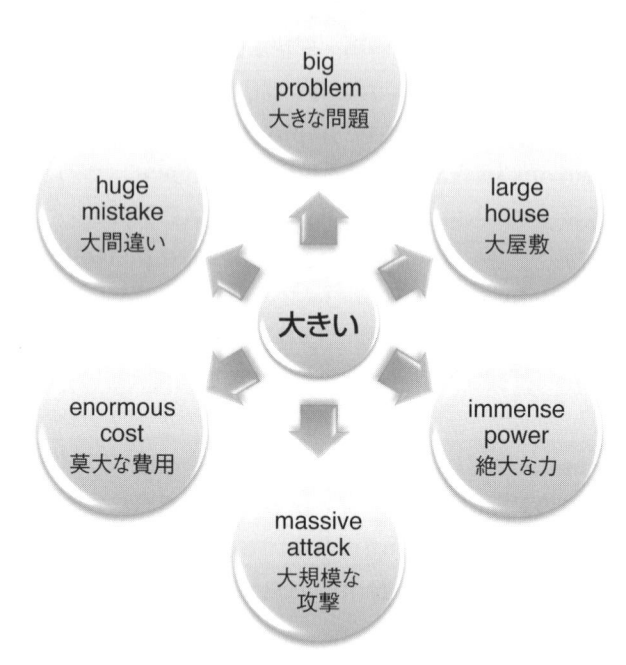

大きい

- big problem 大きな問題
- large house 大屋敷
- immense power 絶大な力
- massive attack 大規模な攻撃
- enormous cost 莫大な費用
- huge mistake 大間違い

「大きい」を意味する語のコロケーションを Check!

	news	problem	room	influence	shock
big	◎	◎	◎	◎	◎
large	×	×	◎	△	×
enormous	×	×	△	△	×
huge	×	○	○	○	○
immense	×	×	×	△	×
massive	×	×	×	△	×

☞ 「大きな問題」の場合、**big problem** が圧倒的に多く、2番目 **huge** の数倍多くなります。

「部屋」は **large room** と **big room** が断然多く、「影響」は **big influence** が1番多いです。「ショック」は **big shock** が圧倒的に多く、2番目 **huge** の数倍になります。

さらにワンランク UP! 「大きい」を表す重要表現をマスター!

☐ **immense**　巨大で大きくて計り知れない
The king wielded **immense** power over the entire country.
（その王は国内全土に圧倒的な力を持っていた）

☐ **massive**　大量でずっしりと重い、症状が重度の
The businessman had a **massive** heart attack at the subway station.
（その会社員は地下鉄の駅で重度の心臓発作に襲われた）

☐ **substantial**　量や価値がたっぷりと十分ある
The changes in the policy resulted in a **substantial** reduction in costs.
（政策の変更点は大幅なコスト削減をもたらした）

- **gigantic** 巨人のように、巨大な、膨大な
  You can't miss the **gigantic** building in the city.
  （市内のその巨大建築物を見逃すことはありませんよ）
- **bulky** 大きすぎて邪魔になる、持て余す
  I don't know what to do with this **bulky** refrigerator.
  （このバカでかい冷蔵庫をどうしよう）
- **vast** 広大で果てしない、平面的な広がりがある
  Settlers from England explored the **vast** area of farmland.
  （英国からの移民たちは広大な農地を開拓した）

ランク4 「速い」の使い分けをマスター！

> これが使い分けの決め手！
>
> まずは **quick, fast, rash** の使い分けが第一歩！

Q：次の日本語を英語で言ってください。

① その少女はクラスで一番足の速いランナーだ。
② 彼らは会議の前に**手早く**ランチを済ませた。
③ **早まった**ことは一切しないで。

[quick / fast / rash]

解答

① The girl is the **fastest** runner in the class.
② They had a **quick** lunch before the meeting.
③ Don't do anything **rash**.

使い分けのポイント

「速い」はまず、最も一般的な語は **fast** ですが、**「持続的な動作・運動の速度が一定で速い」**ことに焦点があり、問題①のように **fast runner**（足が速い）や **fast train**（急行列車）、**fast speaker**（早口な人）、**My watch is five minutes fast.**（時計が5分進んでいる）などのように使われます。問題②の **quick** は **fast** と比べ**「動作・行動の速度がテンポよくすばやい」**というニュアンスで、主に**「動作の機敏さ」**にポイントがあり、**quick lunch**（簡単に済ませるランチ）や **quick temper**（短気）、**quick look**（さっと急いで見る）のように使われます。**quick** によく似ているのが **prompt** ですが、こちらは「迅速」なのに加えて、**「タイミングがよい、時間を守る」**ことにポイントがあり、**prompt delivery**

（即時配達）、**Thank you very much for your prompt reply.**（早急な返答をありがとうございます）のように使われます。**speedy** は「（ある基準から）遅れることなく速やかに達成する」といったニュアンスで、**I hope you'll have a speedy recovery.**（速やかなご回復を願っています）のように、英語圏ではお見舞いに送るカードにこのフレーズがよく使われています。問題③の **rash** は「早まった、軽率な、無鉄砲な」などネガティブな意味で「思慮のなさ」にポイントがあり、**rash behavior**（軽率な行為）、**I made a rash decision.**（軽はずみな決定をしてしまった）のように使います。これに対して **hasty** は「短気でせっかち」といったニュアンスで、**I made a hasty decision.** は「バタバタと慌ただしく決めた」のように「せわしない」意味で使われます。**rash** とのニュアンスの違いを整理しておきましょう。

　他には、まず **rapid** は「動作そのものの速さ」にポイントがあり、**rapid progress**（急速な進歩）や **make a rapid growth**（急成長する）、**Rapid aging of the population is of great public concern.**（急激な人口高齢化は、我々の大きな心配の種である）のように主に「進歩・成長・変化などがトントン拍子に速い」といった意味で使われます。次に **brisk** は「キビキビとエネルギッシュ」で、「速さに活動的な勢い」があり **brisk walk**（早歩き）、**The new cleaning robot has been enjoying brisk sales.**（その新型のお掃除ロボットは好調な売れ行きだ）、のように使われます。**swift** は「作業や過程が敏速な」というニュアンスで、**swift check-in service**（迅速なチェックインサービス）、**swift tutorial**（短時間のチュートリアル）のように使います。

　状況が急激に変わるといった「前置きなく突然な」「ぶっきらぼう」なニュアンスがあるのは **abrupt** で、**abrupt turn**（急カーブ）、**abrupt end**（突然の終結）、**The train came to an abrupt halt.**（電車は急停車した）などのように「不意の」「出し抜けな」という意味で使います。**immediate** は、状況が緊急で差し迫っているような「すぐに対応が必要である」場合にぴったりで、**immediate action**（緊急対応）、**immediate arrest**（現行犯逮捕）、**I'll give it immediate attention.**（直ちに対応致します）のような使い方をします。

　ここで、**instant** と **instantaneous** の使い分けも見ておきましょう。英和辞典を引くと、どちらも「即時の、即座の」とだいたい同じ訳で混同しやすいですが、まず **instant** は「速くて待たなくてもいい」といったニュアンスで、**instant battery charging**（すぐに完了する電池の充電）や、**instant access to the**

Internet（すぐにできるネット接続）、また **instant coffee**（インスタントコーヒー）や **instant cup-noodles**（即席麺）などにあるように、飲食物が「即席の」という意味で使われます。**instantaneous** は、**instant** よりまだスピードが速く、「一切間を置かない」「一瞬の」といったニュアンスで、**instantaneous death**（即死）、**instantaneous adhesive**（瞬間接着剤）のような使い方をします。

agile は「機敏で活き活きと身のこなしが軽い」という意味で **The old professor is still physically agile.**（その高齢の教授はまだ肉体的に機敏に動ける）、「頭の回転が速い」という意味で **agile mind**（明敏な知性）、**She is very agile even in difficult situations.**（彼女は困難な状況ででも大変機敏にふるまう）のように使います。

【一目でカンタン理解！】「速い」系形容詞の使い分け **MAP**！

- fast runner 速いランナー
- prompt reply 迅速な返事
- rash behavior 軽率なふるまい
- brisk walk テンポの良い早歩き
- rapid progress 急速な進歩
- quick look さっと見る

中心：速い

「速い」を意味する語のコロケーションを Check!

	cars	look	response	progress	move
fast	◎	△	◎	×	△
quick	△	◎	◎	○	○
prompt	×	×	△	×	×
rash	×	×	×	×	×
rapid	△	×	○	◎	×
swift	○	△	△	×	×

☞「速い車」の場合は **fast cars** が断然多く、2番目 **swift** の数十倍多いです。

「素早い返答」は **quick** と **fast** が最も多く使われます。

「急速な発展」は最も多いのが **rapid progress** で、「進歩や成長」には **rapid** がよく使われることがわかります。

quick lunch   fast car

これもマスター！ 形容詞の重要類語グループ①

★注意深い★

careful は「念入りに注意深く慎重な」、**cautious** は「リスクを避けるために発言や行動に慎重になる」、**attentive** は「興味があり慎重に耳を傾ける」、**alert** は「周りで起こっていることに全神経を傾け、細心の注意を払って」、**watchful** は「事故や危険な時に注意深く見張る」、**discreet** は「他人の不都合にならぬよう行動や言動において」、**prudent** は「経験による知識によって危険、困難を避けようと用心深い」。

★勇敢な★

brave は「勇ましくリスクを恐れずに勢いがある」、**courageous** は「精神的な強さがあり、道徳的信念を持って粘り強く立ち向かう」、**fearless** は「恐れを知らない」、**daring** は「思い切って挑戦に立ち向かう」、**heroic** は「気高く勇猛果敢で英雄的な」、**bold** は「危険を顧みず大胆な」、**reckless** は「向こう見ずな」。

★もろい★

weak は「意志が弱い、体や力が弱くて病気になりやすい」、**delicate** は「人・物・状況がすぐ傷つきやすい」、**fragile** は「物の作りがもろく壊れやすい」、**brittle**「固い物がポキッと折れやすい」、**frail** は「人・体が虚弱でもろい、はかない」、**infirm** は「特に高齢で不健康な」、**feeble** は「人が病気・老齢などで哀れなほど弱々しい」。

★嬉しい・楽しい★

happy[pleased], glad, delighted の順に強さが増す。**happy** は「満足して幸せな」、**glad** は「感謝してうれしい」、**delighted** は「大いに満足して喜びを表して」、**thrilled** は「嬉しくて興奮が一気に込み上げる」、**overjoyed** は「大喜びで」、**ecstatic** は「有頂天で我を忘れるほど」。

これもマスター！ 形容詞の重要類語グループ②

★わびしい★

bleak は「お先真っ暗の」、**dismal** は「気分・景色などが悲惨な」、**gloomy** は「希望がなくて悲しい」、**barren** は「不毛で実を結ばない」、**dreary** は「退屈で暗く楽しいことがない」、**depressing** は「気分を落ち込ませるような」。

★悲しい・憂うつな★

upset は「動揺して」、**down** は「元気がなくしょんぼり」、**blue** は（口語で）「気分が憂うつな」、**dispirited** は「意欲をなくしている」、**devastated** は「精神的に打ちのめされた」、**disappointed** は「物事が期待通りに行かなくて」、**discouraged** は「自信や希望を奪われ、やる気をなくして」、**depressed** は「暗い気持ちでふさぎ込んでいる」、**traumatized** は「トラウマになった」、**mournful** は「死を嘆き悲しんで」。

★義務的な★

compulsory は「権力を行使し強制的な」、**obligatory** は「法的義務や義理で」、**mandatory** は「遵守を強く勧めて」（この順に意味が弱くなる）、**required** は「避けられない、必須の」、**binding** は「合意に達した協定・契約で」、また **imperative** は「状況上で絶対に必要な」。

★欲しがる★

hungry は「貪欲な」、**greedy** は「必要以上に欲しがる」、**eager** は「強く望んで」、**craving** は「抑えきれないほど強く」、**avid** は「熱狂的にどんどん求める」。**envious** は単に「他人のものを妬み欲しがる」のに対して **jealous** はそれだけでなく、「自分のものと思っているものを他人に渡したくない」という力強い感情も含む。

ランク5 「非常に悪い」の使い分けをマスター！

> これが使い分けの決め手！
>
> 「極悪」「残酷」「不正」の類語の使い分けを知ることが重要！

Q：次の日本語を英語で言ってください。

① 私は悪い霊を払うために（魔除けに）いつもお守りを持っている。
② そのような発言は女性にとって非常に侮辱的である。
③ このワインは後味が悪い。
④ 汚職まみれの政治家がその記者の死に対して大きな責任を問われている。

[nasty / evil / offensive / corrupt]

解答

① I carry a good-luck charm to ward off **evil** spirits.
② Those remarks are really **offensive** to women.
③ This wine leaves a **nasty** aftertaste.
④ The **corrupt** politician is held responsible for the reporter's death.

使い分けのポイント

「非常に悪い」は大きく約6つのカテゴリーに分類されます。まずは「邪悪・非道」系で、問題①の evil はここに入りますが、evil のニュアンスは「人を傷つけるのを楽しむような、悪質な」で、evil look（悪意に満ちた表情）、He's such an evil man!（なんて悪いヤツだ！）、また「不吉な、魔力をもった」の意味で evil spirits（悪霊）のように使います。wicked は「意図的に計画的して害を与える、意地の悪い」といったニュアンスで、The little girl was sick and tired of her wicked stepmother.（少女は意地の悪い義理の母にうんざりしていた）のような使い方をします。

　次は「害を与える」系で（evil, wicked はここにも入る）、まず **cruel** は「残酷な苦悩や苦痛を与える」というニュアンスで、**cruel punishment**（厳しい刑罰）、**cruel dictator**（残酷な独裁者）、**He's so cruel to his subordinates.**（彼は部下に対して非常に冷たい）のように使います。**terrible** のニュアンスは「大きな被害・傷害を与える」で **The boy was injured in a terrible car accident.**（少年はひどい自動車事故でケガをした）のように使います。**horrible** は、名詞の **horror**（恐怖、激しい不快感）が含まれ「悪夢のような、ゾッと戦慄が走る」というニュアンスで **I had a horrible dream last night.**（昨夜はひどい夢を見た）や **What a horrible thing to say!**（なんてひどいことを言うのでしょう！）のように使います。

　次は「不快」系ですが（terrible, evil はこの意味とも重複）、まず問題② **offensive** のニュアンスは「非常に不快で失礼な」で、解答の例文以外に **offensive smell**（不快なニオイ）、**Her offensive behavior made her teacher very angry.**（彼女の無礼な行為は教師を激怒させた）のように使います。問題③の **nasty** は「ひどく不快で嫌な、趣味が悪い、扱いにくい」で、**nasty taste**（ひどくまずい味）、**He has a nasty habit of scaring small children at night.**（彼には夜に幼い子供を怖がらせるという悪趣味がある）のように使います。**gross** のニュアンスは「（味・匂い・行動・見た目などが）大変不快で吐き気を催させる」で **She never likes horror movies, because there are so many gross scenes.**（彼女はホラー映画が好きになれない、なぜなら気味の悪いシーンが多過ぎるから）のように使います。

　「不正」系では、問題④の **corrupt**（政治などが腐敗した、立場を利用して私腹を肥やす）や、他には **immoral** は「不道徳な」という意味で **The young candidate condemned the government's action as immoral.**（その若い候補者は政府の行いを不道徳だと厳しく非難した）、のように「人の道に反する、不品行な」といったニュアンスがあります。

　「言語道断」系では、**outrageous** があり、名詞 rage（激怒）が含まれているため、「（怒りを覚えるほど）とっぴで常軌を逸した、あきれるほどひどい、許せない」というニュアンスがあり、**outrageous price**（法外な値段）、**her outrageous demand**（彼女の理不尽な要求）のような使い方をします。またこの他に「斬新

な、インパクトが強い」という意味で **outrageous hair**（奇抜な髪型）のようにも使います。**heinous** は「**極悪な、凶悪で憎むべき**」という意味で主に犯罪に使われることが多く、**We're seriously concerned about heinous crimes committed by juveniles.**（我々は青少年の凶悪犯罪をひどく懸念しています）のように使います。

　最後は「**軽蔑すべき**」系で、**despicable** は行為などが「**卑劣な、卑しむべき**」という意味で **despicable crime**（卑劣な犯罪）、**despicable act of terrorism**（卑劣なテロ行為）、**"How dare you lied to all of us! You're despicable!"**（よくも皆に嘘をついたな！お前は最低なやつだ！）のような使い方をします。この単語はアメリカ人の小学生でも大人のマネをして使っていたりして、上級単語っぽいですが実用英語レベルの単語です。

一目でカンタン理解！　「非常に悪い」系形容詞の使い分け **MAP**！

- cruel behavior　残酷な行為
- horrible experience　悪夢のような経験
- offensive smell　ひどいニオイ
- outrageous price　法外な値段
- corrupt politician　汚職まみれの政治家
- evil person　悪人

中心：非常に悪い

「非常に悪い」を意味する語のコロケーションを Check!

	person	punishment	experience	remarks	crime
evil	◎	○	△	×	○
cruel	○	◎	△	○	△
horrible	◎	○	◎	△	◎
offensive	○	×	×	◎	△
outrageous	△	×	△	△	○
heinous	×	×	×	×	◎

☞「極悪人」の場合、evil person と horrible person がほぼ同じ頻度で最も多くなります。(evil＞horrible＞cruel の順でベスト3)。「罰」は cruel punishment が圧倒的に多く、「経験」は horrible experience が断然多く、他は頻度が低いです。「犯罪」は heinous crime が最も多く、2番目 horrible crime より数倍多く使われます。

cruel behavior

offensive smell

> さらにワンランク UP! 「非常に悪い」を表す重要表現をマスター!

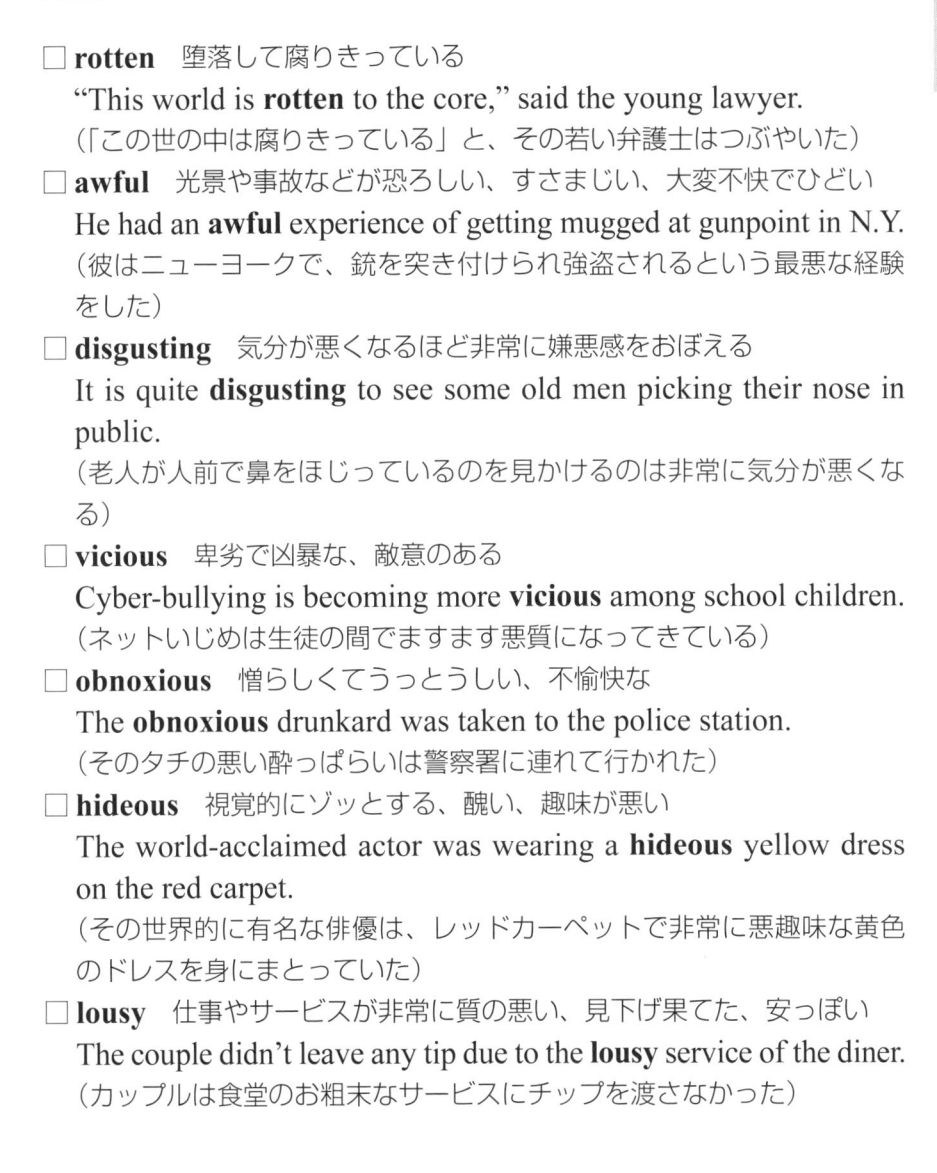

- **rotten** 堕落して腐りきっている
  "This world is **rotten** to the core," said the young lawyer.
  (「この世の中は腐りきっている」と、その若い弁護士はつぶやいた)
- **awful** 光景や事故などが恐ろしい、すさまじい、大変不快でひどい
  He had an **awful** experience of getting mugged at gunpoint in N.Y.
  (彼はニューヨークで、銃を突き付けられ強盗されるという最悪な経験をした)
- **disgusting** 気分が悪くなるほど非常に嫌悪感をおぼえる
  It is quite **disgusting** to see some old men picking their nose in public.
  (老人が人前で鼻をほじっているのを見かけるのは非常に気分が悪くなる)
- **vicious** 卑劣で凶暴な、敵意のある
  Cyber-bullying is becoming more **vicious** among school children.
  (ネットいじめは生徒の間でますます悪質になってきている)
- **obnoxious** 憎らしくてうっとうしい、不愉快な
  The **obnoxious** drunkard was taken to the police station.
  (そのタチの悪い酔っぱらいは警察署に連れて行かれた)
- **hideous** 視覚的にゾッとする、醜い、趣味が悪い
  The world-acclaimed actor was wearing a **hideous** yellow dress on the red carpet.
  (その世界的に有名な俳優は、レッドカーペットで非常に悪趣味な黄色のドレスを身にまとっていた)
- **lousy** 仕事やサービスが非常に質の悪い、見下げ果てた、安っぽい
  The couple didn't leave any tip due to the **lousy** service of the diner.
  (カップルは食堂のお粗末なサービスにチップを渡さなかった)

ランク 6 「厳しい」の使い分けをマスター！

> これが使い分けの決め手！　まずは strict, severe, harsh の使い分けが基本！

Q：次の日本語を英語で言ってください。

① 厳しい父親に、もううんざりしています。
② その町は台風によって厳しい被害を被った。
③ 彼らは厳しい現実に直面している。

[harsh / strict / severe]

解 答

① I'm sick and tired of my **strict** father.
② The town suffered **severe** damage from the typhoon.
③ They are facing the **harsh** realities of life.

使い分けのポイント

「厳しい」の一般的な語は strict と severe ですが、まず問題① strict のニュアンスは「規則などを守らせて厳しい、法律などが厳格な」で、**strict teacher**（厳しい教師）、**strict rules**（厳しい規則）、**strict quality control**（厳しい品質管理）のように使います。それに加えて「人が条件・原則などを厳格に守る」という意味で **strict vegetarian**（完全なベジタリアン）、**strict Buddhist**（忠実な仏教徒）のようにも使います。問題② severe のニュアンスは「非情なほど厳しい」で、例文にあるように主に「状況・天気・苦痛が激しくきつい」という意味で「過酷さ、深刻さ」にポイントがあり、**severe weather conditions**（厳しい天候条件）、**severe punishment**（厳罰）、**He suffered a severe pain** all through the night without a painkiller.（彼は鎮痛剤がなくて一晩中激しい痛みで苦しんだ）のように使います。他に hard のニュアンスは、もともとの「固い」という意味から「受け入れない」「きつく当たる、責める」ニュアンスが生まれ "Don't be so hard on small children."（小さな子供にそんなにつらく当たるなよ）のように使われます。

　問題③ harsh のニュアンスは「厳しさが我慢できず受け入れ難い、容赦ない」で、「体感的な過酷さ」にポイントがあります。例えば、harsh punishment「厳罰」と severe punishment と比べた場合、日本語訳は両方とも「厳罰」と同じですが、英語の感覚的な意味は異なり、severe は「厳しさそのもの」にポイントがあるのに対し、harsh punishment は処罰が厳しく、さらにその「無情さ・残酷さが耐えられない」と主張しているのです。harsh competition（過酷な競争）、harsh criticism（厳しい批判）、The factory work has a high turnover rate due to its harsh working conditions.（その工場の仕事は苛酷な労働条件のために離職率が高い）の例からも harsh が持つ「何とも耐え難い厳しさ」をリアルに感じとってほしいものです。

　この他には、まず tight は、ぴっちり締まっていることから、「余裕がなく厳しい」ニュアンスで、I'm on a tight budget this month.（今月は金欠だ）、They're on a tight schedule.（彼らのスケジュールはきつい）のように「逃げ場所のない圧迫された厳しさ」を表現する場合に使います。rigorous は厳しさの中の「徹底した厳密さ・正確さ」にポイントがあり、rigorous inspection（徹底的な検査）、rigorous training（徹底的な研修）、She made a rigorous analysis on the new scientific data.（彼女は新しい科学データの厳密な分析を行った）のように使います。stern は「重々しく、人を寄せつけない」「厳しくて不愉快にさせる」といったニュアンスで、stern face（いかめしい顔つき）、The police officer looked stern.（警察官は厳しい表情をしていた）のように、主に「様子や態度に現れる厳しさ」を表すのに使います。austere は「禁欲的な、自制的な」という意味で、austere self-discipline（厳しい自己鍛錬）、Monks are leading an austere life.（修道者たちは禁欲的な生活を送っている）、また時事英語で austere budget（緊縮予算）としても使われます。制度や方法が「柔軟性がない、融通がきかず頑固な」場合には rigid が適していて、rigid education system（堅苦しい教育制度）、また、「法律や規則が強制力のあるほど厳しい、厳重な」場合には stringent がぴったりで、stringent guidelines

on air pollution（大気汚染に関する厳格なガイドライン）、**stringent security check**（手厳しい手荷物検査）のように使います。

> 一目でカンタン理解！ 「厳しい」系形容詞の使い分け**MAP**！

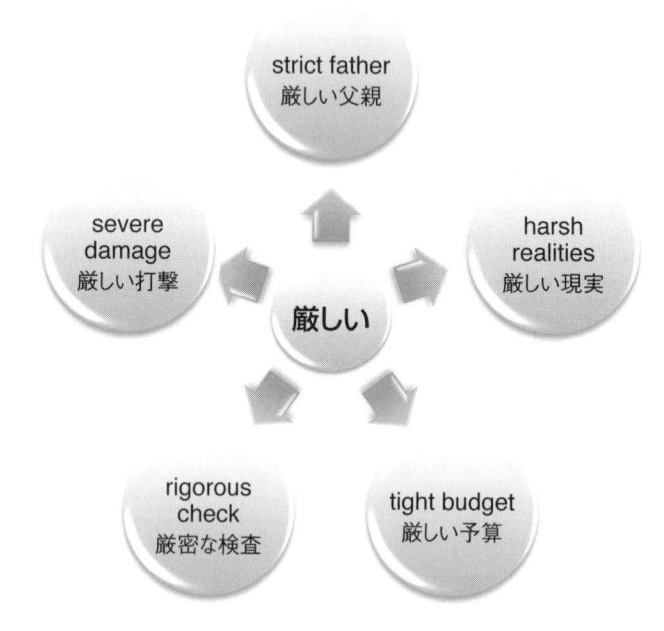

- strict father 厳しい父親
- severe damage 厳しい打撃
- harsh realities 厳しい現実
- rigorous check 厳密な検査
- tight budget 厳しい予算

（中心：厳しい）

「厳しい」を意味する語のコロケーションを Check!

	father	rules	weather	punishment	check
strict	◎	◎	×	○	△
severe	○	○	◎	◎	○
harsh	△	○	○	◎	×
rigorous	×	△	△	×	◎

☞「厳しい父親」の場合は **strict father** が最も多く、2番目 **severe** の数倍多いです。「規則」の場合は **strict rules** が断然多く、**strict ＞ severe ＞ harsh ＞ rigorous rules** の順に使われます。

「天気」は **severe weather** が断然多く、「点検」は **rigorous check** が一番多く使われ、**severe check** と比べて数倍多く、「検査や調査などの厳密さ」には **rigorous** が多く使われることがわかります。

strict teacher

rigorous training

ランク7 「正しい」の使い分けをマスター！

> これが使い分けの決め手！

まずは **right** と **correct** の使い分けを知ることが基本中の基本！

Q：次の日本語を英語で言ってください。

① その本を<u>正しい</u>場所に置きなさい。
② 問題3の<u>正しい</u>答えを丸で囲みなさい。
③ <u>正確な</u>彼女の到着日を教えてくれますか？

[correct / exact / right]

解 答

① Put the book in the **right** place.
② Circle the **correct** answer to question No.3.
③ Can you give me the **exact** date of her arrival?

使い分けのポイント

　「正しい」を表す最も一般的な単語は **right** ですが、まず **right** は問題①のように「正しい、適切な、相応しい」という意味で、**right answer**（正しい答え）、**right direction**（正しい方向）、**right pronunciation**（正確な発音）のように「**wrong**（間違っている）の対比」として使います。もう一つは「（法律や道徳的に）正しい、道理にかなっている」という意味で、**It was right that you told her the truth.**（あなたが彼女に事実を話したのは正しかった）、**I just did the right thing.**（当然のことをしただけですよ）のように表現できます。

　問題②の **correct** はまず **right** よりもフォーマルで、「正しい、正確な」を概念的に意味する場合においては **right** と置き換え可能ですが、**correct** は特に客観

的で「正しい答えや解釈がひとつしかない」ことを強調したい場合に用いることが多いです。例えば、**correct answer**（正しい答え）は **right answer** と比べた場合、「誤りがなく、答えはこれひとつだけ」といった厳密なニュアンスを含みます。**correct** はこのように「正しく誤りのない」という意味で、**correct spelling**（正しいつづり）、**correct grammar rules**（正しい文法規則）、**The saddle was moved back to the correct position.**（サドルは元の正しい位置に戻された）のように使います。

問題③の **exact** は「時間・量などが正確な」場合に使い、例えば **exact flight schedule**（正確なフライトスケジュール）、**exact measurements**（正確なサイズ）、**The police need to know the exact time that the accident happened.**（警察は事故が起こった正確な時間を知る必要がある）のように使い、英語圏では **"Exact fares requested."**（料金は釣り銭のないようきっちりお願いします）といった交通機関の表示でも **exact** が使われています。

この他には、まず **accurate** がありますが、**accurate** のニュアンスは「**最大の注意や努力をして正確なものに仕上げた**」「**細部に至るまで正確で、事実や基準にぴったり添う**」です。「**正確なデータ**」は **accurate data** とも **correct data** とも言えますが、一般的には **accurate** を使う方が多く、それはデータというものには一般的に「**厳密に分析され、時間をかけて精度が高い**」といったニュアンスがあるからです。「正確な時間」も **accurate time** と表現するのが最も適切で、それは時間というのは「**厳密な時間水準にそって正確な**」ものだからです。

また、「道徳的に正しい」の意味で **ethical** と **moral** との使い分けも混同しやすいですが、**ethical** は「社会的や職業上での道徳規範にそって正しい」というニュアンスで、**It is not ethical for politicians to accept contributions from companies.**（政治家が企業から献金を受けるのは倫理に反している）のように使いますが、**moral** は、個人レベルで「**善悪の判断ができる、品行方正な**」というニュアンスで、**She's moral and trustworthy.**（彼女は行いが正しく信頼できる人だ）のように使います。

「価格や報酬が適正で公平な」という意味では **fair price**（適正価格）、**fair wages**（適正賃金）のように **fair** が使われます。これに対して **just** は「ちょうどにする」という意味から「**道徳規範に一歩も妥協することなく従う**」という強い意味があり、**just opinion**（当然な意見）や **just cause**（大義名分）のように使われます。この **just** の語感は、たとえ形勢が不利になろうとも、確固たる

武士道精神を最後まで貫くサムライをイメージするとわかりやすいでしょう。

　properは「**常識レベルである基準や規律に沿っていて正しく適切な**」という意味で、**proper manner**（適切なマナー）、**proper behavior**（正しい行い）のように使います。「**法的に有効でかつ重要な**」「**根拠の確かな**」場合は **valid identification**（有効な身分証明書）、**valid evidence**（確かな証拠）、**valid reason**（正当な理由）のように **valid** が適しています。**true** は **false** の反意語で、すなわち「**嘘のない、にせものでない**」「**誠実な**」という意味で **true friend**（本当の友達）、**true to one's promise**（約束を忠実に守る）のように使います。**true-to-life portrait**（実物そっくりな肖像画）のような表現もぜひ覚えておきましょう。

　一目でカンタン理解！　「正しい」系形容詞の使い分け**MAP**！

正しい

- right place　正しい場所
- exact date　正確な日程
- fair price　適正価格
- accurate description　正確な記述
- just cause　大義名分
- correct answer　正しい解答

「正しい」を意味する語のコロケーションを Check!

	answer	time	decision	data	description
right	○	◎	◎	○	×
correct	◎	△	○	○	○
exact	△	○	×	○	○
accurate	△	△	×	◎	◎

☞「正しい答え」は **correct answer** が最も多く、**right** の数倍多いです。「正確なデータ」は **accurate data** が最も多く、「正確な描写」は、**accurate description** が最も多く（**accurate**＞**correct**＞**exact** の順に使われる）、**correct** より数倍多いです。データや描写のような「正確で精度・完成度が高い」ものには **accurate** が多く使われることがわかります。

これもマスター！ 形容詞の重要類語グループ③

★器用な★

good with one's hand は「手先が器用な」、**handy** は「日用大工がうまい」、**agile** は「処理スピードが速い」、**dexterous** は「非常に器用で賢い」、**deft** は「熟練して速く器用な」、**adroit** は「議論・交渉・人の扱いなどが巧みな」、**nimble** は「手先がすばやく動く」。

★頑固な★

stubborn は「自分の意見を変えない」、**obstinate** は「人に反対されても頑なに意地をはる」、**inflexible** は「協調性がない」、**disobedient** は「反抗的な」、**unruly** は「規則に従わず言うことをきかない」、**pig-headed** は「意固地になって自己流を通す」、**resolute** は「固い意志をもって」、**diehard** は「変化を拒み自分を曲げない」。

★完璧な・完全な★

perfect は「基準を満たし完璧で優れている」、**ideal** は「完全無欠な理想の境地を目指す」、**complete** は「必要とされる全ての部分が欠けることなく備わった」、**intact** は「元の状態のまま無傷の」、**impeccable** は「行動や身なりが非の打ちどころがない」、**pristine** は「自然などが未開の、まだ荒らされていない」。

★横柄な★

arrogant は「地位・立場をふりかざし周囲の配慮に欠け傲慢な」、**conceited** は「思い上がった」、**big-hearted** は「天狗になって」、**haughty** は「自分より劣っていると思う相手に」、**overbearing** は「支配的で自分の言うことを聞かせようとする」、**cheeky** は「子供が図々しい」、**forward** は「自信過剰で、非常に馴れ馴れしい」、**insolent** は「当然尊敬すべき相手に対して非常に失礼な」。

これもマスター！ 形容詞の重要類語グループ④

★元気な★

active は「常に目標があり精力的な」、**spirited** は「気合いの入った」、**lively** は「生き生きと活発な」、**energetic** は「体力と精神力がみなぎっている」、**brisk** は「きびきび動いて健康的な」、**dynamic** は「エネルギーの固まりで、くじけない」、**tireless** は「疲れ知らずの」、**vigorous** は「エネルギッシュで健康的な」。

★値段が高い★

expensive は「出費となる」、**pricy**（口語）は「高価な」、**costly** は「嫌なほど高くついて無駄な」、**overpriced** は「価値に対して高過ぎる」、**outrageous** は「許せないほど高い」、**steep** は「不当に高い」、**rip-off** は「ぼったくりの」。

★従順な★

obedient は「いつも言われたことを守る」、**yielding** は「言いなりになる」、**meek** は「おとなしくて常に人の言うことを聞く」、**submissive** は「相手を喜ばせようと従う」、**manageable** は「扱いやすい」。

★太い★

fat は「太り過ぎた」、**heavy** は「大柄で体重が重い」、**bulky** は「かさのある」、**overweight** は「過体重の」、**obese** は「肥満体の」、**plump** は「（女性などが）ぽっちゃりした」、**well-rounded** は「豊満な」、**beefy** は「筋骨たくましい」。

★おとなしい★

quiet は「口数の少ない」、**shy** は「人見知りする」、**diffident** は「自信がなく目立たないようにする」、**introvert** は「内向的な」、**withdrawn** は「引っ込み思案な」、**timid** は「おどおどして弱気な」。

ランク8 「固い」の使い分けをマスター！

> これが使い分けの決め手！
> hardとtoughの使い分け、stiffとfirmの使い分けを知ることが基本中の基本！

Q：次の日本語を英語で言ってください。

① 彼女は神が存在すると固く信じている。
② 生徒は8歳までに基本技能のしっかりした土台を身につけていなくてはならない。
③ 私の姉は肩が固く凝っている。

[solid / firm / stiff]

解答

① She has a **firm** belief that God exists.
② Students must have a **solid** foundation of basic skills by eight years old.
③ My sister has **stiff** shoulders.

使い分けのポイント

「固い」と言えば、まずは hard を思い浮かべる人がほとんどでしょう。hard の語感は、セメントのように「硬質でコチコチ、頑丈で耐久性がある」で、hard stone（硬石）、hard surface（固い表面）のように「しっかりした物理的な固さ」をイメージしましょう。まさに、地球で一番固い物質といわれるダイヤモンドの固さです。hard はこのようにシンプルに「物の強度」を表す場合と、もうひとつ「証拠・事実などが信頼できる、確実な」という意味で hard evidence（確かな証拠）のような使われ方もします。

ではここで「固い肉（→固すぎて噛み切れない場合）」はどう表現するのでしょう？　この場合は、**tough meat** と表現します。**tough** の語感は「**固くて折れにくい、切れにくい、粘り強い**」で、肉が固くて何度噛んでも噛み切れない状態、まさに「**何があってもはねのける**」「**たくましく、頑固**」が **tough** なのです。**Be tough.**（強気で行け）、**He's a tough guy.**（彼はたくましいヤツだ）、**It's really tough out there.**（非常に苦しい状況だ）のような例文にも、**tough** の「**粘り強さ**」が感じとれますね。

　問題① **firm** のニュアンスはまず「**土台や構造がしっかり固定されて安定した、身の引き締まった**」で、**firm muscles**（引き締まった筋肉）や、例えばアメリカでは木綿豆腐は **firm tofu** と表現されています。また、「**動作などが安定してぐらつかない**」意味で、**She took a firm grip on the handrail.**（彼女は手すりをしっかりと握った）、さらには「**引き締まった安定感、影響されない**」ニュアンスから **firm commitment**（揺るぎない忠誠）や、**He stays firm in his faith.**（彼は信念を貫いている）のように、「**信念や主義などが変動しない**」意味にも使います。

　問題② **solid** は、まずは「**中身がぎっしり詰まっている、充実した**」というニュアンスで、そこから「**固形の、固体の**」の意味で **solid fuel**（固体燃料）、**solid food**（固形食）といった表現と、「**がっしりして頑丈な、信用できる、頼りになる**」という抽象的な意味で、**solid investment**（確実な投資）、**He has a solid background.**（彼は信頼できる経歴を持つ）のようにも使われます。（解答は **firm** も OK ですが、**solid** の方が多く用いられます）。

　問題③の **stiff** の定義は "not easily bent or changed in shape"（オックスフォード辞典）で、文字通り「**容易に曲がらない、形を変えない**」という意味ですが、そこから **stiff shoulders**（肩こり）や **stiff neck**（凝った首）といった「**体の凝って固くなった部分**」に使うことが多いです。また、「**融通のきかない**」の意味から **stiff opposition**（すさまじい反対）、**stiff competition**（熾烈な競争）のようにも使います。（解答は **firm** も OK ですが、**stiff** の方が多く用いられます）。

213

一目でカンタン理解！「固い」系形容詞の使い分けMAP！

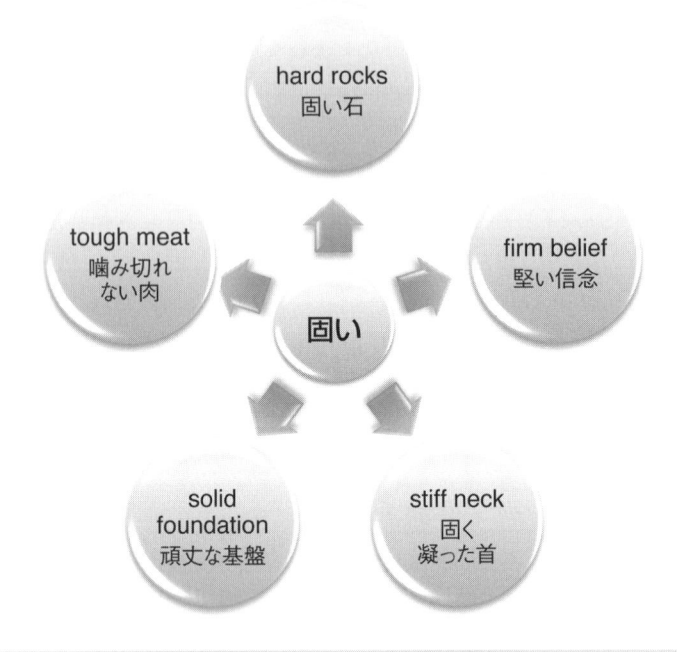

- hard rocks 固い石
- tough meat 噛み切れない肉
- firm belief 堅い信念
- solid foundation 頑丈な基盤
- stiff neck 固く凝った首

「固い」を意味する語のコロケーションをCheck!

	rocks	meat	belief	foundation	shoulders
hard	◎	◎	△	△	○
tough	○	○	×	△	×
firm	△	△	◎	○	○
solid	△	○	△	◎	△
stiff	△	×	×	△	◎

☞「固い石」は **hard rocks** が最も多く使われます。（**hard** ＞ **tough** ＞ **firm** ＞ **solid** ＞ **stiff** の順に使われる）。「堅い信念」は **firm belief** が圧倒的に多く、**solid belief** の数倍多いです。「しっかりした基盤」は **solid foundation** が圧倒的に多く、「凝り固まった肩」は **stiff shoulders** が **hard shoulders** の数倍多く使われます。

これもマスター！ 形容詞の重要類語グループ⑤

★怒って・苛立って★

mad（口語）は「ぶち切れて」、**offended** は「相手の非礼に気分を害して」、**annoyed** は「迷惑をかけられて」、**irritated** は「イライラして」、**furious** は「感情を抑えきれず怒り狂って」。

★有名な★

famous は「多くの人によく知られている」、**popular** は「うけがよい」、**renowned** は「有名でかつ能力や業績などが尊敬された、高名な」、**celebrated** は「名誉が高く知られている」、**distinguished** は「学術分野で特に卓越していて」、**leading** は「第一線で活躍して」、**prominent** は「名高くて権威のある」、**eminent** は「尊敬されていて、知る人ぞ知る」、**illustrious** は「業績と社会的地位で非常に有名な」。

★あからさまな★

frank は「正直で率直な」、**straightforward** は「感情を隠さずに裏表がない」、**direct** は「核心にストレートに」、**blunt** は「相手の気持ちを考えずぶっきらぼうな」、**outspoken** は「控えめにすべき時にも遠慮のない」、**candid** は「相手がムッとする場合でも、ありのままの事実や意見を述べて」。

★だらしない・いい加減な★

lazy は「無精者で仕事や努力が嫌いな」、**idle** は「何もしないでいる」、**untidy** は「部屋がきちんと整頓されていない、性格がきちんとしていない」、**sloppy**（口語）は「主に服装や習慣がだらしない」、**slovenly** は「注意力がなく締まりがない」、**irresponsible** は「無責任な」、**half-hearted** は「熱意や真剣さが感じられない」、**unreliable** は「信用できない」、**neglect** は「責任を怠った」。

これもマスター！ 形容詞の重要類語グループ⑥

★仮の★

temporary は「一時的な」、**tentative** は「まだ確定しておらず試験的要素が強い」、**conditional** は「条件付きの」、**substitute** は「代用の、代行の」、**experimental** は「実験的な」、**stopgap** は「措置などが一時しのぎの」、**makeshift** は「仮設の、急場しのぎの」。

★熱心な★

passionate は「熱情的でひたむきな」、**enthusiastic** は「夢中でエキサイトして」、**hardworking** は「熱心に働く」、**eager** は「何かをしたくてうずうずしている」、**keen** は「興味や欲望などが一つに向けられて強い」、**earnest** は「真剣でひたむきな」、**diligent** は「努力して完璧に仕事をこなす」、**industrious** は「目的達成のために集中的に」、**desperate** は「捨て身で死に物狂いになって」、**devout** は「宗教などに敬虔な」。

★健康な・健康的な★

healthy は「健康に良い、健康である」、**sound** は「体と精神が健康である」、**wholesome** は「環境や食べ物などが体や精神に良い影響を与える」、**fit** は「運動などで体の調子が良い」、**nutritious** は「滋養の多い」、**nourishing** は「栄養価が高く健康にする」。

★薄い★

thin は「物体やスープなどが薄い、髪の毛が少なくて薄い」、**weak** は「スープやコーヒーなどの飲み物の水分が多くて薄い」、**light** は「色が薄い、アルコールの成分が弱い」、**pale** は「色が淡い、青ざめた」、**watery** は「水が多く入り過ぎている」。

ランク9 「優しい」の使い分けをマスター!

> これが使い分けの決め手!
>
> 日本語の「やさしい」に相当するさまざまな形容詞の使い分けをマスター!

Q:次の日本語を英語で言ってください。

① その乗務員は乗客に対する気配りがいい。
② 子供に甘い顔を見せてはだめだ。
③ 我々はその団体から温かい歓迎を受けた。
④ 彼はいつも気前よくお金や時間を割いてくれる。

[generous / attentive / cordial / soft]

解答

① The flight attendant is very **attentive** to passengers.
② Don't be **soft** on your children.
③ We received a **cordial** welcome from the organization.
④ He is always **generous** with his time and money.

使い分けのポイント

「優しい」の最も一般的な語は kind で、**He is very kind to elderly people.**(彼は高齢者にとても親切だ)、**It was very kind of you to see me off to the airport.**(親切にも空港まで見送ってくれてありがとう)の例で示されるように、kind には「人を気遣い助けようという気持ちを言葉や態度で表わす、親切心にあふれる」というニュアンスがあります。

「優しい」は大きく3つに分類ができ、まず1つ目は上の kind に代表される「気配り」系で、他にはまず gentle ですが、ニュアンスは「荒々しくなく人を傷つ

けないようにする」で、**The principal is gentle with children.**（校長は子供に優しい）、や **compassionate**（哀れみ深く特別な配慮をする）[**The nurse gave compassionate care to terminally ill patients.**（看護師は末期患者たちに思いやりにあふれたケアを施した）]があります。また「面倒見がよい」は **caring** で **caring mother**（子供に愛情を注ぐ母親）、「他人の気持ちに配慮をして理解を示す」は **sensitive** で、**sensitive to her feelings**（彼女の気持ちに気を配る）のように使います。**considerate** は「いつも人の願いや気持ちを察する」といったニュアンスで、**It was very considerate of you to talk to me first.**（最初に私に話してくれてお気遣いありがとうございます）、**sympathetic** は「他人の悩みや問題に同情的で共感してくれる」といったニュアンスで、**sympathetic to the feelings of others**（人の気持ちに親身になってくれる）、プレゼントや手紙をあげるなどの配慮の行き届いている場合には **thoughtful gift**（心のこもった贈り物）などがあります。「礼儀正しい」という意味では **polite** と **courteous** がありますが、まず **polite** は **My boyfriend was very polite to my parents.**（私のボーイフレンドは両親に大変礼儀正しく振る舞った）のように「話し方や態度がマナーが良い」という意味で、「失礼のないように振る舞う」というニュアンスで使われますが、**courteous** は「礼儀正しく相手を思いやる気持ちや心遣いがある」といったニュアンスで、**The hotel staff were very courteous to their guests.**（ホテルのスタッフは客に大変親切でした）のように「丁重にもてなす」という意味で使います。

　他には問題①の **attentive** は「細部にまで注意を払う」というニュアンスで、**The new staff is very attentive to customers' needs.**（その新しいスタッフは客のニーズに非常に細かく対応する）、問題③の **cordial** はフォーマルで「真心のこもった」というニュアンスで、**cordial invitation**（温かい招待）や **The two countries maintained a cordial relationship.**（その２国は友好な関係を維持した）などのように、「招待、歓迎、人間関係」に多く用いられます。

　２つ目の分類は「友情・愛情」系で、まずは **friendly**（相手が好きで話しかけたい、助けたいという気持ちが態度に現れる）[**Everybody loves Mike for his friendly personality.**（彼の人当たりの良い性格で、皆がマイクを気に入っている）]や、**congenial**（明るく打ち解けて気が合う）[**They are congenial to each other.**（彼らは互いに気が合う）]などがあります。また、「深い愛情を抱く」は **loving** で、**loving family**（愛情あふれる家族）、「優しさや愛情を示す」は

affectionate で、**affectionate hug**（愛情のこもった抱擁）、「**心から相手を迎え入れる**」は warm で **warm welcome**（温かい歓迎）といった微妙な使い分けもできるようになりましょう。

　最後に「**寛大・気前のよい**」系では、まず問題②の **soft**（甘やかし過ぎて分別に欠ける）や問題④の **generous**（人を助けたり喜ばせようとしてお金や時間を割いたり、人の良い面をみようとする）があり、**generous contribution**（惜しみない貢献）、**She's generous with money.**（彼女は気前よくお金を出す）のように使われ、さらには **big-hearted**（細かい事にこだわらず親切な）や、**indulgent**（何でも与えて甘やかす）[They're **indulgent** to their son.（彼らは息子に甘い）] があります。「**貧しい人を思いやる、哀れみ深い**」場合は **charitable** で、**charitable foundation**（慈善団体）、「**手厚くもてなす、客人を歓迎する**」場合は **hospitable** で **hospitable to visitors**（訪問客に大変親切である）も使い分けましょう。

一目でカンタン理解！　「優しい」系形容詞の使い分け **MAP！**

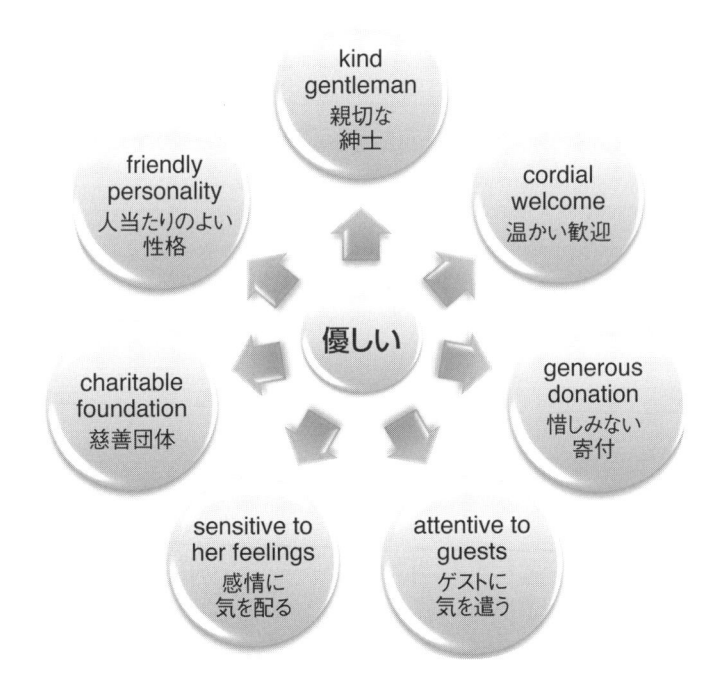

- kind gentleman 親切な紳士
- cordial welcome 温かい歓迎
- generous donation 惜しみない寄付
- attentive to guests ゲストに気を遣う
- sensitive to her feelings 感情に気を配る
- charitable foundation 慈善団体
- friendly personality 人当たりのよい性格

中心：優しい

「優しい」を意味する語のコロケーションをCheck!

	gentleman	manner	personality	welcome	donation
kind	◎	○	○	○	◎
polite	◎	○	△	△	×
friendly	◎	◎	◎	○	×
cordial	×	○	×	◎	×
generous	○	○	○	△	◎

☞「親切なマナー」の場合、**friendly manner** が最も多いです。「**優しい人柄**」は **friendly personality** が断然多く、2番目 **kind** の数倍多いです。「**温かい歓迎**」は **cordial welcome** が1番多く、**cordial**＞**friendly**＞**kind**＞**generous**＞**polite** の順に使われ、「**寄付**」は **generous** と **kind** がほぼ同じ頻度で圧倒的に多く、残りはほとんど使われません。

ランク10 「激しい」の使い分けをマスター！

> これが使い分けの決め手！
>
> 「怒り」「痛み」「戦い」などを修飾するさまざまな類語の使い分けをマスター！

Q：次の日本語を英語で言ってください。

① その患者は急激な痛みに苦しんだ。
② その少年は家でひとりぼっちにされる度に、激しい恐怖と不安を感じる。
③ 我々はビジネス業界での激しい競争を生き延びた。

[keen / acute / intense]

解 答

① The patient suffered an **acute** pain.
② The boy feels **intense** fear and anxiety every time he is left alone at home.
③ We survived a **keen** competition in the business world.

使い分けのポイント

「激しい」は、まず問題①の acute には「先のとがった、鋭い」という意味があり、そこから acute pain（急性の痛み）のような「激しく一時的で強烈な痛み」や、比喩的に「緊急の、深刻な」の意味で An acute shortage of doctors is a major concern in the country.（その国では深刻な医師不足が大きな懸念となっている）のように使います。

問題②の intense は intensive とよく混同されるので、ここでしっかり使い分けできるようになりましょう。まず、intense の意味は「感情・感覚が激しく猛烈な」で、主に「主観的に感じる場合」に使われます。よって、intense pain（激

痛)、**intense summer heat**（夏の酷暑）、**He couldn't control his intense anger.**（彼は猛烈な怒りを抑えることができなかった）などのように使われ、そこで表現される「**激しさ**」は、主観的判断に基づいたものなのです。一方の **intensive** は「**客観的に見てとれる激しさ、徹底ぶり**」を表し、**intensive-care unit〔ICU〕**（集中治療室）、**intensive reading**（精読）、**The new recruit signed up for the five-day intensive training.**（その新入社員は5日間の集中トレーニングに申し込んだ）のように使います。

　問題③ **keen** のニュアンスは「**刃物などが鋭利な、激しくて身を切るような**」で、そこから **keen competition**（熾烈な戦い）や **keen discussion**（猛烈な議論）、**She has a keen interest in the history of Kyoto.**（彼女は京都の歴史に非常に強い関心がある）のような使い方をします。

　その他には、まずは **fierce** がありますが、ニュアンスは「**(気性や行動が) どう猛な、荒々しい、喧嘩好きな**」といった「**猛烈な激しさ**」を表し、**fierce wild animals**（どう猛な野獣）、**fierce cold**（酷寒）、**fierce criticism**（痛烈な批判）、**They waged a fierce battle.**（彼らは激戦を繰り広げた）のように使います。**violent** は「暴力的で強烈な」という意味ですが、「**自然現象や行為が猛烈な**」場合にも用いられ、**violent rainstorm**（暴風雨）、**The violent earthquake terrified residents on the small island.**（激震は小さな島に住む住民たちを震え上がらせた）のように使います。

一目でカンタン理解！　「激しい」系形容詞の使い分け **MAP**！

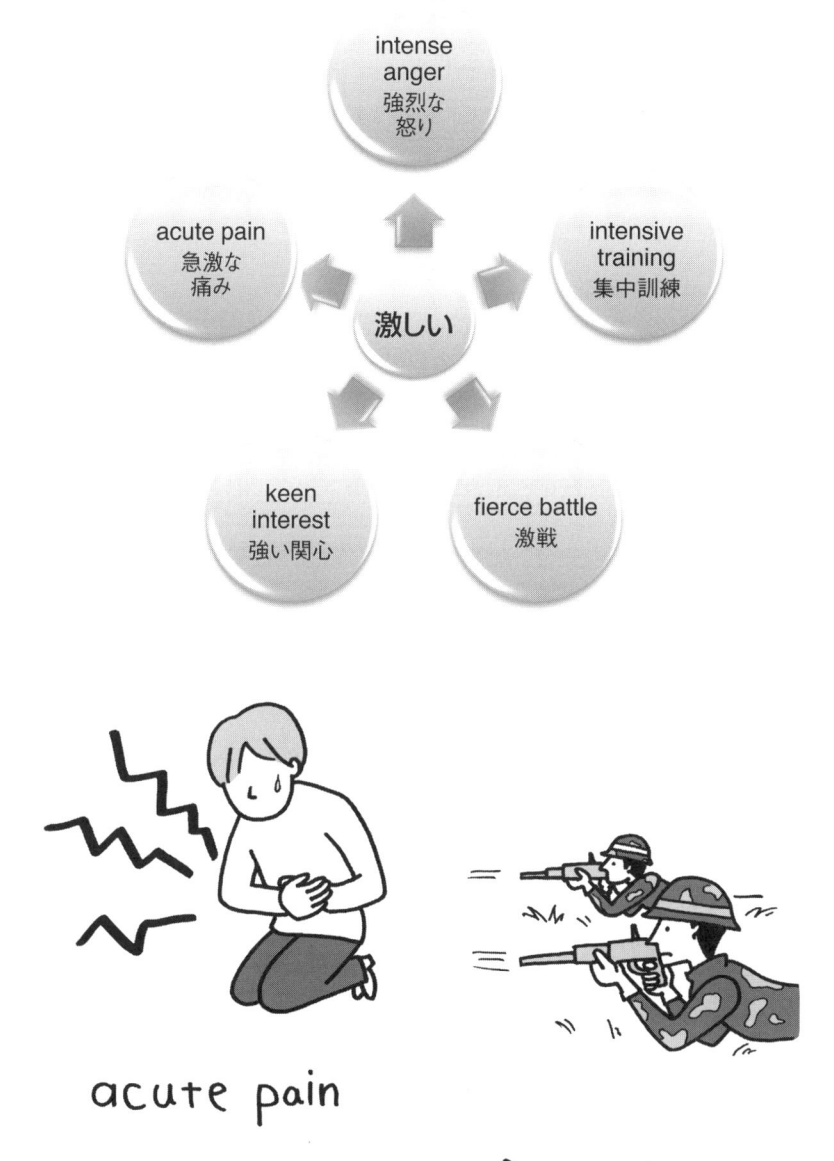

- intense anger 強烈な怒り
- intensive training 集中訓練
- fierce battle 激戦
- keen interest 強い関心
- acute pain 急激な痛み

激しい

acute pain

fierce battle

Chapter 2　形容詞

223

「激しい」を意味する語のコロケーションを Check!

	pain	fear	training	interest	competition
acute	◎	△	○	○	△
intense	◎	◎	○	○	◎
intensive	△	×	◎	△	△
keen	△	△	×	◎	○
fierce	○	△	×	×	◎

☞「激しい痛み」の場合は **acute pain** が1番多く用いられます。「強い恐怖感」は **intense fear** が圧倒的に多く、「集中トレーニング」は **intensive training** が最も多く、2番目 **intense** の数倍多いです。「強い関心」は **keen interest** が断然多く、「激しい競争」の場合は **fierce competition** と **intense competition** がほぼ同じ頻度で、fierce ＞ intense ＞ keen ＞ intensive ＞ acute の順で使われます。

これもマスター！ 形容詞の重要類語グループ⑦

★運がいい★

lucky（口語）は「偶然に幸運を運び込む」、**fortunate** は「有利な環境でいつまでも恩恵を受ける」、**favorable** は「条件や状況が都合のいい」、**promising** は「計画などが将来有望な」、**auspicious** は「幸先のいい、めでたい」。

★無関心な★

indifferent は「無関心な」、**apathetic** は「しらけた」、**unmoved** は「影響されない」、**unconcerned** は「どうでもいい」、**uncaring** は「配慮に欠ける」。

★気まぐれな★

changeable は「よく変わる」、**capricious** は「わがままで、心変わりしやすい」、**fickle** は「恋愛で移り気の」、**inconsistent**「言うことや行動が不安定な」、**erratic** は「むらのある」、**whimsical** は「茶目っ気がある」。

★重要でない★

negligible は「取るに足らない」、**trivial** は「価値がなくピントがずれた」、**trifling** は「重要でなく役に立たない」、**marginal** は「ごくわずかで最低限の」、**secondary** は「補助的な」、**incidental** は「よくありがちな」、**minor** は「二流の」。（この順番にネガティブ度は弱くなる）。

★散漫な★

random は「行き当たりばったり、手当たり次第」、**casual** は「目的・計画もなくのんびりと」、**aimless** は「目的もなく」、**haphazard** は「無秩序で結果を無視して」。

これもマスター！ 形容詞の重要類語グループ⑧

★固有の★

inherent は「本来備わっており絶対に切り離せない、そのもの固有の」、**intrinsic** は「そのものだけの価値がある」、**inborn** は「生まれる前から」、**ingrained** は「深く染み込んだ」、**hereditary** は「遺伝的な」、**indigenous** は「その地域特有の」。

★隣接した★

bordering は「境界線を共有して」、**adjacent** は「同じ種類のものが横に並んで」、**neighboring** は「同一地域内の」、**adjoining** は「隣にあって連結している」。

★おしゃべりな★

talkative は「おしゃべり好きな」、**chatty** は「くだけた話し方で」、**gossipy** は「ゴシップ好きの」、**eloquent** は「雄弁な」、**verbose** は「言葉数が多い」、**glib** は「ペラペラと口先だけの」。

★時折の★

irregular は「不定期な」、**occasional** は「たまに起こる」、**sporadic** は「あちこちで不規則に突如として起こる」、**recurrent** は「何度も起こる」、**intermittent** は「断続的な」、**infrequent** は「めったに起きない」。

★平凡な★

just another は（口語）「ありきたりの」、**average** は「並であまり良くない」、**common** は「一般的な」、**commonplace** は「新鮮味がない」、**ordinary** は「ありふれていて代わり映えしない」、**usual** は「お決まりの」、**mediocre** は「並か、並以下で期待外れ」。

ランク11 「いっぱいの」の使い分けをマスター!

> これが使い分けの決め手! **rich, full, filled** の使い分けが基本!

Q：次の日本語を英語で言ってください。

① この部屋は有害な煙でいっぱいだ。
② その問題児は自分のことで頭がいっぱいだ（思い上がっている）。
③ この地域は天然資源が豊富だ。

[filled / full / rich]

解 答

① This room is **filled with** harmful smoke.
② That problem child is **full of** himself.
③ This area is **rich in** natural resources.

使い分けのポイント

「いっぱいの」の最も一般的な表現に **be filled with** と **be full of** がありますが、両者のニュアンスは微妙に異なります。まずは問題①の **be filled with** ですが、前置詞 **with**「外的要因によって、後からそうなってきた」のニュアンスと **filled** と受け身形であることも関係して「限界までいっぱいにされた、空きスペースが全くない、完全にふさがれた」という意味で、The bucket is filled with water. （バケツは水でいっぱいだ）は、「バケツから水が溢れ出すギリギリいっぱいまで水が入れられている」ことを表します。

be full of のニュアンスは「豊かに満ちあふれる」で、前置詞 **of**「〜から成り立つ、そのものである」のニュアンスにより、**be filled with** よりも「豊富で満

ちあふれる度合いは強く」なります。**The bucket is full of water.** は「バケツには、水があふれんばかりに豊富に入っている」と訳せば **filled with** との違いが、リアルな感覚としてお分かりいただけるのではないでしょうか。さらにもう少し掘り下げますが、例えば、**He's a <u>man of ambition</u>.** と **He's a <u>man with ambition</u>.** を比較した場合、両方とも日本語訳は「彼は野心家だ」と同じですが、しかしながら英語のニュアンスは異なります。前者は**前置詞 of（同格）**で「彼は野心家そのものだ」と非常に強い意味が出ますが、後者は **with（関係・結合）**で表現しているので、厳密には「彼の野心は後天的なもので、彼には関連しているものの、彼そのものだと言えるほどではない」というニュアンスで、of で表現するよりは彼の「野心家」としての意味は弱くなるのです。このように考えれば、例えば **She's <u>full of confidence</u>.**（彼女は自信に満ちあふれている）、**The main street is <u>full of life</u>.**（目抜き通りは活気に満ちあふれている）といった表現の中にも、**full of** の「あふれ出るほど満ちる力強さ」をよりリアルに体感できるでしょう。

　問題③ **be rich in** のニュアンスは「ぜいたくなまでに豊富な、恵まれている」で、**Lemons are rich in vitamin C.**（レモンにはビタミン C が豊富に含まれる）、**The old capital is rich in cultural heritage.**（その古い都は文化遺産に恵まれている）のように使います。

　その他、「ポジティブ」で分けるとまず **abundant in**（資源などが豊富で余るほど）[**The whole area is abundant in minerals.**（その地域一帯は鉱物が豊富にとれる）]や、**overflowing with**（あふれてはみ出るくらい満ちる）[**My heart was overflowing with gratitude.**（私は感謝の気持ちで胸がいっぱいになった）] などがあります。

　「ネガティブ」な意味ではまず、**crowded with**（人で混雑した）[**The store is crowded with customers.**（店は客でごったがえしている）]、**packed with**（場所がすし詰めの）[**The super-express was packed with commuters.**（特急電車は通勤者ですし詰めだった）] などがありさらに、**crammed with** のニュアンスは「許容範囲を超えてぎゅうぎゅうに詰め込まれた」で **The box is crammed with old shirts and sweaters.**（箱は古いシャツやセーターでぎゅうぎゅう詰めだ）、**jammed with** のニュアンスは「大量で詰まらせる、場所や出入り口がふさがれる」で **The printer got jammed again.**（プリンターがまた詰まってしまった）、**congested with** は「密集して動けない」ニュアンスで **The traffic was congested with thousands of vehicles.**（交通は何千もの車で渋滞した）のように使います。

一目でカンタン理解！「いっぱいの」系形容詞の使い分け MAP！

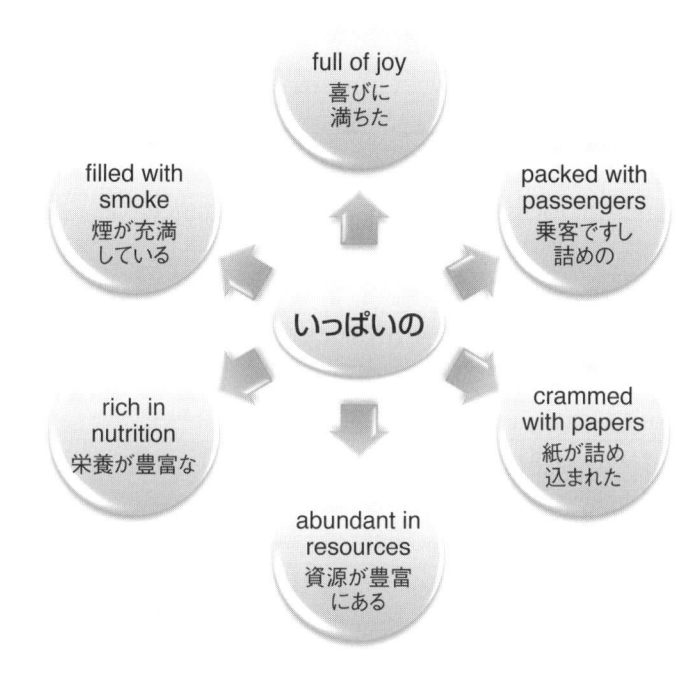

- full of joy 喜びに満ちた
- filled with smoke 煙が充満している
- packed with passengers 乗客ですし詰めの
- crammed with papers 紙が詰め込まれた
- abundant in resources 資源が豊富にある
- rich in nutrition 栄養が豊富な

いっぱいの

「いっぱいの」を意味する語のコロケーションを Check!

	water	joy	nutrition	people	resources
full of	◎	◎	◎	◎	◎
filled with	◎	◎	△	◎	◎
rich in	○	○	◎	△	○
abundant in	○	△	○	△	○

☞「**喜びに満ちる**」は **full of joy** が最も多く、**filled with joy** の数倍多くなります。「**栄養が豊富な**」の場合は、**full of** ＞ **rich in** ＞ **abundant in** ＞ **filled with nutrition** の順に使われます。「**資源**」の場合は **full of resources** が圧倒的に多く、**rich in resources** と **abundant in resources**（ほぼ同じ頻度）と比べ数倍多く使われます。

> さらにワンランク UP!　「いっぱいの」を表す重要表現をマスター!

- **bursting with**　勢いよくあふれる、パンパンにはちきれる
  High school baseball players are **bursting with** energy.
  （高校野球選手ははちきれんばかりに元気だ）
- **brimming with**　じんわり中からゆっくりと端まで満ちている
  The young doctor is **brimming with** confidence.
  （その若い医者は自信がみなぎっている）
- **infested with**　害虫などがはびこって荒らす
  The kitchen was **infested with** cockroaches.
  （台所はゴキブリが大量にはびこっていた）
- **swarming with**　昆虫などが大量にわんさと群れをなして
  The field was **swarming with** locusts.
  （畑にはバッタの大群がうようよと群がっていた）
- **thronged with**　群衆などで混雑して、ごった返して
  The electric appliance store was **thronged with** tourists from China.
  （その電化製品店は中国からの観光客でごった返していた）
- **thick with**　人や物で見えないくらい覆われた
  The air was **thick with** smoke in the casino.
  （そのカジノの空気は煙が充満していた）
- **crawling with**　害虫・ネズミ等が気持ちの悪いくらいうようよいる
  The old hotel in downtown was **crawling with** rats.
  （ダウンタウンのその古いホテルには、ネズミがうじゃうじゃいた）
- **teeming with**　生命体・魚などが豊富にある
  Divers found a beautiful coral reef **teeming with** tropical fish.
  （ダイバーたちは熱帯魚が群がる美しい珊瑚礁を見つけた）

ランク 12 「明確な」の使い分けをマスター！

> これが使い分けの決め手！　**clear, obvious, apparent** の使い分けが基本！

Q：次の日本語を英語で言ってください。

① その女性ははっきりした声でしゃべっている。
② その父親ははっきりした理由もなく、息子を平手打ちした。
③ 彼女は我々に新しい機械の操作方法をわかりやすく説明してくれた。

[apparent / clear / explicit]

解 答

① The woman is speaking in a **clear** voice.
② The father slapped his son for no **apparent** reason.
③ She gave us **explicit** instructions on how to operate the new machine.

使い分けのポイント

「明確な・明らかな」を表す最も一般的な単語は問題①の **clear** ですが、**clear** には「快晴の、澄み切った、明るい」意味があることから、「はっきりと明瞭な、よくわかる、曖昧さがない」という「スッキリとした」ニュアンスがあり **clear answer**（明確な回答）、**clear voice**（よく聴き取れる声）、**You have to make your position clear.**（自分の立場をはっきりさせておく必要がある）のように使います。この **clear** の意味にさらに「一点の曇りもない」ニュアンスを含むのが **crystal clear** です。例えば何か物事をはっきりさせたい時に **I want to make it crystal clear.**（白黒はっきりさせたい）のような使い方をします。他には、ま

231

ず **simple** がありますが、「**単純でわかりやすい、説明などが複雑でなく理解しやすい**」というニュアンスで、**simple example**（簡単でわかりやすい例）、**simple everyday expressions**（簡単な日常表現）、**Keep it simple when it comes to crafting your resume.**（履歴書を書く時はできるだけわかりやすくシンプルにしましょう）のように使います。**plain** のニュアンスは「**易しく余計なものがない、凝っていない**」で、**plain term**（わかりやすい言い回し）、**"First, you can try to speak plain English."**（まずは簡単な英語から話してみよう）のように使います。

　問題② **apparent** は appear「現れる」の意味が反映されて「**推測では、見かけ上は明らか**」といったニュアンスで、例文のように **for no apparent reason**（はっきりと説明できる理由なしに）や、**It soon became apparent that we needed additional staff.**（さらなるスタッフが必要になったことはすぐはっきりした）のように使います。他に **apparent** とよく似た意味で **evident** や **obvious** がありますが、**evident** は **evidence**（証拠）の意味が反映されて **apparent** よりも「**確実性が強く**」「**証拠があって明白な**」ニュアンスがあり、**It is evident that the new theme park attracts many tourists from overseas.**（その新しいテーマパークが多くの海外からの観光客を引きつけるのは間違いない）のように、「**それとわかる兆候が出ている**」場合に使います。**obvious** はラテン語 obvius（目立つ）の意味から「**明白であえて言う必要もない、誰の目にも明らか**」といったニュアンスがあります。**It is obvious that she has been cheating on you.**（彼女が浮気してるなんて誰が見てもわかるよ）、**Dramatic changes in the weather are quite obvious to everyone.**（劇的な天候の変化は誰の目にも明らかだ）のように使います。

　問題③の **explicit** は「**露骨であからさまな**」という意味から「**説明などがはっきりした、ズバリ明確でわかりやすい**」といったニュアンスで、**explicit instructions**（明確で非常にわかりやすい説明）、**My boss gave me explicit directions on how to get to the branch office.**（上司が支店への行き方をわかりやすく教えてくれた）のように使います。

　その他には、まず **distinct** と **distinctive** の違いをしっかり把握し運用できるようになりましょう。**distinct** は「**はっきり知覚できる**」「**見てすぐにわかる**」という意味で、**distinct difference**（明白な違い）、**distinct advantage**（目立った利点）、**She got the distinct impression that Keith was lying.**（彼

女は、キースが嘘をついているという強い印象を受けた）のように「はっきりと認識できる」意味で使うのに対し、**distinctive** は「**特徴があって目立つ**」という意味で、**distinctive design**（独特のデザイン）、**distinctive feature**（際立った特徴）、**distinctive Japanese culture**（独特な日本文化）などのように「**顕著な特徴**」を表す場合に使います。

さらに付け足しますが、**articulate** は「**スピーチなどが雄弁な、ハキハキと話す**」という意味で、**articulate speech**（ハキハキと明瞭なスピーチ）、**The bright student is a highly articulate speaker.**（その聡明な学生は雄弁な話し手である）のように使われます。**definite** は「**目標などがはっきりと明確な**」という意味で **definite goal**（しっかりした目標）、「**答えなどが確定した**」という意味で **definite answer**（はっきりした回答）、**definite time and place**（確定した時間と場所）のように使います。

一目でカンタン理解！ 「明確な」系形容詞の使い分け MAP！

- clear voice　はっきりした声
- obvious lie　明らかな嘘
- articulate speaker　ハキハキと明確な演説者
- explicit instructions　わかりやすい説明
- apparent reason　はっきりした理由

明確な

「明確な」を意味する語のコロケーションを Check!

	answer	mistake	reason	instructions	speech
clear	◎	△	○	◎	◎
obvious	△	◎	○	△	×
apparent	×	×	◎	△	×
explicit	○	×	△	○	×
articulate	×	×	×	×	○

☞「明確な答え」の場合、**clear** が最も多く使われ、「明らかなミス」は **obvious mistake** が最も多く使われます。「明確な理由」は **apparent reason** が断然多く、2番目 **obvious reason** の数倍多いです。「わかりやすい説明」は **clear instructions** が多く、「明確なスピーチ」は **clear speech** が多く、**articulate speech** の数倍多いです。

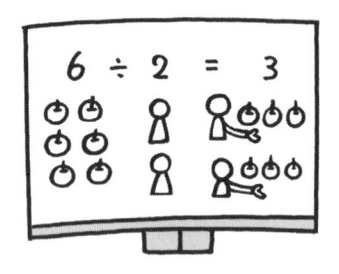

explicit instructions

articulate speaker

ランク 13 「賢い」の使い分けをマスター！

> これが使い分けの決め手！
> 「頭の回転が速い」「分別のある」「抜け目のない」の類語の使い分けが基本！

Q：次の日本語を英語で言ってください。

① その少年は本当に頭の回転が速く利発だ。
② 乗組員は問題解決のために分別ある意思決定をした。
③ その実業家は抜け目のない手ごわい交渉相手だ。

[sensible / bright / shrewd]

解答

① That small boy is really quick and **bright**.
② The crew made a **sensible** decision about how to handle the problem.
③ That businessman is really a **shrewd** and tough negotiator.

使い分けのポイント

「賢い」は、最も一般的なのは **intelligent** ですが、ラテン語の **intelligentem**（理解している）を含み、人・動物・ものにも使える幅広い語で、**「知的能力が高く聡明」**で**「奥深い知力・理解力が備わっている」**というニュアンスを持ちます。**She is intelligent.** と言うと、彼女は学校の成績だけでは測れない、「非常に優れた知性を兼ね備えている」ことになります。**clever** は「反応や理解力の速さが優れている」というニュアンスで、**「テキパキと賢くこなしていく世渡り上手」**なイメージがぴったりでしょう。しかし **clever** はその機敏さがゆえに、例えば **The boy made a clever excuse to skip school today.**（少年は今日学校を

ずる休みするため巧妙な言い訳をした）のように、「**ずる賢い、狡猾な**」「**抜け目のない**」といったネガティブな意味で使われることもあります。

　問題①の **bright** ですが、もともと「光を出して明るい、色が鮮明な」という意味もあることから、「**知性がキラリと光る聡明な、知識をどんどん吸収できる**」といったニュアンスがあり、**bright ideas**（名案）、**He is a bright young lawyer.**（彼は頭の切れる若い弁護士だ）のように使います。問題② **sensible** のニュアンスは「**常識や自分の経験に基づく、賢明な判断力を持つ**」で、**It sounds more sensible to me.**（その方がもっと賢明だと思います）、**She asked her boss for some sensible advice.**（彼女は上司に分別のある助言を求めた）のように使います。問題③ **shrewd** は「**行動や判断に無駄や間違いのない、鋭い洞察力のある**」というニュアンスで、**shrewd investment**（抜け目のない投資）、**shrewd business person**（やり手のビジネスパーソン）、**She has made a shrewd career move.**（彼女は賢明な転職をした）のように使います。

　この他にまず、**wise** は名詞 **wisdom**（英知、知恵）に関連し、「**長期に渡る経験や幅広い知識がある**」「**賢明な判断が下せる**」というニュアンスで、例えば人間に使う場合は若者にではなく、**wise old man**（博識な長老）のようにある程度年齢を重ねた大人に使うのに適しています。他に **wise decision**（賢明な決断）、**wise saying**（格言）や **It is wise to back up all the data in your computer.**（パソコンのデータはすべてバックアップをとっておくことが賢明です）のように使います。**smart** は **smart phone**（スマホ）などに表現されるように「**機械などが高性能、情報処理機能が優秀な**」というニュアンスがあり、「**利口でキビキビと頭の回転が早く、1 つの知識で 10 も 20 も学んでいく**」といった「**洗練された頭の良さ**」を表します。まさに多機能で機敏に反応して動く、賢いスマホにぴったりですね。**She's smart enough not to waste her money on luxuries.**（彼女は賢いので贅沢品にお金を無駄遣いしない）のように使います。また、口語表現で **brainy**（勉強がよくできる）も覚えておきましょう。**He is brainy when it comes to science.**（彼は科学については頭が切れる）のように用いられます。

　さらに、**brilliant** は **bright** の強意語で、「**キラキラと輝き才気あふれる**」といったニュアンスで **brilliant scientist**（頭脳明晰な物理学者）、**perceptive** は「**洞察力が鋭い、察しが速い**」で、**He's very perceptive about people.**（彼は

人の気持ちに敏感だ)。この他にも、**knowledgeable** は「**物事に精通している**」、**educated** は「**教養がある**」、**intellectual** は「**知力を使う、聡明で知力を必要とすることを好む**」、**well-read** は「**(多読による) 博学の、博識の**」などがあり、それぞれ **knowledgeable about Japanese literature**（日本文学に精通している）、**highly-educated woman**（高い教養のある女性）、**intellectual crime**（知能犯罪）、**well-read in philosophy**（哲学の造詣が深い）、のような使い方をします。

> 一目でカンタン理解！ 「賢い」系形容詞の使い分けMAP！

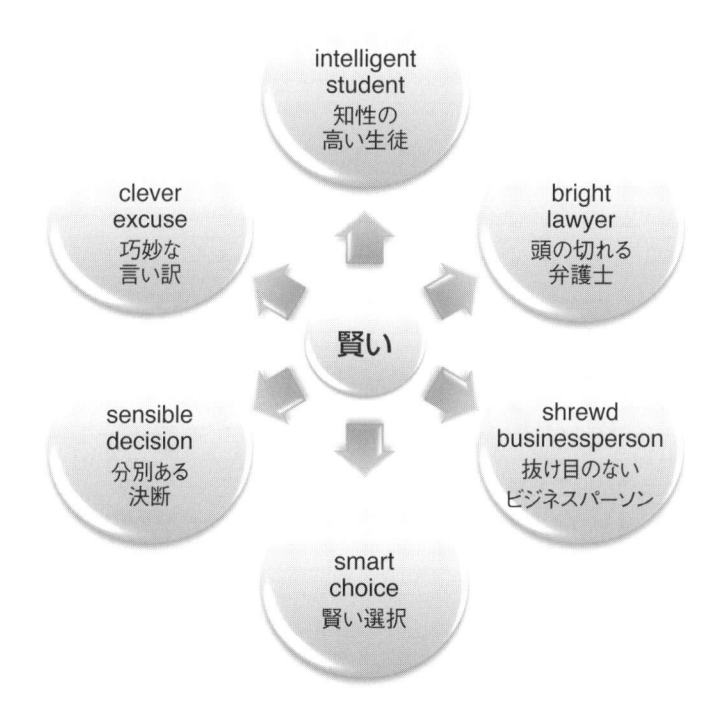

- intelligent student 知性の高い生徒
- bright lawyer 頭の切れる弁護士
- shrewd businessperson 抜け目のないビジネスパーソン
- smart choice 賢い選択
- sensible decision 分別ある決断
- clever excuse 巧妙な言い訳

中心：賢い

「賢い」を意味する語のコロケーションを Check!

	student	excuse	decision	move	choice
intelligent	◎	×	○	△	△
clever	○	◎	△	○	○
wise	○	×	◎	○	○
sensible	△	○	○	○	○
smart	◎	○	○	◎	◎

☞「賢い生徒」は smart student が最も多く使われます。「言い訳」では clever excuse が断然多く、clever のネガティブな意味「鋭いずる賢さ」が反映されています。「賢明な決断」は wise decision が最も多く、smart decision の数倍です。「賢い選択」は smart choice が圧倒的に多く、wise choice の数倍多く用いられています。（smart ＞ wise ＞ sensible ＞ clever ＞ intelligent の順）。

smart kid

clever salesperson

ランク14 「夢中な」の使い分けをマスター！

> これが使い分けの決め手！
>
> 前置詞が変わるさまざまな「夢中な」を表す類語の使い分けが重要！

Q：次の日本語を英語で言ってください。

① 問題は、ギャンブルに病みつきになっている若い母親が増えていることだ。
② 彼女はその推理小説にすっかり夢中になっていた。
③ リアムは彼女に夢中になっていて仕事に集中できない。

[crazy / absorbed / addicted]

解答

① The problem is that an increasing number of young mothers are **addicted to** gambling.
② She was deeply **absorbed in** the detective story.
③ Liam is so **crazy about** her that he can't concentrate on his work.

使い分けのポイント

　一言で「夢中になる」と言っても、「何に対してどの程度没頭している」かによって、さまざまな表現が考えられます。さらに**前置詞のイメージをマスターする**ことで、「ちょっと気になる程度」から、「どっぷりハマっているオタク系」まで、その熱中ぶりをより生き生きとリアルに表現することが可能です。

　まずは、「to」を使う表現ですが、「向かって着く」の to の語感から「くっ付いて離れない、もう元には戻れない」といったニュアンスが生まれ、問題①の **be addicted to ~**（〜にふけっている・中毒になっている）以外にも、**be attached** to ~（~に愛着をもつ）などがあり、**The girl feels so attached to her teddy bear.**（その少女はテディベアに深い愛着を持っている）のように使います。

次に「**on**」を使う表現ですが、まさに「オン！と加わる」という on の語感から、「一時的に、短期集中的に」のニュアンスが生まれ、**be keen on ~**（~に熱中している）[Mick is very **keen on** music.（ミックは音楽に夢中だ）]、**be hooked on ~**（~にはまっている）[She's **hooked on** the new SNS.（彼女は新しい SNS にはまっている）]のように使います。

「**in**」系は「イン！と取り込む」という in の語感により、「どっぷり浸かる、抜け出せない」といったニュアンスで、問題②の **be absorbed in ~**（~に没頭して）や、**be immersed in ~**（~にどっぷり浸かっている）[She got **immersed in** the conversation with her new boyfriend.（彼女は新しいボーイフレンドとの会話にすっかり夢中になった）]、**be engrossed in ~**（~にすっかり心を奪われている）[He got completely **engrossed in** the new video game.（彼はすっかりその新しいゲームにはまった）]などがあります。

「**about**」系は、「周りをぐるぐる」という about の語感から、「興奮して落ち着かない」といったニュアンスが生じ、問題③の **be crazy about ~**（~に熱狂している）以外にも、**be enthusiastic about ~**（熱烈に~をする）[They're very **enthusiastic about** the new project.（彼らは新規プロジェクトに大いに乗り気である）]などがあります。

「**with**」系は、「共に、関係」という with の語感により「何かに取りつかれた感じ」が生まれ、**be obsessed with ~**（~に取りつかれる・付きまとわれる）[She is so **obsessed with** losing weight.（彼女は体重を減らすことで頭がいっぱいだ）]や、**be preoccupied with ~**（~に心を占領される・奪われる）[He is **preoccupied with** the idea of becoming rich.（彼はお金持ちになることばかりを考えている）]などがあります。

「**into**」系は、「中に至る」という into の語感から、まさに「のめり込んでいる」意味で、**be into ~**（~にのめり込んでいる）があり、**The girl is so into the little cute puppy.**（女の子はそのかわいい子犬にぞっこんだ）、**Anne is very much into Japanese anime.**（アンは日本のアニメにどっぷりはまっている）のように使います。このように、前置詞の語感を「リアルな感覚」で体得し、表現力あふれるさまざまな英語表現をしっかりマスターしていきましょう。

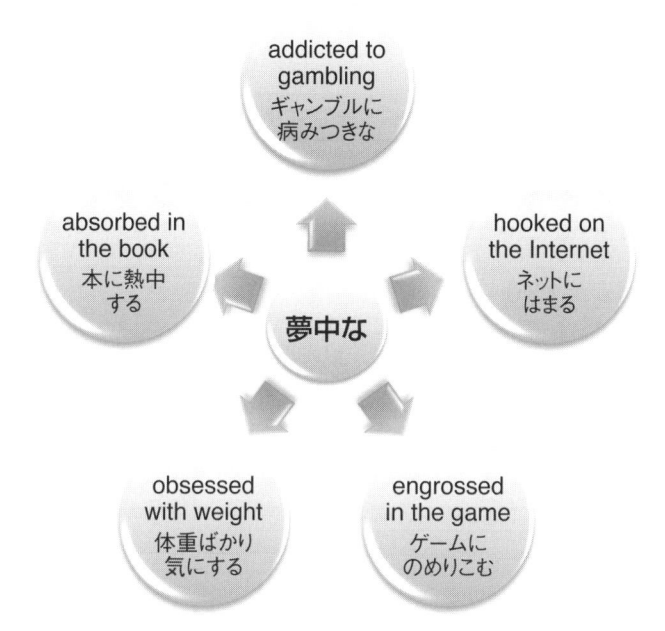

一目でカンタン理解！ 「夢中な」系形容詞の使い分け **MAP！**

- addicted to gambling　ギャンブルに病みつきな
- absorbed in the book　本に熱中する
- hooked on the Internet　ネットにはまる
- obsessed with weight　体重ばかり気にする
- engrossed in the game　ゲームにのめりこむ

夢中な

「夢中な」を意味する語のコロケーションを Check!

	gambling	drinking	the business	reading	the Internet
addicted to	◎	◎	◎	◎	○
absorbed in	○	○	◎	◎	○
hooked on	○	◎	○	○	○
obsessed with	○	○	○	○	◎
engrossed in	△	○	◎	○	◎

☞「ギャンブル」は圧倒的に **addicted to gambling** が使われ、**hooked on** の数倍多いです。「飲酒」は **addicted** と **hooked** が多く使われます。「仕事」は **absorbed in the business** が圧倒的に多く、「インターネット」は **engrossed in** と **obsessed with** が多く使われます。

ランク15 「不明確な」の使い分けをマスター！

> これが使い分けの決め手！
>
> まずは vague, obscure, dim の使い分けをマスター！

Q：次の日本語を英語で言ってください。

① その質問に対する彼の答えはあいまいすぎる。
② どうして村人全員が突然いなくなってしまったのか、まだ解明されていない。
③ 私は薄明かりの中でその絵を見た。

[dim / vague/ obscure]

解 答

① I find his answer to the question too **vague**.
② It still remains **obscure** why all the people in the village suddenly disappeared.
③ I saw the picture in **dim** light.

使い分けのポイント

　「不明確な・わかりにくい」を表す単語も数多くあり、状況に応じて使い分ける必要があります。最も一般的な単語は unclear ですが、unclear は「はっきり見えず流動的」がゆえに「不安定な」ニュアンスがあり、The situation still looks unclear. (この先の状況はどうなるかはまだわからない)、The real reason for their actions is still unclear. (彼らの行動の真の理由はまだわかっていない) のような「どうなるかはっきりしない」状況で使います。次に uncertain がありますが、こちらは unclear の意味にさらに「自信がなく不安な気持ち」

「もっと今より状況は悪くなりそうだ」といった疑念を抱いたニュアンスが加わり、**uncertain future**（先の見えない将来性）、**Plans are still uncertain.**（計画はまだどうなるか確かでない）のように「ネガティブな気持ちが強い場合」に多く用います。もうひとつ **unknown** もありますが、こちらは「未知の」という意味で **previously unknown virus**（これまで知られていなかったウィルス）、や「身元・原因などがはっきりしない」という意味で、**The man's identity still remains unknown.**（その男性の身元はまだわかっていない）のように使います。

　問題①の **vague** は「輪郭や姿などがはっきりしない」状態を表し、判断するにも情報が少なく「ぼうっとして把握が困難」といったニュアンスがあり、**vague answer**（あいまいな返事）、**vague promise**（あいまいな約束）、**vague gesture**（あいまいな仕草）、**She has a very vague idea about her career.**（彼女は将来のキャリアについて、あいまいな考えしかない）のように「言いたいことがはっきり伝わらず、全体像がぼやけてわからない」場合に使います。

　問題② **obscure** は、動詞で「覆い隠す、暗くして見えなくする」の意味があることから、「暗く隠れて見えない、容易に見つからない」「複雑で必要な情報が抜けている」といったニュアンスがあります。**obscure origin of the summer festival**（はっきりしない夏祭りの起源）、**He is highly regarded as a great artist for some obscure reason.**（彼はどういう訳か偉大なアーティストとして高く評価されている）というように、「はっきりしなくてイライラする、正体不明の」といった意味で使います。他に **obscure writer** で「無名の作家」という重要表現も覚えておきましょう。

　問題③ **dim** のニュアンスは「薄暗くてはっきりしない、見えにくい」で、非常に薄暗くてほとんど何も見えない部屋の中にポツンといる感覚をイメージしましょう。**The future looks pretty dim.**（将来の見通しはかなり暗そうだ）や、「記憶・過去などが不明瞭でおぼろげな」意味で **have a dim memory**（かすかな記憶しかない）のようにも使います。また、「音や声が小さすぎて聞き取りにくい」「光などがほのかで弱々しい」場合には **faint** を使うのが適していて、**faint voice**（かすかな声）、**faint light of a star**（惑星からのわずかな光）のように使います。

　この他にも「不明確な」の意味を持つ単語の微妙な使い分けを見ていきましょう。まず、**ambiguous** は **ambi-**（両側の）が含まれ、「どっちつかずの、意味が定ま

らない」ゆえに「2つ以上の解釈ができて混乱させる」といったニュアンスで、**ambiguous reply**（中途半端な返事）、**She takes an ambiguous position on human rights issues.**（彼女は人権問題に関してはあいまいな立場をとる）、**The politician used ambiguous terms for his statement about the bribe.**（その政治家は賄賂に関する声明の中で、あいまいな表現を使った）、のように使います。「輪郭がぼやけてあいまいな」という場合は **blurry** が適していて、**Pictures turned out blurry.**（写真がピンぼけしてしまった）、**How come my vision is blurry today?**（どうして今日は目がかすむのだろう）のように使います。**fuzzy** も「毛羽立った、毛で覆われた」という意味から「思考・音・画像などが不明瞭な」「はっきりしない」という意味で、**fuzzy concept**（あいまいなコンセプト）、**My mind is fuzzy.**（頭がボーっとする）のような使い方をします。**evasive** は「責任を逃れるような、言い逃れの」というニュアンスで、**evasive answer**（逃げ口上の答弁）、**She was evasive about where she had been that night.**（彼女はその晩の居場所に関して言い逃れをした）のように「意図的にごまかす」意味で使います。

> 一目でカンタン理解！ 「不明確な・わかりにくい」系形容詞の使い分け **MAP**！

- vague answer あいまいな答え
- uncertain future 先の見えない将来性
- obscure reason はっきりしない理由
- 不明確な
- dim light 薄暗い光
- faint voice かすかな声
- blurry photos ぼやけた写真

「不明確な」を意味する語のコロケーションを Check!

	answer	idea	reason	statement	memory
unclear	○	△	△	○	×
vague	◎	◎	◎	◎	◎
ambiguous	○	△	×	◎	×
obscure	×	○	◎	○	△
dim	×	×	×	×	○

☞「あいまいな返答」の場合、**vague answer** が最も多く、**ambiguous answer** の5倍多く使われます。「あいまいな考え」は **vague idea** が断然多く、**obscure idea** と比べると数倍多く、「はっきりしない理由」は **vague reason** と **obscure reason** が最も多く使われます。「かすかな思い出」は **vague** ＞ **dim** ＞ **obscure** の順に使われ、**vague memory** が **dim memory** の数倍多くなります。

vague answer

dim light

ランク 16 「変わった・変な」の使い分けをマスター！

> これが使い分けの決め手！
>
> ネガティブとポジティブの「変わった」の類語の使い分けをマスター！

Q：次の日本語を英語で言ってください。

① 多くの日本人カップルが教会で結婚式を挙げたいと思うのは、外国人には奇妙に思えるらしい。
② 異様な音がその部屋から聞こえた。
③ そのカップルは異常なセックスを楽しんだ。

[weird / abnormal / strange]

解 答

① It seems **strange** to foreigners that many Japanese couples like to have their wedding at church.
② I heard a **weird** sound from the room.
③ The couple enjoyed an **abnormal** sex.

使い分けのポイント

「変わった・変な」は「ネガティブとポジティブ」の大きく2つに分類され、まず「ネガティブ」な意味での最も一般的な単語は問題①の **strange** ですが、ニュアンスは「見たり聞いたりしたことがない、不慣れな」で、**strange traditions**（変わったしきたり）、**A strange man talked to me at the subway.**（地下鉄で見知らぬ男性が話しかけてきた）のように「なじみがなく変に感じる、居心地が悪い」といった場合に使います。一方、問題②の **weird** は strange と比べると「不気味でミステリアス」といったニュアンスの違いがあり、**She had a weird experience in Egypt.**（彼女はエジプトで奇妙な体験をした）、**I feel a very**

weird connection with Flex.（フレックスとは奇妙な結びつきを感じる）のように「うまく説明できず不思議で奇妙に感じる」場合に使います。**He's weird.**（彼は変だ）と言うと、「彼の考え方や行動はどう理解すればいいかわからない」というニュアンスですが、**He's strange.**（彼は変だ）と言うと日本語訳は同じでも、「彼の考えや行動パターンが自分には不慣れなもので変わっている」といったニュアンスの違いがあるのです。うまく使い分けできるようになりましょう。

　問題③の **abnormal** は「正しい状態でない、異常で心配させるような、害を及ぼす可能性がある」というニュアンスで、**abnormal behavior**（異常な行動）、**abnormal eating habits**（異常な食習慣）、**The price of vegetables has been soaring due to abnormal weather conditions.**（異常気象のため野菜の価格が急騰している）のように、「行動、検査結果、天気」や「身体の異常」などに見られる「ある基準から外れて正常でない」という場合に使います。

　この他に、**odd** は strange によく似ていますが特に「予期できず理解に苦しむ」意味合いが強く、**His behavior seems odd to me.**（彼の行動は突拍子もない感じがする）、**It is odd that my recalcitrant son came home very early today.**（私の不良息子が今日は早く帰ってきたなんて変だ）のように使います。また、**funny** もありますが、こちらは「予想外で変な」というニュアンスで **funny smell**（変なにおい）、**This milk tastes funny.**（この牛乳は変な味がする）や、「説明できない」といった意味で **It's funny but I feel like I have met you before.**（何だか変ですが、あなたには以前会っているような気がするのです）のような使い方をします。**queer** はもともと「変わり者の」という意味ですが「ホモセクシュアル」の意味で使われることが多いです。**grotesque** は「醜くて奇怪な」**grotesque demon mask**（グロテスクな悪魔のマスク）、**spooky** は「幽霊が出そうなくらい薄気味悪い」という意味で **spooky night**（気味の悪い夜）、**spooky house**（お化けの出そうな家）などもあります。

　「ポジティブ」な意味では、まず **unique** がありますが、「独特の、唯一無二の」「他には存在しない」というニュアンスで **unique talent**（特異な才能）や、**unique atmosphere of Greenwich Village in N.Y.**（ニューヨークのグレニッチ・ビレッジの独特な雰囲気）のように使います。次に、**unusual** は単に「usual（通常）とは異なる」という意味で悪い意味はなく、**The producer remembers the woman because of her unusual name.**（プロデューサーは、その珍しい名前のせいで彼女のことを覚えていた）のように「珍しくて気を引く」

という意味合いで使います。この **unusual** の「珍しさ」に **「不思議な感じで好奇心をそそる」** ニュアンスが加わったのが **curious** で **curious coincidence**（不思議な縁）や、**It was curious that she didn't tell anyone.**（彼女が誰にも話していなかったのは妙だ）のような使い方をします。**bizarre** は **「呆れるほど奇怪で興味をそそる」** といったニュアンスで **bizarre fashion**（風変わりなファッション）、**bizarre behavior**（奇妙な行動）のように **「外見や性質」** などに使います。**peculiar** はラテン語 **peculias**（個人の財産）の意味から、**「人や物が特異な習慣や性質を持っている」** といったニュアンスで、**peculiar smell of hospitals**（病院独特のにおい）、**It's a religious custom peculiar to Japan.**（それは日本特有の宗教的慣習です）のように使います。この他、**「風変わりで面白い」** なら **eccentric** で、**eccentric person**（個性的な変わり者）のように使います。

――― 一目でカンタン理解！「変わった・変な」系形容詞の使い分け **MAP**！―――

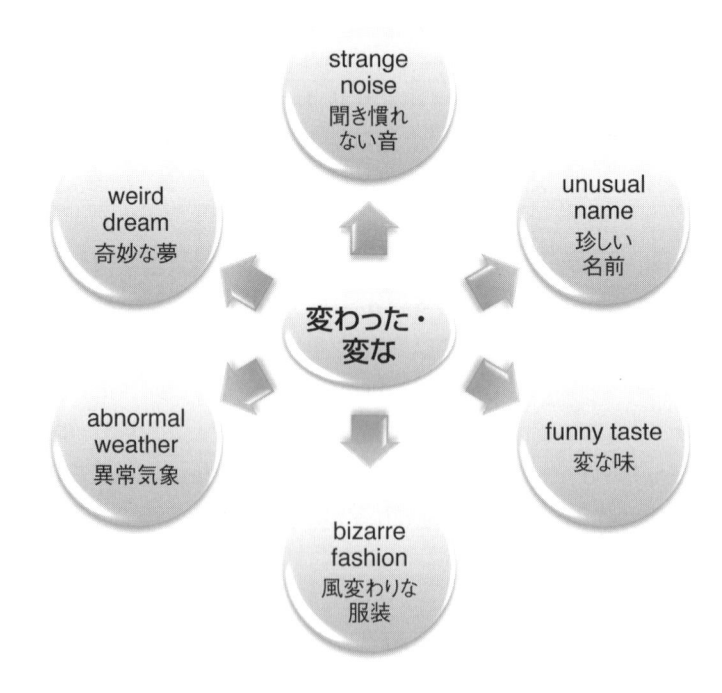

- strange noise 聞き慣れない音
- unusual name 珍しい名前
- funny taste 変な味
- bizarre fashion 風変わりな服装
- abnormal weather 異常気象
- weird dream 奇妙な夢

中心：変わった・変な

「変わった・変な」を意味する語のコロケーションを Check!

	noise	weather	behavior	idea	fashion
strange	◎	△	○	◎	○
weird	◎	◎	○	◎	◎
abnormal	○	△	○	×	△
unusual	◎	△	○	○	◎
bizarre	×	×	◎	○	◎

☞「変な音」は **strange noise** が最も多く、**strange**＞**weird**＞**unusual**＞**abnormal** の順に使われます。「突飛な行動」は **bizarre behavior** が最もよく使われ **strange behavior** や **abnormal behavior** より数倍頻度が高いです。「変わった服装」は **bizarre fashion** が最も多く使われます。

ランク17 「大変な・疲れる」の使い分けをマスター！

> これが使い分けの決め手！

hard, difficult, tough の使い分けが基本！

Q：次の日本語を英語で言ってください。

① その本は手に入れるのが非常に困難である。
② 彼は今朝、ひどい交通渋滞に巻き込まれた。
③ あれこれうるさい上司のせいで気が狂いそうだ！

[heavy / demanding / hard]

解 答

① The book is so **hard** to come by.
② He got caught in a **heavy** traffic jam this morning.
③ My **demanding** boss is really driving me crazy.

使い分けのポイント

「大変な・疲れる」を表す最も一般的な単語は問題①の **hard** ですが、**hard** のニュアンスは「非常につらく耐え難い、苦しい」「努力・労力を要する」で、**hard work**（きつい仕事）、**hard training**（猛烈な訓練）、**I find it so hard to kick my drinking habit.**（飲酒癖を止めるのは大変難しいと感じる）のように使います。「困難な」は **difficult** もありますが、こちらは「知恵・技術・忍耐を必要として難しい」というニュアンスで、**This math problem is so difficult for me to solve.**（この数学の問題は解くのが非常に難しい）、「(人が)扱いにくい」という意味で **That old man is very difficult to please.**（あの老人は非常に気難しい）のように使います。**difficult** と比べた場合、**hard** の方

が口語でよく使われる傾向があります。

　tough は「固くて折れない、頑固な」という意味から、「体にこたえる、つらい」「解決が困難な」といったニュアンスがあり、**tough negotiation**（厄介な交渉）、**tough competitor**（手ごわい競争相手）、**It's really tough out there.**（状況は極めて困難だ）のように使います。

　問題②の **heavy** は「ある一定量を超えて大変な」という意味で、**heavy snow**（豪雪）、**heavy drinker**（ひどい酒飲み）、**She wants to share a heavy burden of childcare with her husband.**（彼女は子育ての大きな負担を夫と共有したい）のように使います。

　問題③ **demanding** は、まさに動詞 **demand**（要求する）の意味が反映され「要求が多く、大変な労力や辛抱がいる」「時間がとられる」といったニュアンスで、**demanding wife**（あれこれうるさい妻）、**physically demanding job**（肉体的にきつい仕事）、**She needs eight hours of sleep every day to keep up with her demanding schedule.**（彼女はきついスケジュールをこなすために毎日8時間の睡眠が必要だ）のように使います。

　その他には、**challenging** は「実力や能力を試すような、骨が折れるがやりがいのある」というニュアンスで **challenging career**（やりがいのある仕事）、**challenging situation**（骨の折れるような状況）のように使い、**exhausting** は「ヘトヘトに疲れさせる、心身を消耗させる」というニュアンスで、**emotionally exhausting experience**（精神的に非常にきつい経験）、**"What a long and exhausting day!"**（何と長く疲れる一日だろう！）のように使います。**exacting** は主に「基準や規則を厳しく守らせる、期待に応えさせる」というニュアンスで、**exacting requirements**（厳しい要求）、**ABC company has a great reputation for developing high quality products that meet exacting standards.**（ABC会社は、厳格な基準を満たす高品質な製品を開発するという素晴らしい評判がある）のように使います。

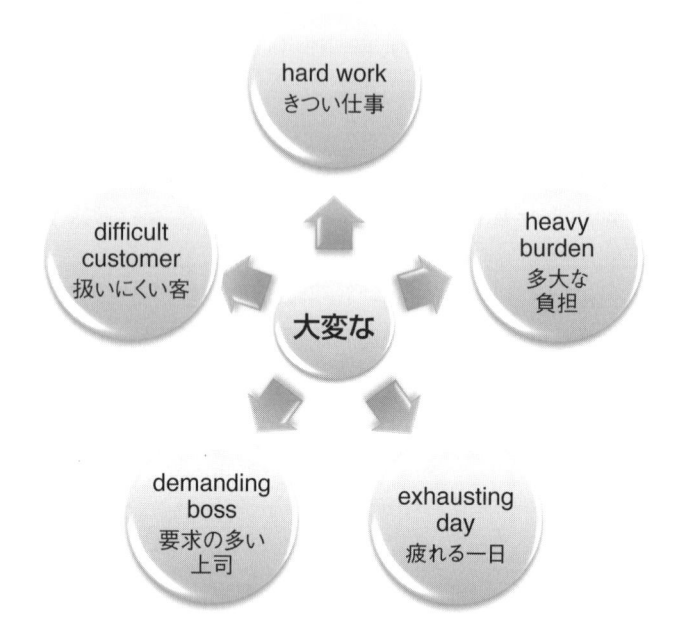

一目でカンタン理解！「大変な・疲れる」系形容詞の使い分けMAP！

- hard work きつい仕事
- heavy burden 多大な負担
- difficult customer 扱いにくい客
- demanding boss 要求の多い上司
- exhausting day 疲れる一日

大変な

「大変な・疲れる」を意味する語のコロケーションをCheck!

	work	customer	burden	schedule	day
hard	◎	×	△	○	◎
difficult	○	◎	×	○	○
heavy	○	×	◎	◎	○
demanding	○	◎	×	◎	△
exhausting	○	×	×	△	○

☞「きつい仕事」の場合、**hard work** が圧倒的に多く、**hard** ＞ **heavy** ＞ **difficult** ＞ **demanding** ＞ **exhausting** の順に使われます。「扱いにくい客」は **difficult customer** と **demanding customer** がほぼ同じで最も多く使われます。「**大変な負担**」は **heavy burden** が断然多く、「**きついスケジュール**」は **heavy** と **demanding** がほぼ同じで多く、2番目 **difficult** の数倍多く使われます。

252

ランク 18 「ばかげた」の使い分けをマスター！

> これが使い分けの決め手！
> **stupid, silly, dumb** の使い分けが重要！

Q：次の日本語を英語で言ってください。

① 君のくだらないジョークには飽き飽きしている！
② 夏に革ジャンを着るなんて彼はどうかしている。
③ どうしてそんなにアホなの？（もっと脳みそを使えば？）

[dumb / crazy / stupid]

解 答

① I'm sick and tired of your **stupid** jokes!
② He must be **crazy** to wear a leather jacket in summer.
③ How come you are so **dumb**?

使い分けのポイント

「ばかげた」を表す最も一般的な単語は問題①の **stupid** と **foolish** ですが、まず **stupid** のニュアンスは「良識や分別がなく愚かで腹立たしい」で、**stupid idea**（ばかばかしい考え）、**stupid question**（くだらない質問）、**"Julia stood me up! I feel so stupid."**（ジュリアにデートをすっぽかされた！ なんて自分は馬鹿だろう！）などの例に見られるように、**stupid** は「強いイライラ」を含みます。**foolish** は「判断力に欠ける愚かさ」を表し、**stupid** と比べるとやや改まった場合に用いられ、**stupid** ほどの腹立たしい感情はありません。問題② **crazy** は「正気ではない、頭がおかしい」意味で **"Are you crazy? You could have been dead by now!"**（頭がおかしいんじゃないの？ 今頃死んでいたかもしれな

いのよ！）、**"He smokes three packs of cigarettes every day. It's crazy!"**（彼は毎日タバコを3箱吸うのです。まともじゃないわ！）のように使います。問題③ **dumb** は「口がきけない」という意味の差別用語にもあたるので注意が必要ですが、この場合のニュアンスは「頭が鈍いにも限度がある、理解力が無さすぎる」で、「頭をもっと使えばどう？」といったカチンとくるほどの「頭の回転の悪さ」を表します。例文以外に、**"Don't play so dumb!"**（とぼけないでよ）のような表現もよく使われます。

　その他、**silly** は「子供じみていて分別のない」といったニュアンスで、**silly movie**（ばかばかしい映画）、**He made a lot of silly mistakes today.**（彼は今日つまらないミスをたくさんした）、**I felt so silly in the Santa Claus costume.**（サンタの衣装を着てひどく間抜けな感じがした）のように使います。**absurd** は「常識からは考えられない」といったニュアンスで、**absurd rumor**（ばかげた噂）、**ridiculous** は軽蔑的なニュアンスで「途方もない、非常識な」意味で **It is ridiculous that one T-shirt costs twenty thousand yen.**（Tシャツ一枚が2万円もするなんてどうかしている）のように使います。

> 一目でカンタン理解！ 「ばかげた」系形容詞の使い分け**MAP**！

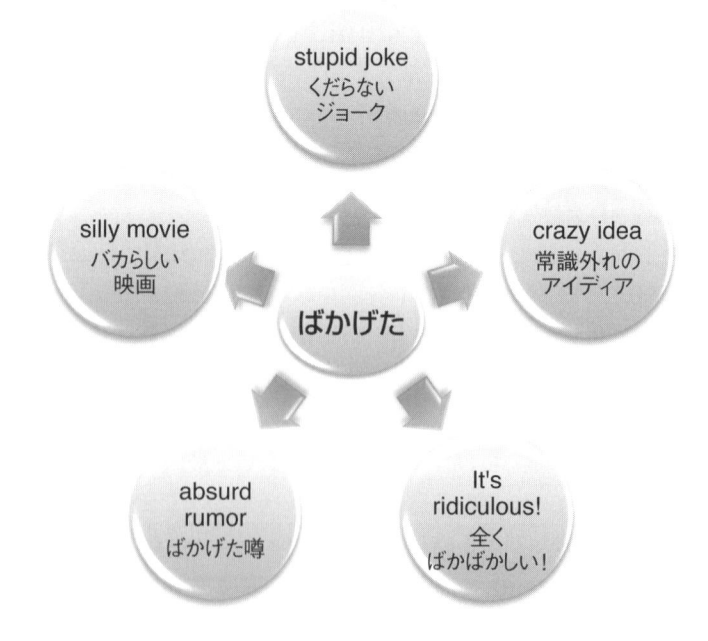

- stupid joke　くだらないジョーク
- crazy idea　常識外れのアイディア
- It's ridiculous!　全くばかばかしい！
- absurd rumor　ばかげた噂
- silly movie　バカらしい映画

中心：ばかげた

「ばかげた」を意味する語のコロケーションを Check!

	joke	idea	question	rumor	price
stupid	◎	◎	◎	◎	○
crazy	○	◎	△	◎	◎
silly	◎	○	○	○	○
absurd	○	○	△	○	△
ridiculous	○	○	○	◎	◎

☞「ばかげたジョーク」は **stupid joke** と **silly joke** が最も多く、「ばかげた質問」の場合、**stupid question** は **silly question** の数倍多く使われ、**stupid** ＞ **silly** ＞ **ridiculous** ＞ **crazy** ＞ **absurd** の順に使われます。「とんでもない値段」は **ridiculous price** と **crazy price** がほぼ同じで最も多く、**stupid price** の数倍多く使われます。

これもマスター！ 形容詞の重要類語グループ ⑨

★始めの★

basic は「最も重要な基礎となる」、**elementary** は「初歩で全く最初の段階の」、**rudimentary** は「まだ荒削りで不十分な」、**introductory**「導入としての、前置きの」、**entry-level** は「入社間もない、初心者レベルの」、**primeval** は「原始の」、**inaugural**「開会の」。

★田舎の・地方の★

rural は「素朴で平和な田舎の」、**country** は「地方の」、**rustic** は「典型的な田舎の、素朴（粗野）な」、**idyllic** は「非常に美しいのどかな田園詩風の」。

★独特の★

original は「独創的な」、**peculiar** は「特定の地域や人に限定されている」、**characteristic** は「人や物の象徴的な特徴となる」、**individualistic** は「個性的な」、**distinctive** は「際立った特徴があり、他のものとはっきり区別ができる」。

★控えめの・おとなしい★

quiet は「無口で控えめな」、**mild** は「性質などが生まれつきおとなしい」、**moderate** は「節度を守って控えめな」、**humble** は「謙遜して自分を下に見せる」、**modest** は「能力や業績を言いたがらない」、**reserved** は「本心を話したがらない」。

★古い★

ancient は「古代の、古くさい」、**old-fashioned** は「流行遅れの」、**outdated** は「古くなって時代に合わない」、**antique** は「旧式で骨董の、古いがゆえに価値がある」、**stale** は「食品などが新鮮でない」、**secondhand** は「中古の」、**worn-out** は「使い古してぼろぼろの」、**obsolete** は「廃れた、旧式でもう使われていない」。

使い分けに注意が必要な形容詞グループ

〈穏やかな〉：**calm** +「声・**天候・海**・声・態度・**気分**など」
　　　　　：**mild** +「**気候**・態度・**性質**・規則・罰・声など」
〈濃い〉：**strong** +「スープ・**酒・コーヒー**・シロップ・酸など」
　　　：**dense[thick]** +「**霧**・雲など」
〈広い〉：**wide** +「部屋・経験・**口・割れ目・肩幅**など」
　　　：**broad** +「**心・知識**・道路など」
〈反対の〉：**opposite** +「側・傾向・**意見・効果**・方向など」
　　　　：**contrary** +「**報告・風・意見**・立場・方向など」
〈高い〉「高いビル」は **tall building** だが、「低いビル」は **low building** で要注意！（**short** は少ない）、**tower** は **high, tall, low, short** どれも使う。
〈狭い〉**narrow** は用法が狭く、「肩幅・額・意味・心・部屋」には使えるが、「知識・世界・エリア」などには **small, limited** を使う。
〈深い〉**deep** は用法が広く「洞察力・愛・罪・悲しみ・色」などに使えるが、その反対語 **shallow** はそれらに使えない。
〈老いた〉**old** は用法が広く、何でも修飾できるが、**young** は狭く、「人・木・顔・イメージ・文明・時代」以外には使えない。

英語の方が用法が多くて便利な形容詞グループ

〈あいまいな〉：**vague** +「態度・しぐさ・記憶・約束・目的」
〈主な〉：**main[primary]** +「テーマ・関心事・メンバー・産業・意味」
〈明らかな〉：**obvious** +「理由・説明・計画・立場・事実・欠陥」
〈いい加減な〉：**sloppy** +「答え・判断・仕事・英語・労働者」
〈一時的な〉：**temporary** +「協定・政府・家・幸福・仕事」
〈強い〉：**strong** +「意志・エンジン・経済・布地・壁・体」
〈純粋な〉：**pure** +「金・シルク・ワイン・動機・学問」
〈特別な〉：**special[particular]**（事実・イベント・ニュース・人など非常に多い）
〈便利な〉：**useful[convenient]** +「道具・本・情報・仕組み・助言・台所」
〈独特の〉：**peculiar** +「性格・声・方法・行動力・習慣・様式・絵」
〈静かな〉：**quiet** +「生活・場所・通り・エンジン・音楽・性格・声・態度・言葉」

Chapter 3
名　詞

ランク1 「お金」系名詞の使い分けをマスター！

> これが使い分けの決め手！
>
> **expense, cost, fee, charge の使い分けが基本！**

Q：次の日本語を英語で言ってください。

① 彼はかつて会計士で高給取りだったが、今では週給3万円で働いている。
② 高い家賃を払うために食費を削らなければ。
③ 現金払いなら1割引きし、お買い求めの品は無料で配達します。
④ そこでは、ごくわずかだけど入場料を払わなくてはならない。

[charge / cash / discount / expense / fee / salary / rent / wage]

解答

① He used to earn a high **salary** as an accountant, but he is now working for a weekly **wage** of 30,000 yen.
② We must cut down on our food **expenses** to pay a high **rent**.
③ You get a 10 percent **discount** if you pay in **cash**, and your purchases are delivered free of **charge**.
④ You will have to pay a small entrance **fee** there.

使い分けのポイント

「お金」と言えば **money** でしょうが、一口で「お金」と言っても、**cash**（現金）、**change**（おつり、小銭）、**bill**（勘定、請求書、紙幣☞ a ten dollar bill 10ドル紙幣）、**coin**（硬貨）のように呼び方が変わります。

また、「金は天下の回りもの（Money will come and go.）」とも言われますが、世の中を流通するお金、すなわち「**通貨**」は **currency**（「川などの流れ」

を表す current から転用）です。そして「**お金の出入り**」は **income**（収入）と **expense**（支出）ですが、**国や公共団体などのレベル**になると、**revenue**（歳入）や **expenditure**（歳出）、特に**ビジネス・企業レベル**では **profit**（利益）や **loss**（損失）なども使われます。さらに、そうした日々の営みを支え補うものとして、**fund**（資金、基金）、**budget**（予算）、**debt**（借金）、**deposit**（預金、敷金）などがあります。

そしてさらに細かく「**お金**」を見てみると、まずは「**給料**」系として、「**知的労働や技術を要する労働に対して、定期的に固定給として支払われる報酬**」は **salary**、「**肉体労働や技術を要しない仕事に対して、時給・日給・週給で支払われる賃金**」は **wage** と言われ、その両方の意味を合わせたものとして **pay**（給料、報酬、手当て全部を表す）もよく用いられます。

さらに「**特別収入**」系として、**bonus**（特別手当、ボーナス）、**reward**（報酬、ほうび、報償金）、**allowance**（おこづかい、手当金、仕送り）、**subsidy**（補助金）、**scholarship**（奨学金）、**grant**（補助金、助成金、奨学金）、**pension**（年金）、**insurance money**（保険金）、**benefits**（給付金）などがあります。

反対の「**費用**」系名詞では、「**ある物事を行うために使うお金**」である **expense**（費用☞ cost と違って払い戻しされる場合もある！）が **food expenses**（食費）、**travel expenses**（旅費）、**school expenses**（学費）のように広く使われていますが、「**何ためにどのように使うお金なのか**」によって、**cost**（ある物を手に入れたりある事をするのに必要な費用・犠牲）、**fare**（乗り物の運賃）、**fee**（医師・弁護士など専門職への謝礼、会費、授業料、入場料などの料金）、**tuition**（授業料、月謝）、**toll**（通行料、使用料）、**rate**（水道・電気・ガスなどの単位当たりの料金、公共料金、為替相場）、**bill**（勘定、請求書）、**rent**（賃貸料、家賃）、**charge**（サービスに対する料金、手数料、つけ☞ free of charge 無料で）、**tax**（税金）、さらには **fine**（罰金）、**penalty**（反則金）などもあり、日常生活の中でこれらを使い分けていくことが大切です。

さらに、TOEIC などの資格試験でも出題され、日常生活やビジネスでもよく使われる「**お金**」系名詞として **price**（商品の値段・価格）、**commission**（代理業務に対する手数料）、**discount**（割引）、**interest**（利子、利息）、**reimbursement**（返金）、**installment**（分割払い）、**stipend**（俸給、支払金、給付金）、**perquisite**（賃金以外の付加給与、心づけ）などもしっかりマスターしておきましょう。

一目でカンタン理解！「お金」系名詞の使い分け MAP！

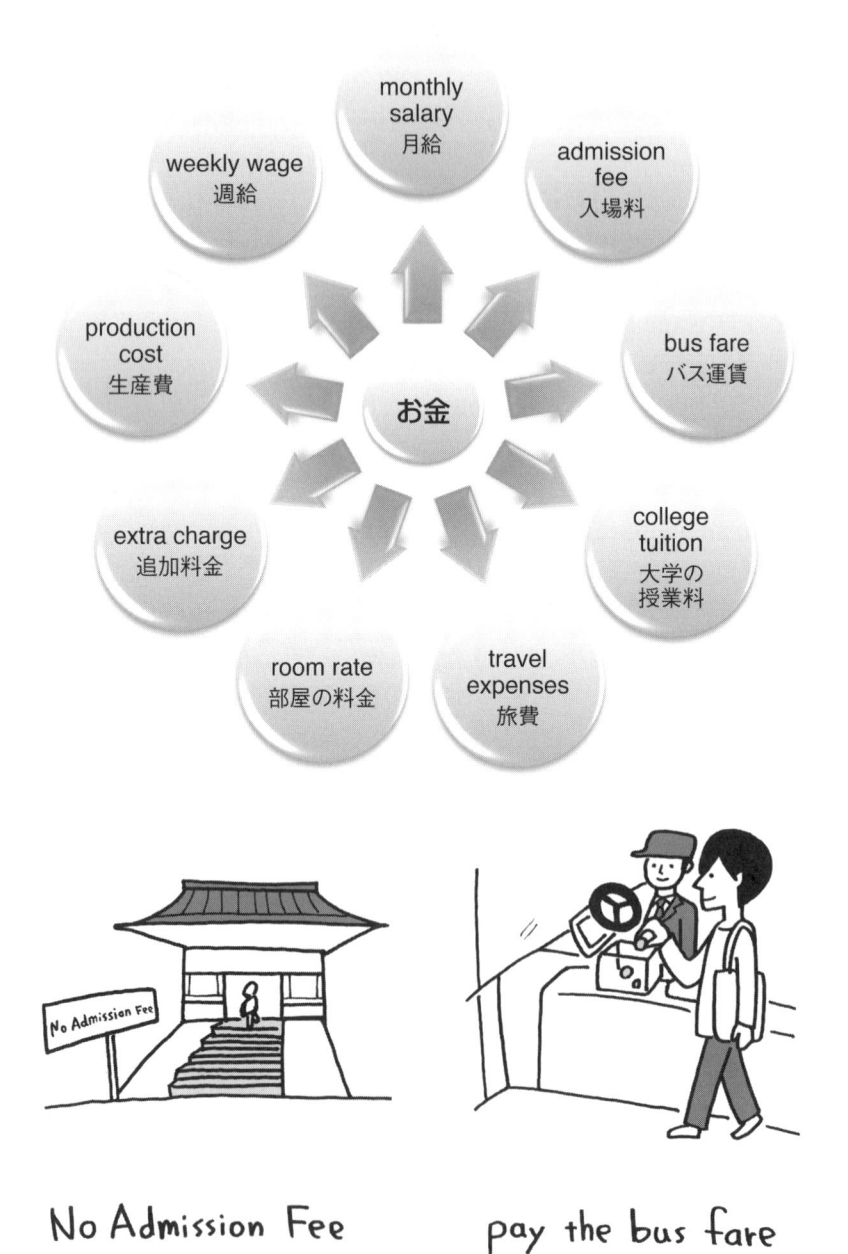

- monthly salary　月給
- weekly wage　週給
- admission fee　入場料
- production cost　生産費
- bus fare　バス運賃
- お金
- extra charge　追加料金
- college tuition　大学の授業料
- room rate　部屋の料金
- travel expenses　旅費

No Admission Fee

pay the bus fare

「お金」を意味する語のコロケーションを Check!

	monthly	hourly	housing	bus	college	service
salary	◎	○	×	×	×	×
wage	×	◎	×	×	×	×
expenses	△	×	◎	×	◎	×
cost	◎	×	◎	△	○	△
fee	◎	△	×	×	◎	○
fare	×	△	×	◎	×	×
charge	△	△	×	×	×	◎

☞ **monthly** では、**monthly salary**（月収）や **monthly cost**（ひと月にかかる費用）や **monthly fee**（月会費）などが、**hourly** では、**hourly wage**（時給）が、**bus** では **bus fare**（バスの運賃）が、**service** では **service charge**（サービス料金、手数料）が圧倒的に多く用いられます。一方、**housing** では **housing expenses** と **housing cost**（共に住居費）が同程度に、**college** では **college expenses** と **college fee**（共に学費＝tuition）が同程度に用いられます。

これもマスター 「問題」系名詞の使い分け

「問題」系名詞には、**question**（単純な疑問・質問から、議論を引き起こす問題まで幅広く表す最も一般的な語で、いろいろな答えが可能で、必ずしも解決できない場合もある）、**problem**（question よりも複雑な問題、難問。困難であっても、必ず解決することが要求されるような難題）、**issue**（議論や法律上の争点となっているもので、特に決着が迫られている社会的・国際的問題☞ the issue to discuss（議論すべき問題）と the problem to solve（解決するべき問題）の違いに注意です！）、**matter**（取り組むべき困った状況）、**subject**（話・研究・芸術などの主題やテーマ）などがあります。

それぞれ、**The question is whether he can do it in time.**（問題は彼が時間内にそれができるかどうかだ）、**Bullying at school has become a serious social problem.**（学校でのいじめは深刻な社会問題になっている）、**The territorial issue between the two countries should be resolved as soon as possible.**（その２国間の領土問題はできるだけ早く解決されなければならない）、**What's the matter?**（どうかしたの）、**The book covers a religious subject.**（その本は宗教上のテーマを扱っている）のように用いられます。

ランク2 「仕事」系名詞の使い分けをマスター!

> これが使い分けの決め手！
> **work, job, career** の使い分けが基本中の基本！

Q：次の日本語を英語で言ってください。

① ダンナさんが家の仕事（家事）をちゃんと分担してくれるなんて、うらやましい。
② その問題が多いクラスを担当するのが教師としての最初の主な仕事だった。
③ 彼女は一生の仕事として医療を選んだ。
④ わが社には販売員の仕事の空きが2人分ある。

[**assignment / career / chore / opening**]

解 答

① I envy you because your husband does his fair share of the household **chores**.
② My first major **assignment** as a teacher was to handle the troubled class.
③ She chose medicine as a **career**.
④ There are two **openings** for sales representatives at our company.

使い分けのポイント

「仕事」と言われてまず思い浮かぶのは **work** や **job** ですが、**work** は「**play**（遊び）と対比される、肉体的・精神的な活動全般」を意味する最も一般的に用いられる言葉で、**仕事**以外にも、**作業・運動・勉強・研究・芸術活動や作品**など、実に幅広い活動を表すことができます。

それに対して、**job** はふつう「収入を伴う具体的な仕事や勤め口」を意味し、日本人がよく言う「仕事ですから」は **It's my job.** で、**It's my work.** とは言いません。また **You did a great job!**（よくやったね）や、**I have lots of jobs to do on Sunday.**（日曜日にはやらなくてはならないことでいっぱいだ）のような意味でも使われ、**work** と同様に幅広い用法があります。

　さらに **business** は「物品の売買など商売全体」を表す言葉です。日本語の「ビジネス」は、会社などで行われる仕事のイメージが強いようですが、英語では「商売」という意味合いが強くなります。また、「**pleasure**（大いに楽しんで行う活動）とは逆の仕事として行う活動」というニュアンスから、**I mean business.**（遊びじゃないよ、本気だよ）や **Let's go down to business.**（さあ、本番だ）のような表現や、「自分の関心や関わり合いのある事」というニュアンスから、**That's none of your business.**（余計なお世話だ）のような表現もあります。

　career は、「少なくとも数年間は専門的訓練を必要とし、その後も努力を続けて自分を高めていく一生の仕事とされるもの」を表し、その人の「生涯や経歴」という意味でも使われます。

　また、アンケートや書類などで見かける「職業欄」にぴったりなのが **occupation**（生計を立てるための仕事）で、**I am a teacher by occupation.**（職業は教師です）のように使えます。さらに **opening** は「就職口や仕事の空き」を意味し、**job opening** で「求人」を表します。

　venture はベンチャービジネスという和製語も定着したように、**a new business** の意味でもあり、「危険を冒して行う新しい商売」のことです。

　office には、「重要な地位や役職」という意味があり、**take office**（重要な役職に就任する）のように使われます。

　このようにさまざまな言葉がある「仕事」系名詞ですが、その使い分けをさらにもっと詳しく分類してみると **5つの方向性** があります。

　1つ目は「理想の仕事」系で、**vocation**（それで生活費を稼ぐかどうかを問わず、社会のために自分の天職として打ち込む仕事）、**calling**（教職や看護職などのように強い使命感をもって行う仕事）などがあります。

　2つ目は「技能・熟練が必要な仕事」系名詞で、**profession**（弁護士・医師・建築家などのように専門的知識と訓練を必要とする仕事）、**craft**（職人などの手先の技術を要する手工芸）、**trade**（商売、取引、貿易や、大工職など手の熟練を必要とする仕事）などがあります。

3つ目は**「任務・義務としての仕事」系名詞**で、**task**（一定期間にやるべき職務、作業課題）、**assignment**（割り当てられた職務、課題、宿題）、**duty**（自分の地位や職業上果たさなくてはならない当然の職務）、**mission**（大切な任務・使命で、その任務のために他の国やどこか別の場所に行くことも含む）などがあります。

4つ目は**「つらく苦しい大変な仕事」系名詞**で、**labor**（特にきつい肉体的な労働）、**grind**（肉体的あるいは精神的にも疲れる、あるいは退屈で時間も労力も相当かかる仕事）、**toil**（長時間に渡るつまらない重労働であるため、肉体的に疲れる仕事）などがあります。

最後の5つ目は**「面白味のない仕事」系名詞**で、**chore**（定期的にしなければならない退屈な雑用☞ household chores 家事）、**routine**（型にはまった日常の業務）、**drudgery**（社会的に意味がないと思えて楽しめない退屈な仕事）、**errand**（おつかい、使い走り）などがあります。

一目でカンタン理解！ 「仕事」系名詞の使い分け **MAP！**

- volunteer work ボランティア活動
- full-time job 定職
- occupational disease 職業病
- academic career 学者としての経歴
- vocational training 職業訓練
- manual labor きつい肉体労働
- household chores 家事
- book-publishing business 出版業

仕事

「仕事」を意味する語のコロケーションを Check!

	manual	skilled	paid	academic	household
work	○	◎	◎	◎	○
job	△	○	○	△	×
labor	◎	◎	△	×	△
career	×	×	×	◎	×
business	×	△	×	△	△
occupation	×	△	×	×	×
chores	×	×	×	×	◎

☞最も広く用いられるのは **work** ですが、**manual** では **manual labor**（肉体労働）、**academic** では **academic career**（学者としての経歴）、**household** では **household chores**（家事）の使用頻度が高くなります。

volunteer work

job responsibility

ランク3 「道具」系名詞の使い分けをマスター！

> これが使い分けの決め手！
>
> **tool, utensil, instrument, apparatus** など、さまざまな「道具」の類語の使い分けをマスター！

Q：次の日本語を英語で言ってください。

① インターネットは宣伝のための効果的な道具となっている。
② 物を切り分けるための最良の道具は、長くて鋭くてしなやかなナイフである。
③ その少年は呼吸用器具を着用した消防士たちによって救出された。
④ 楽器を学ぶことは音楽を理解するきっかけとなる。
⑤ 彼はまもなく掃除機や洗濯機などの家庭用電気器具を使えるようになるだろう。

[apparatus / appliance / instrument / tool / utensil]

解答

① The Internet has been an effective **tool** for advertising.
② The best carving **utensil** is a long, sharp, flexible knife.
③ The boy was rescued by firemen wearing breathing **apparatus**.
④ Leaning a musical **instrument** introduces children to an understanding of music.
⑤ He will soon learn to use a vacuum cleaner, washing machine, and other household electric **appliances**.

使い分けのポイント

　日常会話では、道具は **stuff** や **things** でよく代用されますが、より明確にするためにさまざまな類語も用いられます。まず「道具」で最も一般的な語は **tool** でしょう。**tool** は、もともと **saw**（のこぎり）や **hammer**（金槌）など、何かを作ったり修理したりする時に、特に職人の人たちが「仕事や作業を容易にするために手に持って使う小さい工具や用具」のことを言います。
　さらにそこから転じて、**A good education can be a tool for success.**（立派な教育は成功のためのひとつのツールだ）、**Cellphones have become a communications tool indispensable to our daily lives.**（携帯電話は我々の日常生活に不可欠のコミュニケーションツールとなった）のように比喩的に「ある目的を達成するための必要かつ有効な物や手段」を表し、とても幅広い範囲で使うことができる言葉です。しかし、「何のためにどのように使う道具」なのかをもっと明確にして表現できるようになるために、さまざまな「道具」系名詞を使い分けられるようになりましょう。
　まず、ふつう **tool** は家庭用品や台所用具には用いないので、「一般家庭で用いられる持ち運びができるような器具」には **utensil** が用いられ、**household utensils**（家庭用品）や、**kitchen utensils**（ナイフやフォークなどの台所用品）などのように使われます。
　次に「正確さが必要とされる細かい仕事で用いられる精密機器や、科学的・芸術的目的で用いられる精巧な器具」には **instrument** が用いられ、**medical instruments**（医療用器械）や **musical instruments**（楽器）のように使われます。「洗濯機・掃除機・冷蔵庫などの家庭用電化製品」には **appliance** が用いられ、**digital appliance**（デジタル家電）、**the Household Electric Appliance Recycling Law**（家電リサイクル法）のように使われます。
　一方「ある特定の目的のための道具一式（セットになったもの）」には **unit**（一揃いの装置）、**apparatus**（器具一式）、**gear**（用具一式）、**implement**（農業・園芸用道具一式）などがあり、**kitchen unit**（調理用ストーブ・流し台・戸棚など一式）、**laboratory apparatus**（実験用器具一式）、**fishing gear**（釣り道具）、**farming implements**（農機具）などのように使われます。
　「小型の道具」には **equipment**（ある目的のための設備・道具☞不可算名詞であることに注意しましょう！）、**device**（工夫された機械的な装置）、**gadget**（缶切りや栓抜きなどの気の利いた特殊な用途の小道具）や、俗語で **gizmo**（ちょっ

とした仕掛け、からくり）などがあり、**office equipment**（事務所の備品）、**time-saving device**（時間を節約できる装置）、**portable game gadget**（携帯ゲーム機）、**high-tech gizmo**（ハイテク技術を利用した機器）のように使われ、さらに**「工夫を凝らした巧妙な装置や仕掛け」**には **contrivance**（考案品）、**contraption**（奇妙な仕掛け）などが、**「据え付けの備品」**には、**installation**（取り付けられた装置）、**fixture**（固定具、取り付け備品☞ lighting fixtures 照明器具）などがあります。

一目でカンタン理解！ 「道具」系名詞の使い分け MAP！

- cutting tool 刃物
- kitchen utensils 台所用品
- musical instruments 楽器
- breathing apparatus 救命用の呼吸器具
- electric appliance 家電
- high-tech device ハイテク装置
- office equipment 事務所の備品

道具

「道具」を意味する語のコロケーションを Check!

	medical	agricultural	electric	kitchen
tool	○	○	○	△
instrument	○	×	○	×
equipment	◎	◎	◎	○
appliance	○	×	◎	◎
utensils	×	×	×	◎
apparatus	○	×	○	×
device	◎	×	○	×
implement	×	◎	×	×

☞「医療器具」では medical [equipment＞device＞instrument＞apparatus＞tool≒appliance]（equipment と device が圧倒的に多く用いられています）、「農機具」では agricultural [equipment＞implement＞tool]（約 9：3：1 の比率で）、「台所器具」では kitchen appliance＞kitchen utensils（約 3：1 の比率で）の順に使用頻度が高くなります。

kitchen utensils

musical instruments

ランク4 「お客さん」系名詞の使い分けをマスター！

> これが使い分けの決め手！ **customer, client, guest, visitor** の使い分けが基本！

Q：次の日本語を英語で言ってください。

① 先日、フランスから大勢の観光客がその博物館を訪れた。
② 彼女は結婚式の招待客だった。
③ その法律事務所は依頼人に前金でかなりの額の料金を支払わせた。
④ 聴衆全体が拍手喝さいにつつまれた。
⑤ 3万人の観客が決勝戦を見守った。

[audience / client / guest / spectator / visitor]

解答

① The other day the museum had a lot of **visitors** from France.
② She was a **guest** at the wedding.
③ The law firm required a **client** to pay substantial fees in advance.
④ The entire **audience** broke into loud applause.
⑤ Thirty thousand **spectators** watched the final game.

使い分けのポイント

「お客さん」と言われてまず思い浮かぶのは visitor や guest でしょう。visitor は、visit（訪問する）＋or（〜する人）というつくりからも明らかなように、「訪問者、来客」という意味です。しかし、家にやって来る人だけではなく、visitors from America（アメリカからの観光客）のように、観光やビジネスなどのため

にどこかを訪れ、その訪問地にしばらく滞在する人も含みます。さらに、本問①のように博物館や美術館を訪れる人も表します。

本問②の **guest** は、**guest singer**（ゲスト歌手）のように「**イベントやテレビやラジオの番組に招かれる特別出演者**」の意味で使われるのをよく耳にしますが、もともとは、**a welcome guest**（歓迎される客）のように「**家庭・会合などに招かれ、食事や宿などを提供される来客**」の意味です。そこから、**a frequent guest at the hotel**（そのホテルの常連客）、**a paying guest**（下宿人）のように、ホテル客や下宿人などにも拡大して用いられるようになってきました。さらに、会話で相手から「〜してもいいですか」と尋ねられる際に、**Be my guest.**（遠慮なくどうぞご自由に）という便利な表現もあります。

customer は、**custom**（慣習的行為）＋ **er**（〜する人）というつくりから、「**いつものお店で商品を買ったり、サービスを受ける人**」という意味で、「**商店などの顧客や得意先や、劇場・レストランなどによく来る常連客**」のことを言い、ふつうの客は **shopper**（買い物客）や **purchaser**（購入者）と言います。さらに家や車などのように高価なものを買う人は **buyer** と言います。

customer よりも、もっと個人的な関係が深くなり、専門的な内容に関することになってくると、本問③の **client** が用いられるようになります。**client** は、「**弁護士や建築家などの専門的な職業の人からサービスを受ける依頼人**」のことですが、さらに意味が拡大して「**会社・商店などのお得意様や、銀行・美容院などの顧客**」なども表します。ちなみに、英語学校の生徒は "client" という方がいい場合があります。つまり、**student** は学校などで宿題をしなければいけない場合に使い、**client** だと宿題はなくセミナーを受けて、専門的なアドバイスを受ける場合にぴったりです。

本問④の **audience** は、**audio**（オーディオ機器、音響装置）から簡単に想像できるように、「**演劇や芝居・コンサート・映画などを見たり聴いたりする人々**」のことです。しかし、映画や芝居の観客の意味だけでなく、さらに意味が拡大して本や雑誌などの読者や、**audience rating**（視聴率）で示されるように、ラジオやテレビの視聴者や、ファンや支持者の意味もあります。一方、テレビなどの視聴者や観覧者に対しては **viewer**、ラジオなどの聴取者に対しては **listener** という言い方もあります。

一方、主に「耳で楽しむ客」に対して「目で楽しむ客」が、本問⑤の **spectator** です。**spectat**（じっと見る）＋ **or**（〜する人）というつくりや、**spectacle**（スペ

クタクル、大掛かりなショー）などからも想像できるように、**「ショーなどの見物人や、野球やサッカーなどのスポーツの試合を観戦する人」**を表します。

さらに「バス・列車・航空機・船などの乗客、旅客」は、passeng（通り過ぎる）＋ er（〜する人）というつくりの passenger が、「雑誌などの定期購読者や、電話や有線放送などの加入者」は、sub（下に）＋ scribe（書く）＋ er（〜する人）＝（下に書く人）⇒（署名・サインする人）というつくりの subscriber が用いられます。

その他にも「お客さん」系名詞には、caller（儀礼的に短時間の訪問をする人や見舞客）、company（訪問者の一行、一団）、patron（ひいき客）などもあり、**I am not at home to callers.**（今日は訪問客には会わない）、**He is a regular patron of our shop.**（彼は私どもの店の常連客だ）、**I am expecting company this evening.**（今晩お客様が来ることになっています）のように用いられます。さらに、ただ見ているだけで、買う気もないのにいろいろ尋ねまくるだけの **window-shopper** や **browser**（冷やかし客）などのような言葉もあります。

> 一目でカンタン理解！ 「お客さん」系名詞の使い分け MAP！

- first-time visitor 初めての訪問客
- hotel guest ホテルの宿泊客
- regular customer 常連客
- business client 仕事の依頼人
- theater audience 劇場の観客
- sports spectator スポーツの観戦者
- first-class passenger ファーストクラスの乗客

（中心）お客さん

「お客さん」を意味する語のコロケーションを Check!

	regular	unexpected	hotel	movie	sports	museum
guest	○	◎	◎	×	×	×
visitor	◎	◎	×	×	×	◎
customer	◎	×	△	×	×	×
client	○	×	×	×	×	×
audience	△	×	×	◎	△	△
spectator	×	×	×	×	◎	×
passenger	○	×	×	×	×	×

☞「常連客」では regular [visitor ＞ customer ＞ guest ＞ client] の順に、「招かざる客、予期せぬ客」では unexpected [visitor, guest] が多く用いられていますが、「ホテルの宿泊客」は **hotel guest** が、「映画の観客」は **movie audience** が、「スポーツの観客」は **sports spectator** が、「美術館の観客」は **museum visitor** の使用頻度が圧倒的に高くなります。

hotel guests

museum visitors

これもマスター 「集まり」系名詞の使い分け

　「集まり」系名詞には、まず**「会合」系名詞**として、**a business meeting**（仕事の打ち合わせ）、**an athletic meeting**（運動会）のように用いられる **meeting**「公式・非公式や会の目的や規模に関係なく、2人以上の集まりに用いられる最も一般的な語」や、**a farewell party**（お別れ会）、**a mountaineering party**（登山隊）、**the Democratic Party**（民主党）のように用いられる **party**「社交的な集まり、ある目的・任務のために共に行動する人の集まり」や、**a lunchtime gathering**（昼食会）のように用いられる **gathering**「3人以上の打ち解けた人たちの非公式で主として社交的な集まり」などがあります。

　さらに**「集会・議会」系名詞**として **freedom of assembly**（集会の自由）、**a city assembly**（市議会）、**the United Nations General Assembly**（国連総会）のように用いられる **assembly**「特定の目的のために多数の人が計画に従って集まる組織化された集会」、**the Yalta Conference**（ヤルタ会談）、**a conference on disarmament**（軍縮会談）、**an international economic conference**（国際経済会議）のように用いられる **conference**「数日に渡る社会問題の討議のための集会や正式のミーティング」などがあります。また、**a Cabinet Council**（閣議）、**a student council**（学生自治会）、**the Security Council**（国連の安全保障理事会）などのように用いられる **council**「相談や助言を得るための協議会・審議会や、地方自治体の議会」、**the Republican National Convention**（アメリカの共和党全国大会）、**the Constitutional Convention**（憲法制定会議）のように用いられる **convention**「宗教・政治・社会団体などの代表者会議や集会」などがあります。

　一方**「国会」系名詞**として、**congress**（= **Congress**）（米国・カナダなどの国会）、**parliament**（= **Parliament**）（イギリスなどの国会）、**diet**（= **the Diet**）（日本などの国会）などがあります。

ランク5 「道」系名詞の使い分けをマスター！

> これが使い分けの決め手！
> street, lane, trail, track, aisle など、さまざまな「道」の類語の使い分けが非常に重要！

Q：次の日本語を英語で言ってください。

① 道は大変混んでいた。
② その有名なロックシンガーはベリー通り66番に住んでいる。
③ その新しい道路が使われるようになるまでは、国道71号線は市の主要幹線の1つだった。
④ 我々はその広大な森林の中の歩道沿いに歩いた。
⑤ 裏の入り口と物置の間に、通路につながる小部屋がある。

[artery / passage / road / street / trail]

解答

① There was heavy traffic on the **road**.
② The famous rock singer lives at 66 Burry **Street**.
③ Route 71 was one of the city's main **arteries** until the new road came into use.
④ We followed the walking **trail** in the large woodland.
⑤ There is a small room leading to a **passage** between the back door and the barn.

使い分けのポイント

「道」と言われてまず思い浮かぶのは **way** でしょうが **Could you tell me the way to the airport?**（空港に行く道を教えていただけませんか）のように、

way は「目指すべき場所へ行くためにたどるもの」がもともとの意味です。さらに「目的地にたどり着くための道のり」のみならず、**the effective way to master English**（英語をマスターするための効果的な方法）のように「自分の目標を達成するためにたどるプロセス」までも表すようになり、そこから **my way of life**（私の生き方、私の人生そのもの）のように、「進路、方向」⇒「やり方、方法」⇒「生き方、流儀」へと意味が拡大していきます。

　もちろん、「道」を表す言葉は **way** だけではなく、**way** がアスファルトなどで舗装されたら **road**、周りに建物が立ち並べば **street**、木が立ち並べば **avenue**、もっと大きくなれば **boulevard** などのようにいろいろバージョンアップしていきます。

　詳しく見てみると、本問①の **road** は、「通常舗装されており、車やバスが通行し、1つの町から別の町へとつながっているような、大きな道」を指します。

　本問②の **street**（住所の場合には **Street** と大文字で使う）は、「1つの町や市の中にあるような、**road** よりは少し狭い道路で、その脇に店や家が立ち並んでいる道」です。**boulevard** というのは、**Hollywood Boulevard**（ハリウッド大通り）のように「両側に木が立っている、かなり広い通り」です。

　本問③の **artery** は、もともと「動脈」の意味で、「幹線」、つまり「交通路の主幹となる経路」のことです。同じく本問に出てくる **route** は「国道〜号線」という固有名詞的な使い方ですが、一般に「道筋、ルート」のことです。

　本問④の **trail** は、「戸外や森の中を抜ける自然のままの道」です。

　その他に、細い道を表す言葉は、次のようなものがあります。**alley**（両側に建物があったり、壁があったりするような細い通路や通りや狭い道）、**path**（「獣道」という言葉が日本語にありますが、シカやイノシシといった動物が通行することで自然に道になった、そんな細い道のことです。文字通り仲間の先頭に立ち、道を見つける役割をする人や、比喩的に新しい方法を見つける人を **pathfinder** と言います）、**lane**（カントリーサイドで見られる細い道路）、**track**（細長い道路や小道）などがあります。

　本問⑤の **passage** は、「両側にフェンスなどがある、長くて狭い、部屋と部屋をつないでいる（あるいは他の場所へとつながる）通路」です。

　さらにこの他にも、「道」系名詞には、**crossroad**（交差点を表す単語です。比喩的に人生の岐路として、将来の自分に影響する事柄を決めなくてはいけないような時のことも指します）、**subway**（地下鉄。英国では地下道となり、地下

鉄は **underground** と言います）、**railway**（鉄道）、**driveway**（道路から個人の家へとつながっている道のことです。私道のこともあります）、**course**（車や船・飛行機の「進路」）、**drag**（通路という意味ですが、だいたい **the main drag** という使い方をして、町の中心地にある一番大きくて長い道を表します）、**parkway**（広くて木と草が両側に植えられている道路）、**pathway**（小道、通路）、**pavement**（舗道、歩道）、**roadway**（車道）、**byway**（あまり使われていない小さな道路のこと）、**detour**（回り道、遠回り）などがあます。

一目でカンタン理解！「道」系名詞の使い分けMAP！

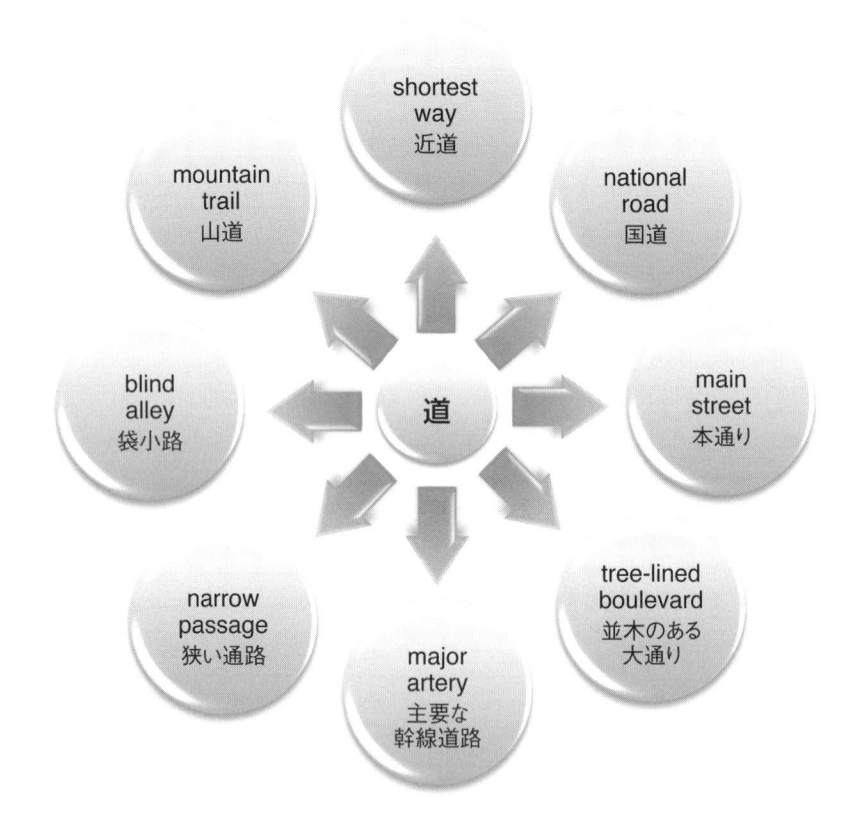

道

- shortest way 近道
- national road 国道
- main street 本通り
- tree-lined boulevard 並木のある大通り
- major artery 主要な幹線道路
- narrow passage 狭い通路
- blind alley 袋小路
- mountain trail 山道

「道」を意味する語のコロケーションを Check!

	main	paved	mountain	wide	national
way	×	△	△	○	×
road	○	◎	◎	◎	◎
street	◎	○	△	◎	△
boulevard	×	×	×	△	×
trail	×	△	◎	○	○

☞「本通り」では **main street** が、「舗道」では **paved road** が、「国道」では **national road** の使用頻度が圧倒的に高くなる一方で、「山道」では **mountain road** が **mountain trail** よりも数倍多く用いられ、「広い道路」では **road** と **street** がほぼ同程度に用いられています。

tree-lined boulevard

mountain trail

これもマスター 「手段・方法」系名詞の使い分け

「手段・方法」系名詞には、**way**（方法、やり方、様式を表す最も一般的な語）、**method**（特定の目的達成のために計画的に決められた方法・方式・やり方）、**manner**（他と異なる個性的な方法・やり方）、**fashion**（振る舞い方・流儀や、表面的で一時的にまねたやり方）、**mode**（厳格な手順などなく、習慣や伝統、自分の好みから従っているお決まりのやり方）、**means**（ある特定の目的を達成するための手段）、**measures**（目的達成手段として取るべき対策や措置）、**medium**（伝達の手段となる媒体や機関、メディア）、**formula**（問題解決などのための慣習的な決まった手法、公式、定石）、**access**（接近・利用する権利、必要なものを入手する方法）、**approach**（問題・課題などの研究方法や、解決するための手引き）、**clue**（問題・秘密などを解く手がかり、ヒント）などがあります。

それぞれ、**change my way of living**（生き方を変える）、**an effective method of teaching English**（英語の効果的な教え方）、**speak in a gentle manner**（やさしい口調で話す）、**pronounce words in an English fashion**（単語を英語風に発音する）、**his mode of doing business**（彼の仕事ぶり）、**a means of transportation**（移動するための手段、交通機関）、**take strong measures against terrorism**（テロに対して強硬な措置をとる）、**a medium of communication**（通信手段）、**a formula for success**（成功するための常套手段）、**access to information from all over the world**（世界中から情報を得る方法）、**a new approach to language learning**（新しい言語学習法）、**find a clue to a question**（問題解決の手がかりを見つける）のように用いられます。

ランク6 「約束」系名詞の使い分けをマスター！

> これが使い分けの決め手！
> **promise, appointment, reservation, engagement** の使い分けが基本！

Q：次の日本語を英語で言ってください。

① いったん約束をしたら、守らなければならない。
② 彼女は3時に美容院の予約を入れた。
③ 私の名前でホテルに2泊分の予約を入れてあります。
④ 私はローザとの婚約を破棄した。
⑤ 共同して人工衛星を打ち上げる合意がその2国間で調印された。

[agreement / appointment / engagement / promise / reservation]

解答

① Once you make a **promise**, you should keep it.
② She has made a hair **appointment** for three o'clock.
③ I have made a hotel **reservation** for two nights under my name.
④ I've broken off my **engagement** to Rosa.
⑤ The two countries signed an **agreement** to jointly launch satellites.

使い分けのポイント

「約束」と言われてすぐに思い浮かぶのは、**promise** ですが、**promise** はもともと「必ず何かをする、必ず何かをあげるという誓い」の意味で、相手に対して

一方的にする宣誓です。**make a promise**（約束する）、**keep a promise**（約束を守る）、**break a promise**（約束を破る）のように用いられますが、この他にも **promise of success**（成功する見込み・可能性）、**writer of great promise**（前途有望な作家）、**promise of rain**（雨が降りそうな気配）のように、「見込み、将来性、兆し」などの幅広い意味もあり、実際はよく破られるので、固い約束の場合は **You have my word for it.** や **I give you my word.** などがよく用いられます。

　本問②の **appointment** は、**appoint**（指名・指定する）＋**ment**（〜すること）というつくりから「場所と時間を決めて人と会う約束」のことで、「待ち合わせや仕事上の会合などの人と会う約束や、医者・歯医者や美容院などの予約」のことを表します。

　本問③の **reservation** は、**re**（後ろに）＋**serve**（取っておく）というつくりから「使わずに取っておく、確保しておく」という意味の **reserve** の名詞形で、「列車・飛行機・劇場・レストランなどの座席や、ホテルなどの部屋の予約」のことを表し、"**Reserved**" という表示は、「予約席」「予約済み」ということを示しています。

　本問④の **engagement** は、「簡単には破るわけにはいかない改まった取り決め」の意味で、しばしば「パーティー・ディナー・観劇・コンサートなどの社交上の約束や、仕事・ビジネスにおける契約や雇用期間、会合の約束」などを表します。もちろん、**engagement ring**（婚約指輪、エンゲージリング）のように結婚の約束、すなわち「婚約」の意味もあります。

　本問⑤の **agreement** は、「個人間の意見の同意だけでなく、国家や集団間でなされる、将来の活動・行動に関する公式の合意」に用いられ、「協定、規約」といった改まった場面でも用いられます。

　その他にも「約束」系名詞として、**date**（日時を決めて会ったり出かけたりする約束、特に異性と会うデートの約束）、**commitment**（必ず果たすと宣言した約束や公約で、仕事や任務に対して責任を負っているので、犠牲を払ってでも成し遂げる努力をしなければならないもの）、**pledge**（もともとは、「約束の印として手渡すもの、すなわち抵当・担保」の意味ですが、「選挙の際や新聞上など改まった場で、特に政府や政党などが行う公式の約束・公約」も表します）、**contract**（会社間や労働者と従業員などの間で交わされ、特に仕事内容や賃金の支払いなどの取り決めを含む法律やビジネス上の契約）、**vow**（神に対して特定

の事を必ず行うことを約束するという、特に宗教的性格の強い厳粛で真面目な誓い）などがあり、**He made a date with a girl he had met the other day.**（彼は先日会った女の子とデートの約束をした）、**He has made a commitment to pay his debt on time.**（彼は期限通りに借金を返済すると約束した）、**The government made a pledge to reduce taxes.**（政府は減税すると公約した）、**He was given a three-year contract with an annual salary of $150,000.**（彼は年収15万ドルで3年契約を提示された）、**We exchanged vows of friendship.**（我々は友情の誓いを交わした）のように用いられます。

一目でカンタン理解！　「約束」系名詞の使い分け **MAP！**

約束

- broken promise 破られた約束
- dentist appointment 歯科医院の予約
- hotel reservation ホテルの予約
- social engagement 社交上の付き合い
- ceasefire agreement 停戦合意
- two-year contract 2年契約
- campaign pledge 選挙公約
- wedding vows 結婚の誓い
- public commitment 公約

「約束」を意味する語のコロケーションを Check!

	broken	social	campaign	room	dentist	ceasefire
promise	◎	△	◎	×	×	△
appointment	△	×	×	△	◎	×
reservation	×	×	×	◎	×	×
engagement	○	◎	×	×	×	×
agreement	△	△	×	△	×	◎
pledge	△	×	◎	×	×	△

☞「約束」系名詞は、broken promise（破られた約束）、broken engagement（婚約破棄）、social engagement（社交上の付き合い）、campaign [promise＞pledge]（約3：2の比率で）（選挙公約）、room reservation（ホテルなどの部屋の予約）、dentist appointment（歯科医院の予約）、ceasefire agreement（停戦合意）といった「決まり文句」で使われる傾向が強いと言えます。

これもマスター 「選択」系名詞の使い分け

「選択」系名詞には、**choice**（いくつかの中から、自分の意志で自由に判断して好きなものを選ぶこと☞ choose 任意に選ぶ）、**selection**（たくさんの中から慎重に良いものを厳選すること、最高のものを選び出すこと☞ select 選抜する）、**election**（投票によって選びだすこと☞ elect 選挙する）、**alternative**（2つ以上のものから1つの選択、あるいは2つの可能性から二者択一すること☞ alternate 交替する）、**option**（自由に選択する権利や選択肢のこと☞ opt 2つ以上の可能な選択肢から選ぶ）、**preference**（自分の好みで選ぶ、えり好みをすること☞ prefer 好む）などがあります。

それぞれ、**You cannot be too careful in your choice of friends.**（友人を選ぶ際にはいくら注意しても注意しすぎることはない）、**The restaurant has a wide selection of wine.**（そのレストランは幅広い種類のワインが取り揃えてある）、**He won a local election.**（彼は地方選挙に当選した）、**You have the alternative of riding or walking.**（乗るか歩くかのどちらかだ）、**You have no option in the matter.**（その件に関してあなたに選択の自由はない）、**You may have your preference of seats.**（お好きな座席が選べます）

ランク7 「旅行」系名詞の使い分けをマスター！

> これが使い分けの決め手！
>
> **trip, travel, tour, journey, voyage** など、さまざまな「旅行」の類語の使い分けをマスター！

Q：次の日本語を英語で言ってください。

① あなたの旅費は会社によって払い戻されるでしょう。
② スティーブは中国へ出張を命じられた。
③ 私たちはガイド付きで城の見学をした。
④ 人生はよく旅にたとえられる。
⑤ 彼はコロンブスの西インド諸島への航海ルートをたどることを目指している。

[trip / tour / travel / voyage / journey]

解答

① Your **travel** expenses will be reimbursed by the company.
② Steve was sent to China on a business **trip**.
③ We made a guided **tour** of the castle.
④ Life is often likened to a **journey**.
⑤ He aims to follow the route of Columbus's **voyage** to the West Indies.

使い分けのポイント

「旅行」と言われてすぐに思い浮かぶのは **travel**（場所の移動）や **trip**（軽いお出かけ、出張、観光）や **tour**（周遊、巡回＝各地を順々に回ること）などでしょう。

本問①の **travel** は、もともとラテン語の語源で「拷問台」を表し、そこから「苦しみ、つらいこと」さらに「苦労して旅をする」が原義となった言葉です。どちらかというと旅行を楽しむということよりも、**travel from Tokyo to New York**（東京からニューヨークへ行く）、**travel to work by subway every day**（毎日地下鉄で通勤する）のように、**移動するという労力やプロセスに重点を置く言葉**で、そこからさらに発展して動詞として使えば、**travel around selling cosmetics**（化粧品のセールスをして回る）、**Light travels faster than sound.**（光は音よりも速い）、**Bad news travels fast.**（悪いうわさはすぐに広まる）などのように、「売り込みの営業に回る」や「光や音・情報などが伝わる」などの意味も持ちます。また、**travels** と複数形にすればかなり長い旅行や外国旅行を表したり、**travel expenses**（旅費）、**travel agency**（旅行会社）、**air travel**（空の旅）、**space travel**（宇宙旅行）などの決まり文句でも使われます。

　本問②の **trip** は、「軽く踏む、軽快に動く」が原義で、ふつう「ある場所に向かって、用件を終えたらすぐに再び戻ってくる移動」を表し、どちらかというと、**take a one-day trip to Kobe**（神戸へ日帰り旅行をする）、**make a business trip to France**（フランスに出張する）のように、「比較的短い観光・出張の旅行」や、**a daily trip to my office**（毎日の通勤）、**a shopping trip**（買い物）、**a delivery trip**（配達回り）のように「移動の距離は短いこともあり、同じ敷地内の建物から建物への移動、同じ建物の中の部屋から部屋への移動」なども指します。

　本問③の **tour** の原義は「回転、一周」で **turn** と同じ語源です。「いくつかの場所を訪れ一回りしたら、もとの出発点に戻ってくるような、組織化された計画的な移動」を表し、**a round-the-world tour**（世界一周旅行）、**make a guided tour of the factory**（ガイド付きで工場見学をする）、**an European concert tour**（ヨーロッパへの演奏旅行）などのように、「有名な観光地を巡る団体のツアー、工場や施設などの見学や視察、劇団・音楽家・アーティストなどの巡業やツアー、スポーツチームの海外遠征、政府高官などの各国歴訪」などを表します。

　本問④の **journey** の原義は「日々の旅」で、**journal**（日記）と同じ語源で、**a long journey to Tibet**（チベットへの長途の旅）のように「**目的地まで一日一日果てしない旅を続けるような比較的長い移動**」を意味し、通例陸路のかなり長い、時として骨の折れる旅で、もう戻ってくることができないこともあるので、「何かを求め、さまよい、果てしなく歩み続けるロマンティックなイメージ」が

漂い、**the journey to the moon**（月への旅行）、**the journey to success**（成功への道）、**the journey of life**（人生という旅）のように「**長い道程・過程・人生行路や遍歴**」までも表します。

　本問⑤の **voyage** は、**journey** の「海・空・宇宙バージョン」で、**a voyage around the world**（世界一周航海）、**a rocket voyage to the moon**（月へのロケット旅行）のように、「**遠い国・土地への長い船旅や、飛行機などによる空の旅、さらには宇宙船などによる宇宙旅行**」を表し、**journey** と同様に「**何かを求めさまよい、果てしない航海を続けるというイメージ**」があり、**voyage of self-discovery**（自己発見の旅）などのようにしばしば人生に例えられるロマンティックな言葉です。

　その他にも「**旅行**」**系名詞**には、**excursion**（集団で行くレクリエーションなどのための小旅行や遠足）、**expedition**（調査・研究のための探検や、戦闘などのための遠征、欲しい物を手に入れるための小旅行）、**cruise**（観光や警備などのために、あちこち寄港しながらの航海）、**sightseeing**（興味深い場所や建物を訪れる観光）、**pilgrimage**（信仰のために行う、神社仏閣を訪ねる旅や聖地への巡礼）、**outing**（団体でする日帰りのピクニック、遠足）、**trek**（徒歩による山歩きや、骨の折れる長旅）などがあり、**make an all-day excursion to the island**（その島に１日がかりの遠出をする）、**make an expedition to the South Pole**（南極探検に行く）、**take a round-the-world cruise**（世界一周航海をする）、**be on a sightseeing trip to the Pyramids**（ピラミッドへの観光旅行中だ）、**the annual pilgrimage to Mecca**（毎年恒例のメッカへの巡礼の旅）、**a family outing to the seaside**（海辺への家族でのピクニック）、**go on a trek**（トレッキングに行く）のように用いられます。

一目でカンタン理解！「旅行」系名詞の使い分けMAP！

- air travel 飛行機での移動
- school excursion 修学旅行
- business trip 出張
- military expedition 軍隊の遠征
- 旅行
- guided tour ガイド付きの旅行
- religious pilgrimage 宗教上の巡礼の旅
- transatlantic voyage 大西洋横断の船旅
- long journey 陸上の長旅

guided tour　　transatlantic voyage

「旅行」を意味する語のコロケーションを Check!

	business	one-day	long	guided	school
travel	◎	△	△	×	△
trip	◎	◎	○	△	◎
tour	△	○	△	◎	○
journey	△	△	◎	×	△
voyage	×	×	○	×	×
excursion	×	△	△	×	○

☞ 比較的短期間で効率よく行われる「出張」や「日帰り旅行」や「修学旅行」では business trip, one-day trip, school trip のように trip が、「長旅」では journey が、組織的に計画的に行われる「ガイド付きの観光旅行」では tour の使用頻度が圧倒的に高くなります。

これもマスター 「ゴミ」系名詞の使い分け

「ゴミ」系名詞には garbage（生ゴミ）、trash（紙や容器類などのくずゴミ）、rubbish（一般ゴミ、がらくた☞特に garbage や trash にあたるイギリス英語）、litter（散乱したゴミ、特に通りや公共の場に投げ捨てられたもの）、scrap（不要になった断片、切れはし、くず鉄、残飯）、waste（物を生産する過程で生じた残り物、廃棄物）、debris（建物などが破壊された後の残骸、がれき）、refuse（くず、かす、無価値なもの）などがあります。

それぞれ、**garbage collector**（ゴミ収集作業員）、**trash bin**（大きなゴミ箱）、**household rubbish**（家庭ゴミ）、**clean up the roadside litter**（道端のゴミを片付ける）、**hunt for scraps**（残飯をあさる）、**dispose of nuclear waste**（核廃棄物を処理する）、**He was buried beneath the debris.**（彼はがれきの下敷きになっていた）、**They are human refuse.**（彼らは人間のくずだ）のように用いられます。

ランク8 「エリア・領域」系名詞の使い分けをマスター!

> これが使い分けの決め手！
>
> region, district, zone, field, sphere など、さまざまな「エリア」の類語の使い分けが非常に重要！

Q：次の日本語を英語で言ってください。

① 今年は、アフリカの多くの地域が深刻な干ばつに苦しんでいる。
② これらの植物は熱帯地方のみで見られる。
③ この選挙区からは10人の候補者が立候補している。
④ 政府は民間企業のために経済特区を設けた。
⑤ その国は勢力圏を広げている。

[area / district / region / sphere / zone]

解 答

① Many **areas** of Africa have been suffering from severe drought this year.
② These plants can be seen only in a tropical **region**.
③ Ten candidates are standing for election in this electoral **district**.
④ The government has set up a special economic **zone** for private enterprises.
⑤ The country is expanding its **sphere** of influence.

使い分けのポイント

本問①の area は、**live in a central area of the city**（都市の中心部に住む）、**a devastated area**（大きな被害を受けた地域）、**an area of 100 square** kilometers（100平方キロメートルの面積のある場所）のように「境界があいまいで大ざっぱな地域、広い狭いに関係なくある特定の地域を表す一般的な語」で、広い場所、空間、面積などの一部を表すときに使われます。

　本問②の region は、the temperate region（温帯地方）、the Antarctic region（南極地方）、wooded region（森林地帯）などのように、「かなりの広さを持つ地域で、自然的・風土的特徴が他と明確に区別される地域」を意味します。

　本問③の district は、a school district（学区）、a police district（警察管轄区）、a slum district（スラム街）のように、「region よりも小さく、明確な組織や行政上の区画がされていたり、他と異なる明確な特徴を持つ地域」を表します。

　本問④の zone は、a no-parking zone（駐車禁止区域）、a demilitarized zone（非武装地帯）、the wheat zone（小麦地帯）、the Temperate Zone（温帯）、the Torrid Zone（熱帯）、the Frigid Zone（寒帯）などのように、「用途・生産物・生息している動植物などで分かれる明確な特徴を持つ地帯」を表します。

　本問⑤の sphere は、a heavenly sphere（天体）、the Northern Hemisphere（北半球）のようにもともと「球体」の意味ですが、さらに意味が拡大して、a sphere of activity（活動範囲）、the political and economic sphere（政治および経済の領域）、a higher social sphere（社会の上位階層）のように「存在・活動・影響などの範囲や領域、社会的階級・階層」の意味でも用いられています。

　その他にも「エリア・領域」系名詞としては、a coastal industrial belt（沿岸工業地帯）、a sand strip（細長い砂地）のように用いられる belt「産業の地域」や strip「長い紙切れのような細長い土地や滑走路」、walk down two blocks（2ブロック先まで歩く）のように用いられる block「四方を通りに囲まれた、建物や家屋が立ち並ぶ長方形の場所」、the Province of Ontario（カナダのオンタリオ州）のように用いられる province「国の行政区分としての州や省」、an open field（広々とした野原）、a field of research（研究分野）のように用いられる field「野原・運動場や、学問や活動の分野・領域」、the domain of the Roman Empire（ローマ帝国の領地）、Physics used to be an exclusively male domain.（物理学は、以前はもっぱら男性の領域だった）、the domain of art（芸術の領域）のように用いられる domain「支配力の及ぶ領域、興味や活動のエリア、ある特定のテーマや芸術や活動に含まれるものの範囲、インターネットでアドレスの区分」、broaden the scope of an inquiry（調査の範囲を広げる）のように用いられる scope「精神的な活動・観察などの範囲、行動や思考の及ぶ

範囲」、**the service sector**（サービス部門）、**the manufacturing sector**（製造部門）のように用いられる **sector**「経済や産業などの一部門」、**He has a wide range of interests.**（彼は興味の範囲が広い）のように用いられる **range**「知識・能力などが及ぶ範囲」などがあります。

さらに、**quarter**「都市の区分で、同じ種類のものが集まっている地域」、**ward**「市や町の小区画、病棟、刑務所の監房」、**ghetto**「少数民族の居住地や貧民街」、**realm**「王国、領域、分野」、**section**「課、部門、区域」、**precinct**「建物などの構内、教会・寺院などの境内」などもあり、**the Chinese quarter**（中国人居住地）、**the 23 wards of Tokyo**（東京23区）、**a ghetto of illegal immigrants**（不法移民の居住地）、**the realm of England**（イギリス王国）、**the accounts section of a company**（会社の会計課）、**the sacred precinct of a temple**（寺院の神聖な境内）のように用いられます。

一目でカンタン理解！「エリア・領域」系名詞の使い分け **MAP！**

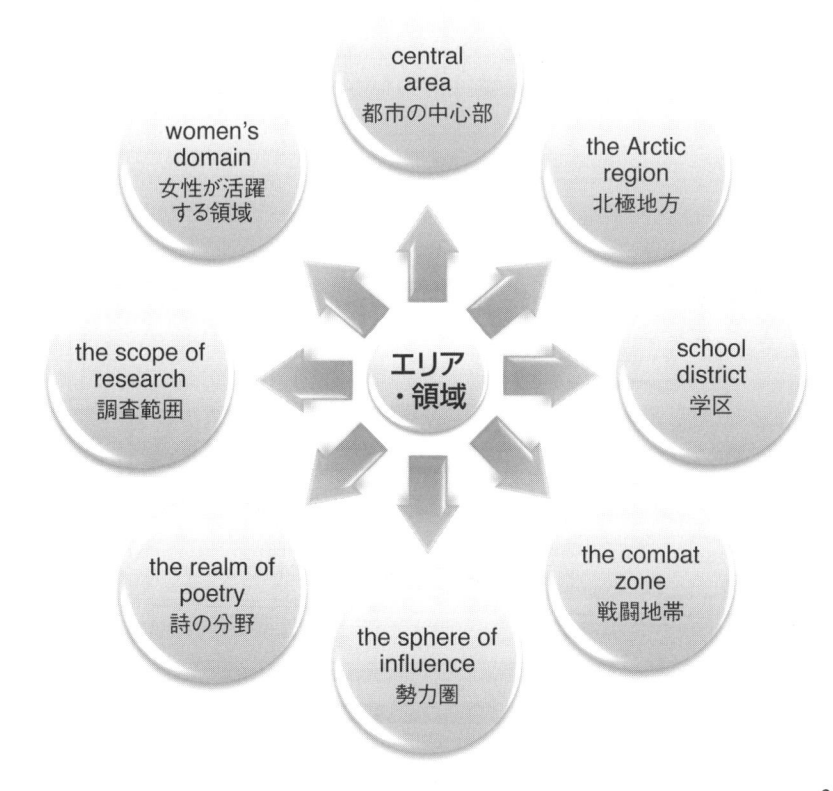

- central area 都市の中心部
- the Arctic region 北極地方
- school district 学区
- the combat zone 戦闘地帯
- the sphere of influence 勢力圏
- the realm of poetry 詩の分野
- the scope of research 調査範囲
- women's domain 女性が活躍する領域

中心：エリア・領域

「エリア・領域」を意味する語のコロケーションを Check!

	urban	business	tropical	electoral	scientific
area	◎	○	○	○	△
region	△	△	◎	△	×
district	△	◎	×	◎	×
zone	△	△	○	×	×
sphere	×	×	×	×	△
field	×	△	△	×	◎

☞ **urban area**（市街地、都市部）のように「はっきりとした境界があいまいな領域」では **area** が、**business district**（商業地区）、**electoral district**（選挙区）のように「地域の特徴によって明らかに他と区別されている地区や行政上の区画」では **district** が、**tropical region**（熱帯地方）のように「かなりの広さを持ち、自然的・風土的に他と区別される地域」には **region** が、**scientific field**（科学分野）のように「学問の分野」では **field** が、それぞれ最も使用頻度が高くなります。

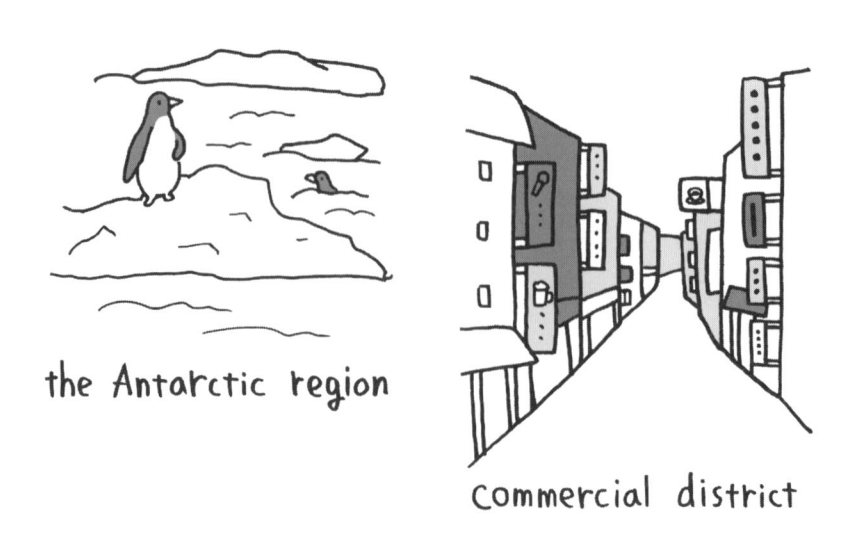

the Antarctic region

commercial district

これもマスター 「国」系名詞の使い分け

「国」系名詞には、**country, nation, state, power** などがあります。

country は、「国」を表す最も一般的な語ですが、**travel around the country**（国中を旅する）、**visit many countries**（多くの国を訪れる）のように、政治的・経済的なものというよりは、むしろ地理的な境界を重視した言葉で、特に「**国土**」の意味を表します。そこから意味が拡大して、**fight for my country**（祖国のために戦う）、**a girl from the country**（田舎から出てきた女の子）、**a mountainous country**（山岳地方）などのように、「**祖国や故郷**」さらには都市に対して「**田舎や地方**」の意味も持ちます。

nation はもともと the British nation（イギリス国民）のように、「**国民**」の意味を持ち、**a nation without country**（国土を持たない国民）のように用いられることからも明らかなように、**country** とは対照的に、「**国民の集まりとしての国家**」や「**文化の面から見た国**」を強調する言い方になります。それゆえ **the United Nations**（国際連合）、**the Association of Southeast Asian Nations**（アセアン［東南アジア諸国連合］）などのように、さまざまな民族や文化が寄せ集まった国際機構の名前においてもよく使われています。

state はもともとラテン語の「立っている」から「立場、状態」、さらに「国の統治の状態」へと意味が拡大して、「**政治的統一体としての国家、特に独立した主権を有する国家**」を表し、**an independent state**（独立国家）、**a socialist state**（社会主義国）、**the Secretary of State**（米国国務長官）のように政治的な面を強調した言い方になります。さらに、**the United States of America**（アメリカ合衆国）のように、「**州**」（連邦国家を構成している行政単位）の意味も持ちます。

power はもともと「何かをする秘めた力」を表しますが、「権力」「政治力」「国力」へと意味が拡大し、**the Allied Powers**（連合国）、**military power**（軍事大国）、**economic power**（経済大国）などのように、「**強国、大国、列強**」の意味で用いられ、権力・軍事力・経済力などの大きさを強調した言い方になります。

ランク9 「結果・影響」系名詞の使い分けをマスター！

> これが使い分けの決め手！
>
> effect, impact, influence, implication の使い分けをマスター！

Q：次の日本語を英語で言ってください。

① 彼はとても熱心に働き、良い結果を得た。
② 最近の異常気象と地球温暖化には強い因果関係があると信じている人が増えている。
③ 当然の成り行きとして、その政党は２派に分裂した。
④ 彼の演説は私たちに深い影響を与えた。
⑤ 不況の影響で、多くの人が仕事を失った。

[aftermath / consequence / effect / impact / result]

解 答

① He worked very hard and got good **results**.
② An increasing number of people believe that there is a strong cause and **effect** relationship between recent abnormal weather and global warming.
③ As a natural **consequence** the party broke up into two factions.
④ His speech made a profound **impact** on us.
⑤ In the **aftermath** of the recession, many people have lost their jobs.

> **使い分けのポイント**

　「結果」と言われてすぐに思い浮かぶのは **result** でしょうが、本問①の **result** は、「試験・試合・競争などの結果を表す最も一般的な語で、ふつう良い結果や成果についていうことが多い言葉」で、**His success is the results of his hard work.**（彼が成功したのはよく働いたからだ）、**The results of the test will be announced tomorrow.**（テストの結果は明日発表される）のように用いられます。

　本問②の **effect** は、「ある特定の原因に対して、すぐに現れる結果や影響」のことを表し、そこから「（治療や薬などの）効き目・効能、（計画・法律・規則などの）実施・発効、（映画や舞台などの）特殊効果、物理現象」などの意味を持つようになり、**the effect of the treatment**（その療法の効き目）、**side effects of the medicine**（その薬の副作用）、**put a plan into effect**（計画を実行に移す）、**The new law comes into effect next month.**（その新しい法律は来月から施行される）、**special sound effect**（特殊音響効果）、**the Doppler effect**（ドップラー効果）のように用いられます。

　本問③の **consequence** は、「ある出来事が発生したことに伴って生じる結果や、ある事柄が時間とともにだんだん進行していった当然の成り行きや結末」を表し、**Punishment is the consequence of your wrongdoings.**（罰はこれまでの悪行の当然の報いである）、**Climate change could have serious consequences for the lives of millions of people.**（気候変動は多数の人々の生活に深刻な影響を与えるだろう）のように用いられ、先程の **effect** のような強い因果関係や即効性は感じられません。さらに、**consequence** には、**This is an issue of great consequence.**（これは極めて重大な問題です）のように「**結果・影響などの重大性**」を強調する言い方もあります。

　本問④の **impact** は、「同時に、あるいはすぐに起こる強い影響や衝撃」を表し、**The oil crisis had a negative impact on the world economy.**（石油危機は世界経済に悪影響を与えた）、**His words have a great impact on the public.**（彼の発言は世間に大きな影響力を持つ）のように用いられます。

　これに対して、**influence** は「**長期的で間接的な影響**」を表し、**the influence of Western civilization on Japan**（西洋文明が日本に与えた影響）や、**Some TV programs full of sex and violence have a harmful influence on teenagers.**（セックスや暴力シーン満載の TV 番組は十代の若者に悪影響を及

ぼす）のように用いられます。

　influence よりも「**さらに長期的で気がつきにくい好ましくない影響**」には、**This level of radioactive contamination has ramifications on human health.**（このレベルの放射汚染は人の健康に悪影響を及ぼす）のように **ramification** が用いられ、「**突然のネガティブな影響**」には、**The collapse of a major bank had repercussions for the market.**（大手銀行の倒産は市場に悪影響をもたらした）のように **repercussion** が用いられ、「**将来予想される結果や、将来を見通した影響**」には、**The new economic policy will have significant implications for the prosperity of the country.**（新しい経済政策はその国の繁栄に重要な影響を及ぼすだろう）のように **implication** が用いられ、さらに「**戦争・災害・大事件などの余波や悪影響**」には本問⑤のように **aftermath** が用いられます。

　その他にも「**結果・影響**」系名詞としては、**outcome**（物事の成り行きや結末）、**fruit**（努力や研究などが実った成果）、**outgrowth**（成長・発展した結果として自然に生じたもの）、**by-product**（予期せぬ副産物）、**denouement**（事件などの結末・解決、劇・小説などの大詰め）、**corollary**（自然に生じる結果、自然に導き出せる結論）、**aftereffect**（余波、名残、後遺症）などがあり、**wait for the outcome of the election**（選挙の成り行きを見守る）、**the fruit of many years of efforts**（長年の努力の成果）、**Crime is often an outgrowth of poverty.**（犯罪はしばしば貧困が進むと生じる）、**Pollution is a by-product of high economic growth.**（公害は高度経済成長の副産物だ）、**a tragic denouement**（悲劇的結末）、**Is social inequality the inevitable corollary of capitalistic economic system?**（社会の不平等は資本主義経済体制の避けられない結果なのだろうか）、**the aftereffects of deforestation**（森林伐採の影響）のように用いられます。

> 一目でカンタン理解！ 「結果・影響」系名詞の使い分け **MAP**！

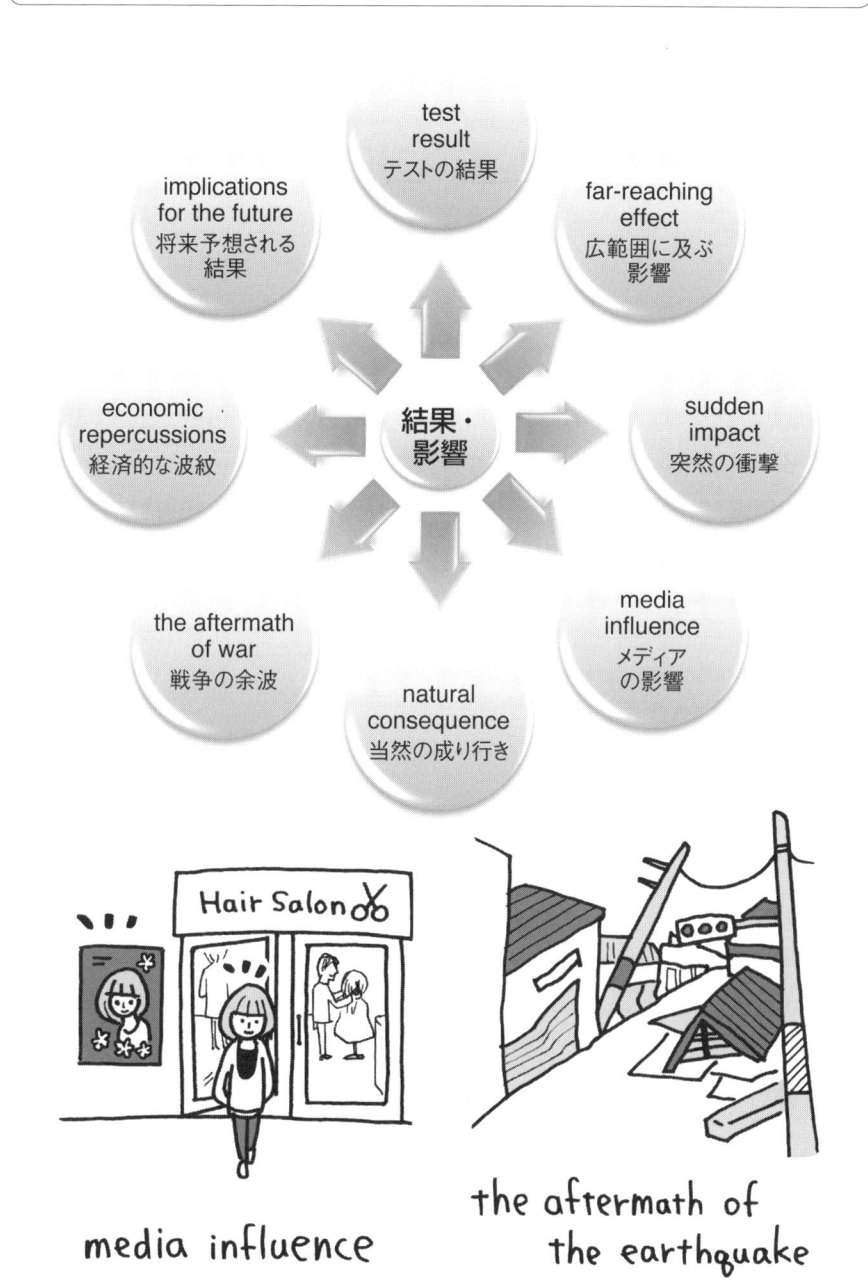

結果・影響

- test result
  テストの結果
- far-reaching effect
  広範囲に及ぶ影響
- sudden impact
  突然の衝撃
- media influence
  メディアの影響
- natural consequence
  当然の成り行き
- the aftermath of war
  戦争の余波
- economic repercussions
  経済的な波紋
- implications for the future
  将来予想される結果

media influence

the aftermath of the earthquake

Chapter 3 名詞

「結果・影響」を意味する語のコロケーションを Check!

	direct	adverse	profound	positive	future
result	◎	×	×	◎	×
effect	◎	◎	◎	◎	△
impact	◎	○	◎	◎	◎
influence	△	×	○	○	△
consequence	○	△	△	×	◎
implications	×	×	○	△	◎

☞ 「直接的効果や影響」は **direct [impact＞effect＞consequence]**、「逆効果、悪影響」は **adverse [effect＞impact]**（約 2：1 の比率で）、「深い影響」は **profound [effect＞impact＞influence]**、「将来の影響」は **future [impact＞consequence＞implications]** の順に多く用いられています。

これもマスター 「出来事」系名詞の使い分け

「出来事」系名詞には、**happening**（偶然起こる出来事）、**accident**（危害などを伴う偶然起こる出来事・事故）、**incident**（大きな事故に付随して起こる accident よりも小さな出来事）、**event**（重要な・社会的な出来事、行事）、**occasion**（特定の重要な出来事、行事、機会）、**occurrence**（他の出来事と関係なく起こる出来事、発生、出現）、**affair**（個人的な出来事や関心事、複数形で社会情勢）、**outbreak**（戦争などの勃発、疫病などの発生 ☞ break out 戦争などが勃発する）、**emergency**（緊急事態）、**findings**（研究や調査による発見）などがあります。

それぞれ、**an unexpected happening**（予期せぬ出来事）、**traffic accidents**（交通事故）、**an incident during the trip**（旅行中の出来事）、**an epoch-making event**（画期的な出来事）、**on special occasions**（何か特別の行事のある時に）、**an everyday occurrence**（日常茶飯事）、**a personal affair**（一身上の都合）/ **world affairs**（世界情勢）、**the outbreak of World War II**（第2次世界大戦の勃発）、**make an emergency call**（緊急電話をかける）、**surprising scientific findings**（驚くべき科学的発見）のように用いられます。

ランク10 「力」系名詞の使い分けをマスター！

> これが使い分けの決め手！
>
> **power, force, strength** の使い分けが基本中の基本！

Q：次の日本語を英語で言ってください。

① その会社ではむき出しの権力争いが行われている。
② 爆発の威力で窓が粉々に砕け散った。
③ この仕事には並外れた体力と精神力が必要だ。
④ 私たちはその企画に全ての精力を傾けた。
⑤ その新米教師は生徒たちを抑える権威が全くない。

[authority / energy / force / power / strength]

解 答

① There is a naked **power** struggle within the company.
② The **force** of explosion shattered the windows.
③ This work requires extraordinary physical and mental **strength**.
④ We devoted all our **energy** to the project.
⑤ The new teacher has no **authority** over his students.

使い分けのポイント

「力」と言われてすぐに思い浮かぶのは **power** ですが、本問①の **power** は、「コントロールする力・威力」を表わし、そこから、**purchasing power**（購買力）、**a man of fine mental power**（知力に優れた人）のように「**能力や才能**」、**great military power**（強大な軍事力）、**electric power**（電力）、**nuclear**

304

power plant（原子力発電所）のように、「**軍事力、電力などの物理的な力**」、**political power**（政権）、**economic super power**（経済超大国）のように「**権力者、実力者や強国、大国**」へと意味が発展していきます。

　本問②の **force** は、「**実際に行使される物理的な力や、避けられない自然の力や強制力**」を表します。**power** が「**実際には行使されていない秘められた能力**」を表すのに対して、**force** は **force of gravity**（重力）、**the force of a blow**（打撃の力）、**resort to force**（暴力に訴える）、**the Self-Defense Forces**（自衛隊）、**natural forces**（雨や風や嵐などの自然の力）、**the force of law**（法律の拘束力）のように、「**物理的作用、暴力、武力、強制力**」など「**人や物などに対して実際に加えられる力**」を表します。

　本問③の **strength** は、「**逆境に耐えてやり抜く力**」で、そこから、**the strength to lift a rock**（岩を持ち上げることができる力）、**the strength to overcome difficulties**（困難に打ち克つ不屈の精神）、**the strength of the bridge**（橋の耐久力）、**the strength of a rope**（ロープの強度）、**strengths and weaknesses**（長所と短所）、**national strength**（国力）のように「**体力、精神力、耐久力、強み**」へと意味が広がっていきます。

　本問④の **energy** は、「**強く精力的に行動するための、潜在的または蓄積された活力やエネルギー**」を表し、**work with energy**（仕事に精を出す）、**full of energy**（元気いっぱいだ）、**concentrate all his energies on baseball**（彼の全精力をかけて野球にとりくむ）、**kinetic energy**（運動エネルギー）のように用いられます。

　本問⑤の **authority** は「**他人に命令を下し、服従させる権力・権限**」を表し、**government authorities**（政府当局）、**a scholar of great authority**（非常に権威のある学者）、**The police have the authority to maintain law and order.**（警察は治安を維持する権限がある）、**You don't have the authority to do that.**（あなたにはそうする権限はないはずです）のように用いられます。

　その他にも「**力」系名詞**には、**vitality**（生命力、成長力）、**vigor**（活気、迫力）、**spirit**（気迫、心意気）、**stamina**（持久力、忍耐力、スタミナ）、**might**（非常に巨大で圧倒的な力）、**potency**（ある事を達成する潜在的能力で、薬などの効能や、人の思想や感情などに変化を及ぼすほどの影響力を表す格式ばった語）などがあります。

　さらに、**control**（統制・制御する力）、**jurisdiction**（法律的な決定と判断を下

す権限)、**sovereignty**(全体を絶対的な権力で支配する力、統治権)、**clout**(政治的な影響力)、**deterrence**(抑止力)があり、**man's control over nature**(人間の自然支配)、**court's jurisdiction**(法廷の裁判権)、**claim sovereignty over those islands**(それらの島の主権を主張する)、**wield political clout**(政治的な影響力をふるう)、**nuclear deterrence**(核の抑止力)のように用いられます。

> 一目でカンタン理解! 「力」系名詞の使い分けMAP!

「力」
- political power 政治権力
- driving force 原動力・推進力
- physical strength 体力
- sexual energy 性的な活力
- government authority 政府の権限
- vast potency 巨大な潜在的能力
- fighting spirit 闘争心
- full of vitality 生命力に満ちあふれている

「力」を意味する語のコロケーションを Check!

	economic	political	physical	electric	driving
power	◎	◎	○	◎	×
force	△	△	○	△	◎
strength	○	△	◎	△	×
energy	×	×	○	○	×
authority	×	○	×	×	×

☞「何かをする秘めた力」を表す power は、economic power（経済大国）、political power（政権）で、「耐久力や持久力」を表す strength は physical strength（体力）で、「実際に発揮される力」を表す force は driving force（原動力、推進力）で圧倒的に多く用いられています。

nuclear power

physical strength

これもマスター 「戦い」系名詞の使い分け

「戦い」系名詞には、「対立・争い」系として、**fight, struggle, conflict, dispute, confrontation** があります。**fight** は、**get into a fight**（殴り合いを始める）、**his fight against a disease**（彼の闘病生活）、**fight against crime**（犯罪を撲滅する取り組み）のように用いられ、戦いを表す最も一般的な語で、肉体や武器を駆使して戦ったり、精神的に戦う場合にも幅広く用いられ、戦っている本人の頑張りに重点が置かれます。**struggle** は、**struggle over power**（権力闘争）、**a long struggle against cancer**（長期にわたるガンとの戦い）のように用いられ、目標達成や困難などを克服するための身体的・精神的苦闘のことです。**conflict** は、**a conflict between father and son**（父と息子の対立）**the Middle East conflict**（中東紛争）のように用いられ、2者間の意見・利害の対立や、集団・国レベルでの衝突・紛争のことです。**dispute** は、**territorial disputes between Japan and China**（日中間の領土をめぐる紛争）、**labor dispute**（労働争議）のように用いられ、感情に押し流された論争や紛争のことです。**confrontation** は、**a military confrontation**（軍事衝突）、**confrontation between labor and management**（労働者と経営陣の対立）のように用いられ、正面衝突やにらみ合いのことです

さらに「**戦争**」系として **war, battle, combat** があります。**war** は、**World War II**（第2次世界大戦）、**war between science and religion**（科学と宗教との戦い）、**war against terrorism**（テロとの戦い☞ the fight [battle] against terrorism と言うよりも全面的で強硬な感じが伝わってきます！）のように用いられ、戦争を表す最も一般的な語で、規模の大きな全面戦争のことです。**battle** は、**the battle of Gettysburg**（ゲティスバーグの戦い）、**court battle**（法廷闘争）のように用いられ、war の中の個々の戦いや決着をつけるための戦い、困難なことを達成するための戦いのことです。**combat** は、**combat against drugs**（ドラッグ撲滅運動）、**unarmed combat**（武器を使わない素手での格闘）のように用いられ、battle より短期的な前線での交戦、悪いものの阻止・撲滅のための戦いのことです。

ランク11 「能力・才能」系名詞の使い分けをマスター！

> これが使い分けの決め手！
> **ability, capability, capacity** の使い分けが重要！

Q：次の日本語を英語で言ってください。

① 彼女は英語のライティング力を高めるために大いに努力した。
② その国は核兵器を製造する能力を持っていると信じている人は多い。
③ 彼には外国語を覚える能力がある。
④ 彼は仕事で管理者としての能力を大いに発揮した。
⑤ 私の娘には音楽の才能がある。

[**ability / capability / capacity / competence / talent**]

解 答

① She made a great effort to develop her writing **ability** in English.
② Many people believe that the country has the **capability** of producing nuclear weapons.
③ He has a **capacity** for learning foreign languages.
④ He has adequately demonstrated her managerial **competence** in the job.
⑤ My daughter has a **talent** for music.

使い分けのポイント

本問①の **ability** は、**able**（実際に何かを成し遂げることができる☞ I could play the piano.（もしかしたらピアノが弾けるかも）と I was able to play the piano.（実際にピアノが弾けました）の意味の違いに注意！）の名詞形で、**He has the basic ability to read and write.**（彼には読み書きする基本的な能力がある）などのように用いられ、「人が実際に何かをすることができる知的・肉体的な力で、獲得し向上させることができるもの」を言います。

　本問②の **capability** は、**capable**（人や物がある特定の仕事をするのに必要な資質や性能を備えている☞ poison capable of killing ten people（10人を殺すことができる毒）の名詞形で、**ability** と違って、実際に発揮されていなくても、「人や物の発達や発展の可能性や、将来伸びる素質」を表します。たとえば核兵器は普段は使えないので、**nuclear capability**（核戦力）と言います。また、**She demonstrated great capabilities as an actress.**（彼女は女優として優れた素質があることを証明した）、**He is a man of great capabilities.**（彼は将来性のある男だ）のように用いられます。

　本問③の **capacity** は、もともとラテン語で「広々とした」という意味で、「収容力や理解力など、人や物があることを受け入れたり、吸収したりできる能力」を表します。**ability** のような「実際に発揮される能力」とは違って、「人の潜在能力や物の性能」を表し、**He has great capacity for learning foreign languages.**（彼には外国語を学ぶ能力が大いにある）、**The room has a seating capacity of 200.**（その部屋は200人収容できる）のように用いられます。さらに **breathing capacity**（肺活量）、**carrying capacity**（積載量）、**a capacity crowd**（満員の観客）のような表現もあります。

　本問④の **competence** は、「人が必要なことを、申し分なくやれるだけの適性や技術を持っていること」を表します。**her competence for a task**（彼女の業務遂行能力）、**competence to handle the machine**（その機械を扱うのに必要な能力）のように、特定の仕事や業務をこなすだけの能力を一応備えていることを意味するだけで、あまり積極的に評価する感じがしない点が他の「能力・才能」系名詞との違いです。

　本問⑤の **talent** は、「特に音楽のような芸術的な分野の生まれつきの特殊な才能で、努力することでさらに発達させることができるもの」のことを表し、**develop her talent as a singer**（彼女の歌手としての才能を伸ばす）、**have an outstanding talent for composing music**（作曲の傑出した才能を持つ）などのように用いられます。さらに、**talent** を強めたのが **gift** で、「神様からのギフト（贈り物）」としての「生まれつきのもので、努力して身につけたものではない特殊な能力」

を表し、**have a gift for painting**（画才がある）、**a man of many gifts**（多才な人）のように用いられます。そしてさらに強めると**「生まれてから習得することなど不可能なほどの並外れて優れた天与の才能」**を表す **genius** へと高まり、**child genius**（天才少年）、**artistic genius**（天才画家）などのように用いられます。

一方、**talent** が主に「芸術系の才能」を表すのに対して、「特に頭脳的な能力や、精神的・身体的機能、さらには人の手腕や資力などの特殊な才能」には、**faculty for mathematics**（数学の才能）、**mental faculty**（知能）、**the faculties of sight and hearing**（視覚と聴力）、**a faculty of making friends easily**（すぐに友達を作れる能力）などのように **faculty** が用いられます。

その他にも「**能力・才能」系名詞**としては、**potential**（将来の可能性・潜在的能力）、**skill**（優れた腕前・技能）、**proficiency**（熟練・熟達した力）、**resources**（素早く頭を働かせて物事に対応できる能力）、**aptitude**（適性、素質）、**dexterity**（手際よく処理できる能力）、**expertise**（専門的技術、知識）などがあり、それぞれ **war potential**（戦力）、**the four skills of language learning**（言語学習の4技能＝リーディング、ライティング、リスニング、スピーキング）、**an English proficiency test**（英語実力テスト、英検）、**a woman of resources**（才覚のある女性）、**vocational aptitude**（職業上の適性）、**manual dexterity**（手先の器用さ）、**a man with expertise in marketing**（マーケティングの手腕のある人）のように用いられます。

一目でカンタン理解！ 「能力・才能」系名詞の使い分け **MAP！**

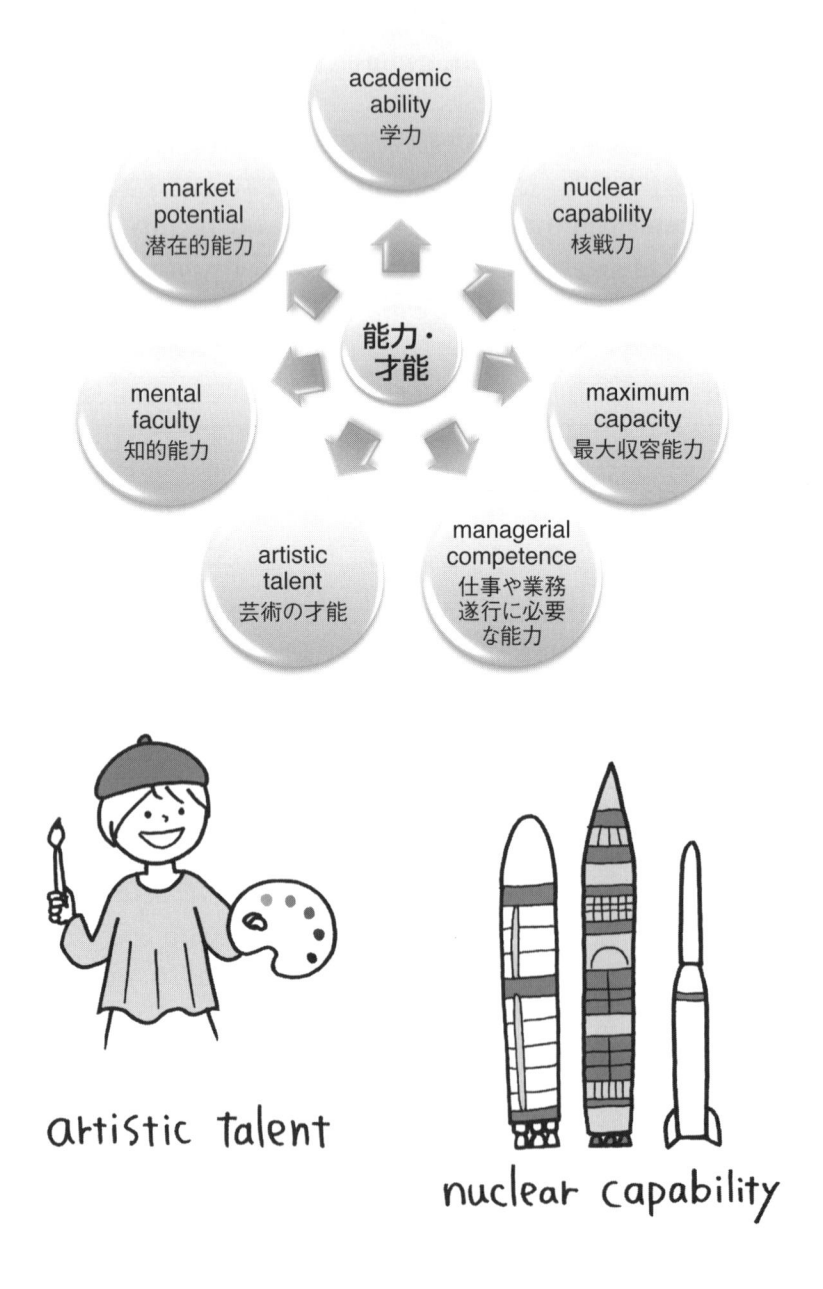

- academic ability 学力
- nuclear capability 核戦力
- market potential 潜在的能力
- maximum capacity 最大収容能力
- mental faculty 知的能力
- managerial competence 仕事や業務遂行に必要な能力
- artistic talent 芸術の才能

能力・才能

artistic talent

nuclear capability

「能力・才能」を意味する語のコロケーションを Check!

	cognitive	creative	mental	physical	artistic	nuclear
ability	◎	○	○	◎	○	×
capability	△	×	△	△	×	◎
capacity	○	△	◎	△	×	○
competence	△	×	×	×	×	×
talent	×	◎	×	×	◎	×
faculty	△	×	○	×	×	×

☞「能力・才能」系名詞のそれぞれのニュアンスによって、**cognitive ability [capacity]**（認知能力）、**creative ability**（創造力）、**creative talent**（創造的才能）、**mental ability**（知力）、**mental capacity**（意思能力、知能）、**mental faculty**（認識・理解力）、**physical ability**（身体能力）、**nuclear capability**（核戦力）、**nuclear capacity**（核保有力）のように用いられます。

ランク12 「考え」系名詞の使い分けをマスター！

> これが使い分けの決め手！
> idea, opinion, thought, view, concept, notion などさまざまな類語の使い分けをマスター！

Q：次の日本語を英語で言ってください。

① 私にいい考えが浮かんだけど、うまくいくか分からないなあ。
② 電話が鳴った時、彼は考えにふけっていた。
③ 私は教育の大切さについて強い考え（信念）を抱いている。
④ かなり考えたあとでその考え（個人的意見）に達した。
⑤ 私は彼の人生に対する考え（人生観）が好きではない。

[attitude / belief / idea / opinion / thought]

解答

① I've got a good **idea**, but I'm not sure it will work.
② He was lost in **thought** when the phone rang.
③ I have a strong **belief** in the importance of education.
④ I came to that **opinion** after considerable thought.
⑤ I don't like his **attitude** toward life.

使い分けのポイント

「考え」と言われてすぐに浮かぶのは **idea** や **thought** ですが、本問①の **idea** は、「ふと頭の中に浮かんでくる考えや、物事についての見解などの個人的な意見で、まだ完全にまとまっていないもの」を表す最も一般的な語で、**I have an idea that something good will happen today.**（今日は何かいいことが起こりそうな気がする）や、**Do you have any new ideas for your novel?**

314

（小説のための新しい考えは浮かびましたか）のように用いられます。

それに対して本問②の **thought** は、もともと **think**（思う）の名詞形で、**The mere thought of meeting him makes me happy.**（彼に会うと考えただけでうれしくなる）のように用いられますが、**idea** と違って、**I've given a serious thought to changing jobs.**（転職を真剣に考えた）、**scientific thought in the 21st century**（21世紀の科学思想）、**Tell me your thoughts on the matter.**（その件に関する君の意見を聞かせて欲しい）のように、「思考力に基づいてなされた理性的な思考や、思想や意見」、さらに、**Show more thought for others.**（他人をもっと思いやりなさい）のように「相手に対する配慮や思いやり」なども表します。

本問③の **belief** は、もともと **believe**（信じる）の名詞形で、**My belief is that the pen is mightier than the sword.**（ペンは剣より強し、ということが私の信念だ）、**I have strengthened the belief that knowledge is power.**（知識は力であるという私の確信はいっそう強まった）のように、「確実な証拠はなくても、自分が信じていることや確信を持っていること」を表します。

本問④の **opinion** は、「あることについて十分に考えた後に到達した判断で、絶対的な確信や裏付けはないが、自分が正しいと思う個人的意見」のことを表し、**There is a wide difference of opinion among experts.**（専門家の間でも大きな意見の違いがある）、**The students were eager to express their opinions.**（生徒たちは熱心に自分たちの意見を発表しようとした）のように用いられます。

本問⑤の **attitude** は、もともとは人物の「ポーズ、姿勢」を表し、そこから、「態度、心の持ち方、考え方」へと意味が拡大していきました。**his attitude toward work**（彼の仕事に対する考え方）のように「ある対象に対する心構えや、考え方」を表します。それに対して **mentality** は、**island-nation mentality**（島国根性）のように、主に悪い心構えに用います。

その他にも、「考え」系名詞としては、**assumption**（思い込み）、**notion**（漠然とした誤りを含むかもしれない考え）、**view**（個人的な価値判断）、**concept**（ある物に対する一般化された考え）、**conception**（物事に関する認識・理解）、**sentiment**（感情の混じった意見や感想）などがあり、それぞれ、**underlying assumption**（根底にある考え方）、**misguided notion of male superiority**（男性優位の誤った考え）、**his view on the new proposal**（新たな提案に対

する彼の見解)、**the concept of beauty**(美の概念)、**the Copernican conception of the universe**(コペルニクスの宇宙観)、**public sentiment against war**(戦争反対の国民感情)のように用いられます。

> 一目でカンタン理解！「考え」系名詞の使い分けMAP！

中心：考え

- abstract idea 抽象的な観念
- analytical thought 分析的な思考
- religious belief 宗教上の信仰心
- island-nation mentality 島国根性
- public opinion 世論
- discriminatory attitude 差別的態度
- critical view 批判的な物の見方
- popular notion よくある考え
- mathematical concept 数学的な概念

「考え」を意味する語のコロケーションを Check!

	general	careful	misguided	public	personal
idea	◎	×	○	△	×
thought	△	◎	△	△	○
belief	△	×	◎	△	△
opinion	○	×	△	◎	◎
attitude	△	○	×	△	△
notion	△	×	◎	×	×

☞ **general**（一般的な）では、「頭の中に浮かぶ考え」を表す **idea**、**careful**（注意深い）では「理性的な思考や意見」を表す **thought** の使用頻度が高くなります。一方、**public**（公の）や **personal**（個人的な）では、**public opinion**（世論）、**personal opinion**（私見）のように「自分が正しいと思う個人的意見」を表す **opinion** の使用頻度が高くなります。また、**misguided**（誤った）では、「信念」を表す **belief** や、「漠然とした考え」を表す **notion** の使用頻度が高くなります。

これもマスター 「事例」系名詞の使い分け

「事例」系名詞には、**case**（個々の具体的な場合）、**example**（ある物の性質や特徴を説明する典型的な代表例）、**instance**（説明や論証のために挙げられる事例、特に過去の出来事☞ example と違って必ずしも典型例や代表例である必要はない！）、**illustration**（説明の助けとなるように引用された実例や挿絵）、**sample**（全体の性質や特徴を示すために任意に選びだされた物や事例）、**specimen**（研究・発表や検査などのために採集された典型例や見本）などがあります。

それぞれ、**in such cases**（そのような場合には）、**Let's take Japan as an example.**（日本を例に取ってみましょう）、**several instances of cultural differences between Japan and America**（日本とアメリカが文化的に異なることを示すいくつかの事例）、**provide a graphic illustration of the fact**（事実を図解で説明する）、**a typical sample of Japanese craftworks**（日本工芸品の典型的な例）、**fossil specimens**（化石の標本）のように用いられます。

ランク13 「特徴・性格」系名詞の使い分けをマスター！

> これが使い分けの決め手！
> **personality, character, characteristic, property** の使い分けが基本！

Q：次の日本語を英語で言ってください。

① 彼は日本人の特徴（国民性）がよくわかっている。
② あなたは、強盗の身体的特徴を詳しく述べる必要がある。
③ 最新モデルの目玉となる特徴（特色）は何ですか。
④ 彼女はやさしくて親しみやすい人柄（人格）だ。
⑤ 物事がうまく行かないとイライラするのは人間の生来の性格（本性）だ。

[character / characteristic / feature / nature / personality]

解 答

① He knows the **character** of Japanese people very well.
② You need to describe the robber's physical **characteristics**.
③ What's the main **feature** of the latest model?
④ She has such a kind, friendly **personality**.
⑤ It's human **nature** to get upset when things go wrong.

使い分けのポイント

本問①の **character** はもともとギリシャ語で「印を刻む道具」の意味で、そこから **Each town has its own character.**（どの町にもそれなりの特徴がある）、**American national character**（アメリカ人の国民性）、**It's quite out of character for her to say such a thing.**（あんなことを言うなんて彼女らしくない）のように「人格」、さらには **a great historical character**（歴史上

319

の大人物)、**characters in a story**（物語の登場人物）のように「歴史上の人物や小説・漫画などの登場人物（キャラクター）」にまで意味が発展していき、「ある人や物が根本的に持っている独特の特徴・性格」という意味が生まれました。

それに対して、本問②の **characteristic** は、**The ability to speak is the distinguishing characteristic of man.**（言語能力はヒトの際立った特徴である）のように、「人や物についてすぐに目につく、あるいは常に心に浮かぶ特徴」のことで、**character** の「全体的なイメージ」に対して、**characteristic** は「もっと具体的な特質」のことを言います。

本問③の **feature** は、「呼び物や目玉商品になるような、人の注意を引いたり、人に注目されるほどの目立った特色や顔立ちや容姿」を表し、**The tall building has become a new feature of our city.**（高層ビルがその街の新たな呼び物となった）、**She has a face with clear-cut features.**（はっきりした目鼻立ちの顔をしている）のように用いられます。

本問④の **personality** は、もともとペルソナ（仮面）からできた言葉で、「他人との関わり合いで見せる個性や行動」を表わし、**She has an outgoing personality.**（彼女は積極的な性格だ）、**blood type-based personality analysis**（血液型性格分析）のように用います。

本問⑤の **nature** は、「人や動物の生まれつきの自然のままの性質、物や事柄が持つありのままの本質」を表し、**It is against human nature for a mother to hurt her child.**（母親が子供を傷つけるなんて人間性にもとる）、**He tried to write a book about the mysterious nature of love.**（彼は神秘的な愛の本質についての本を書こうとした）のように用いられます。

その他にも「特徴・性格」系名詞には、**property**（物質などの同種のものに共通した構成上の特性）、**trait**（生活・慣習の中で人に備わった特徴や、遺伝的に受け継がれた特徴）、**quality**（人が生まれながら持つ性質や物の品質）、**temper**（激しい怒りの感情など一時的な気分や、気性・気質）、**temperament**（人の行動や考え方に現れる、人の性格の基礎となる性質）、**individuality**（他と区別される、そのものだけが持つ際立った個性）、**attribute**（人や物がもとから当然備えているはずの資質・属性）などがあり、それぞれ、**physical properties of uranium**（ウラニウムの物理的特性）、**genetic trait**（遺伝的形質）、**improve the quality of life**（生活の質を向上させる）、**have a quick temper**（すぐにかっとなる）、**nervous temperament**（神経質）、**develop my individuality**

（自分の個性を伸ばす）、**attributes of a good teacher**（良い先生になるために必要な資質）などのように用いられます。

> 一目でカンタン理解！ 「特徴・性格」系名詞の使い分け **MAP**！

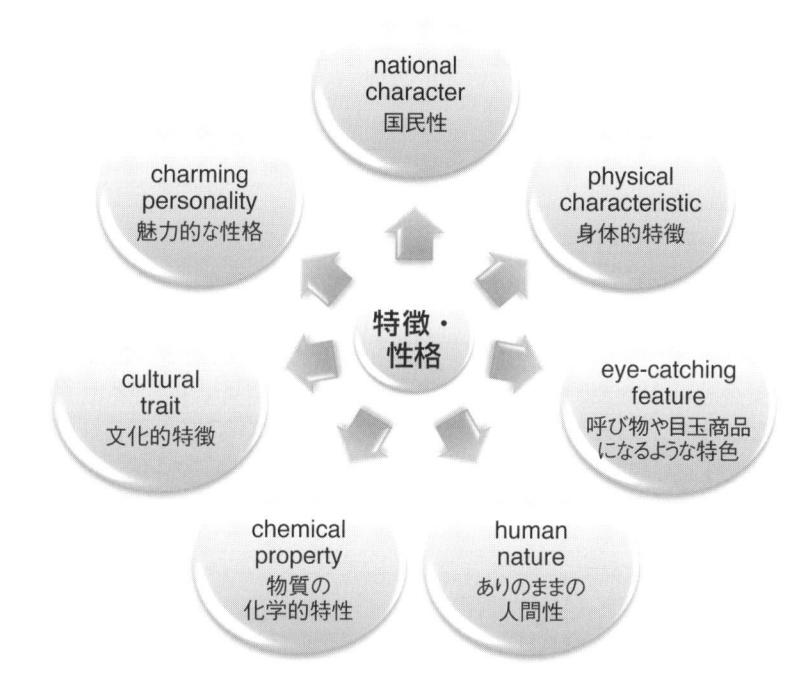

特徴・性格

- national character 国民性
- physical characteristic 身体的特徴
- eye-catching feature 呼び物や目玉商品になるような特色
- human nature ありのままの人間性
- chemical property 物質の化学的特性
- cultural trait 文化的特徴
- charming personality 魅力的な性格

「特徴・性格」を意味する語のコロケーションを Check!

	human	physical	gentle	attractive	local
character	○	△	△	○	◎
characteristic	○	◎	△	△	○
feature	×	○	×	◎	○
personality	○	×	○	○	×
nature	◎	△	◎	△	△
trait	○	△	×	×	×
property	×	○	×	○	△

☞ **human**（人間的な）や **gentle**（優しい）では「ありのままの本質」を表す **nature** が、**physical**（身体的・物理的な）では「すぐに目につく具体的な特質」を表す **characteristic** が、**attractive**（魅力的な）では「呼び物や目玉商品となるような特色」を表す **feature** が、**local**（地方の）では「他と区別される全体的な特徴」を表す **character** の使用頻度が高くなっています。

charming personality

chemical property

ランク 14 「心・感情」系名詞の使い分けをマスター！

> これが使い分けの決め手！
>
> **mind, heart, feeling, emotion, spirit** の使い分けが基本！

Q：次の日本語を英語で言ってください。

① そのかわいそうな動物たちのことを考えると私の心は痛んだ。
② 良書を読んで心を磨きたい。
③ 彼の何気ない一言がしばしば彼女の感情を傷つけてしまう。
④ 彼女は聴衆に向かって感情を込めて話した。
⑤ 学生たちの間では反戦感情が高まっている。

[**emotion / feeling / heart / mind / sentiment**]

解 答

① My **heart** ached at the thought of the poor animals.
② I want to cultivate my **mind** by reading good books.
③ His casual remarks often hurt her **feelings**.
④ She spoke to the audience with **emotion**.
⑤ There is a growing anti-war **sentiment** among students.

使い分けのポイント

　「心」と言われてすぐに思い浮かぶのは **heart** や **mind** や **soul** や **spirit** などでしょう。単純に分類すると、「**感情**」は **heart**、「**理性、知性**」は **mind** ですが、**mind** は感情をコントロールし、言葉を通して思考する知的プロセスをも表します。また、「**魂、気迫**」は **soul** や **spirit** ですが、**heart** はウォームな文系的イメージ、**mind** はクールな理系的イメージ、**soul** や **spirit** はガッツあふれる体

育会的なイメージがします。

　もっと詳しく見てみると、本問①の **heart** は、もともとは「心臓」を表す言葉ですが、「喜怒哀楽を感じる心」の意味も持ち、**heart-warming experience**（心あたたまる経験）、**a broken heart**（絶望や失恋などで打ちひしがれた心）、**a man of heart**（情のある人、人間味のある人）、**give her entire heart to him**（彼に彼女のすべての愛情をそそぐ）、**talk with him heart to heart**（彼と腹を割って話す）などのように用いられ、「人間的な気持ちの面に重点を置いた語」です。

　それに対して本問②の **mind** は、**Use your mind, not your heart.**（感情に流されず、冷静に考えよ）という言葉から明らかなように、「思考したり判断したり学んだりする心」を表します。**an open-minded person**（偏見のない人）、**a scientific mind**（科学的な考え方）、**have a sharp mind**（頭が切れる）、**lose my mind**（正気を失う）のように用いられる「頭の働きや知的活動に重点を置いた語」です。

　soul は、もともと **Our body decays but our soul survives.**（肉体は朽ちても魂は死なない）のように「物理的存在としての肉体（body）と対比される、精神」を意味する語です。「死後も滅びないとされる霊魂」を表し、そこから意味が拡大して「人間としての本質的な部分、生命、魂、生気」を表し、**I gave body and soul to my work.**（私は仕事に全身全霊をそそいだ）、**Your singing lacks soul.**（君の歌い方は心がこもっていないよ）のように用いられます。

　さらに **spirit** は、もともとは、「神が吹き込んだとされる生命の息吹」の意味で、「生命の原動力となるような元気、活力、気迫、心構え」を表し、**the frontier spirit**（フロンティア精神）、**fighting spirit**（闘志、闘魂）、**the spirit of independence**（独立心）、**That's the spirit!**（その調子だ）のように用いられます。**soul** と対比すると、**spirit** は成仏していない幽霊、**soul** は成仏した霊魂とも言えます。

　一方「感情」と言われてすぐに思い浮かぶのは **feeling** や **emotion** ですが、まず本問③の **feeling** は、「理性（reason）や判断力（judgment）と対比される、感情」を表す最も一般的な語で、**experience a feeling of inferiority**（劣等感を味わう）、**have mixed feelings about her marriage**（彼女の結婚について複雑な気持ちになる）、**I know your feelings.**（お気持ちはわかります）のように「ある特定の状況下での感覚や気持ち」を表現します。

　それに対して本問④の **emotion** は、**feeling** が強められ、あらわになったも

ので、「人の態度に現れるほどの喜び・怒り・愛情・憎しみなどの強い感情」を表します。**human emotions**（人間としての感情）、**suppress my emotions in public**（人前では感情を表に出さない）、**touch his emotions**（彼を感動させる）のように用いられ、「心身の動揺を伴う人の喜怒哀楽」を表現します。

　さらに本問⑤の **sentiment** は、「思考と感情が入り混じった意見や感想」の意味で、**patriotic sentiment**（愛国心）、**a public sentiment that the Prime Minister should resign**（首相は辞任するべきだという世論）、**have hostile sentiments towards him**（彼に敵意を抱く）、**"My sentiments exactly!"**（私もまったく同感です）のように用いられます。

　その他にも、**「心・感情」系名詞**には、**sense**（感覚、意識）、**sensibility**（繊細な感受性、刺激などに対する敏感さ、傷つきやすい感情）、**passion**（激しい感情、理性で抑えきれないほどの強い emotion）、**temper**（激しい怒りの感情など一時的な気分や、気性・気質）などがあり、それぞれ、**a sense of responsibility**（責任感）、**the sensibility of a poet**（詩人の感受性）、**passion for music**（音楽に対する熱意）、**have a short temper**（怒りっぽい）などのように用いられます。

一目でカンタン理解！ 「心・感情」系名詞の使い分け MAP！

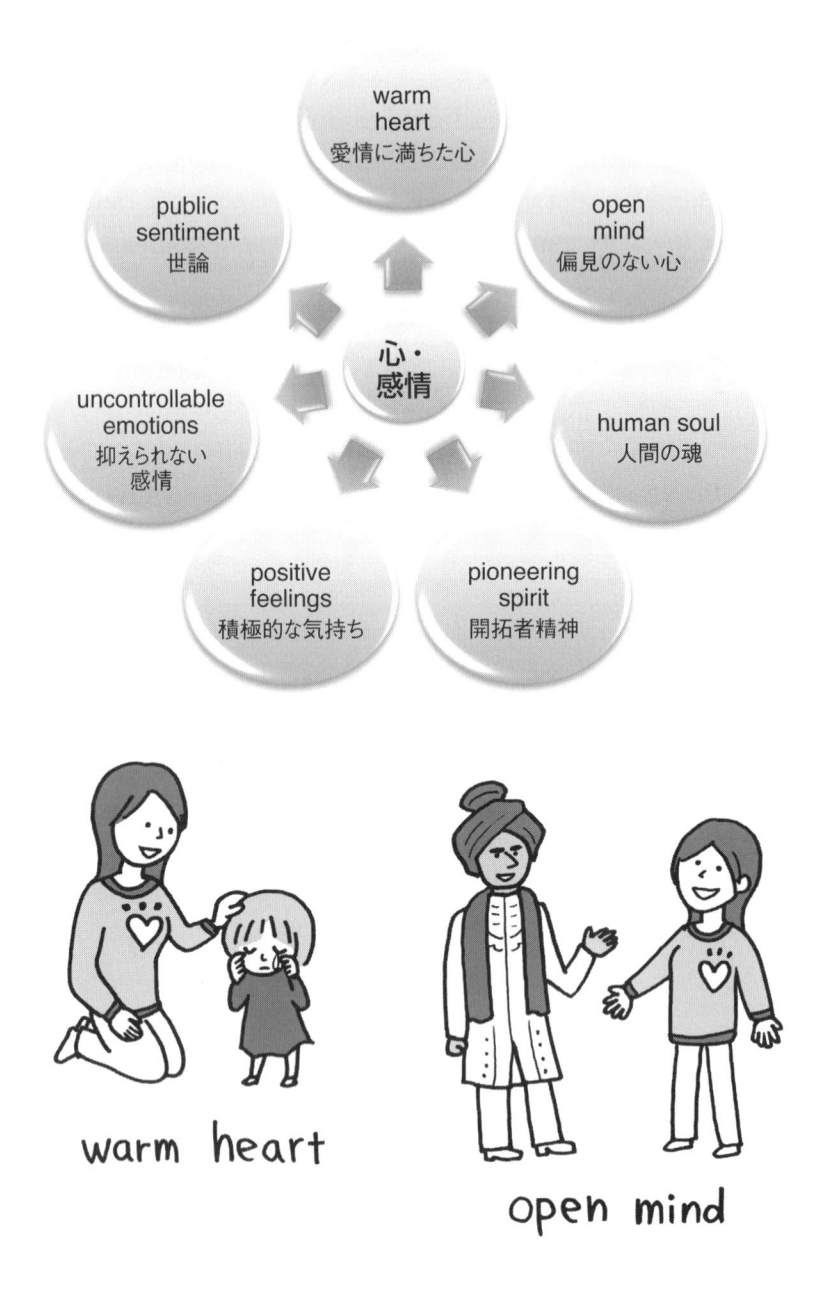

- warm heart 愛情に満ちた心
- open mind 偏見のない心
- human soul 人間の魂
- pioneering spirit 開拓者精神
- positive feelings 積極的な気持ち
- uncontrollable emotions 抑えられない感情
- public sentiment 世論

中心: 心・感情

warm heart

open mind

「心・感情」を意味する語のコロケーションを Check!

	pure	open	mixed	positive	evil	public
heart	◎	◎	×	×	○	△
mind	△	◎	×	◎	○	◎
feeling	△	△	◎	◎	△	○
emotion	○	×	○	◎	×	×
spirit	○	×	×	○	◎	◎
soul	○	×	×	△	○	×
sentiment	×	×	×	○	×	◎

☞ **pure** では **pure heart**(純真で清らかな心)が、**open** では **open heart**(打ち解けた心、親切な心)と **open mind**(広い心、偏見のない物の見方)[☞ **mind** の方が約 1.5 倍多い]が、**mixed** では **mixed feelings**(複雑な思い)と **mixed emotions**(入り組んだ感情)[**feelings** の方が約 7 倍多い]が圧倒的に使用頻度が高くなります。さらに **positive** では **positive feelings**(前向きな気持ち)と **positive mind**(実際的な人、物事を現実的にとらえる人)と **positive emotions**(肯定的な感情)が同程度に、**evil** では **evil spirits**(悪霊)が最も多く用いられ、**public** では **public sprit**(公共心)> **public mind**(大衆の心)> **public sentiment**(世論)の順に多く用いられています。

これもマスター 「過ち」系名詞の使い分け

「過ち」系名詞には、**mistake**（ちょっとした不注意や誤解などから生じる比較的軽い誤りを表す最も一般的な語）、**error**（基準や正解からはずれてしまうことで生じる誤りで、真実・正義・正確さなどから逸脱する点でmistakeよりもやや非難の度合いが高く、道徳上の誤りにも用いられる）、**fault**（非難の対象となるほどではないが、落ち度や過ちに対して取るべき責任）、**slip**（あわてたり、不注意だったために犯す小さな誤り）、**blunder**（不注意や無知から生じるぶざまな大失態やへま、さらに政治や外交上の失策）などがあり、それぞれ、**I took her umbrella by mistake.**（私は誤って彼女の傘を持っていった）、**The accident was caused by an error of judgment on the part of driver.**（その事故は運転手側の判断の誤りで生じた）、**He often makes a slip of the tongue in his speech.**（彼はよく演説中に失言をする）**It's your fault that we are late.**（私たちが遅れたのは君のせいだ）、**He committed a grave diplomatic blunder.**（彼は重大な外交上の失策を犯した）のように用いられます。

ランク15 「状況・環境」系名詞の使い分けをマスター！

> これが使い分けの決め手！
> **situation, circumstance, condition, environment** の使い分けが基本！

Q：次の日本語を英語で言ってください。

① 私は困難な状況（立場）に陥ったことに気づいた
② 彼はまだ病院で危篤の状態にある。
③ 私たちは周囲の状況（事情）に応じて計画を変えなければならない。
④ この学校の生徒たちは快適な学習環境で教育を受けている。
⑤ 彼女は難なく新たな（周りの）環境になじんだ。

[environment / circumstances / condition / situation / surroundings]

解 答

① I found myself in a difficult **situation**.
② He remains in a critical **condition** in the hospital.
③ We must change our plan according to the **circumstances**.
④ Students in this school are taught in a pleasant learning **environment**.
⑤ She adapted effortlessly to her new **surroundings**.

使い分けのポイント

　本問①の **situation** は、もともと situ（場所＝site）＋ ate（〜する）というつくりの **situate**（場所に置く）の名詞形で、**He was in a very difficult situation.**（彼はとても困難な状況にあった）のように「特定の時や場所における自分の立

場」、**ease the housing situation**（住宅事情を緩和する）、**get out of the dangerous situation**（危険な状況から抜け出す）、**choose the best method depending on each situation**（その場その場の状況に応じて最善の方法を選ぶ）のように、「自分の置かれた事態との関係」に重点を置きます。

　本問②の **condition** は、**in a comatose condition**（危篤状態に陥って）、**wartime conditions**（戦争状態）のように「ある原因によって生じる特殊な状態」や、**conditions of success**（成功するための条件）のように「ある状況を生み出すための条件」を表し、さらに **in tip-top condition**（絶好調で）、**in poor health condition**（不健康な状態で）、**better living condition**（生活状況を良くする）、**improve the bad working conditions**（劣悪な労働条件を改善する）のように「すぐに良い・悪いなどの判断ができるような一時的な状態」を表します。

　本問③の **circumstance** は、**circum**（周りに）＋**stance**（立つ）というつくりからわかるように、「周囲に立つもの」という意味で、そこから、**Under the circumstances, we can't do other than wait and see.**（こうした（周りの）状況では、我々は成り行きを待つしかない）のように、「周囲の状況・事情や、今周りで起こっている出来事」を表します。そして、**Man is the creature of circumstances.**（人間は周りに左右される動物だ）、**Circumstances made us change our plan.**（事情があって我々は計画を変えなければならない）、**He lives in bad circumstances.**（彼は貧しい暮らしをしている）のように「人の行動や活動に影響を及ぼしたり、制約を加えるような出来事や経済状況」などの意味で用いられます。

　本問④の **environment** は、**en**（中に）＋**viron**（輪）＋**ment**（状態）というつくりからわかるように、「輪の中にいる」という意味で、そこから、**promote recycling to protect our environment**（環境を守るためにリサイクルを促進する）、**pollute the environment**（環境を汚染する）のように、「空気・水・土地・植物など、身の周りに存在する自然環境」を表し、さらに、**a happy home environment**（幸せな家庭環境）、**a pleasant working environment**（快適な仕事環境）、**a good cultural environment**（文化的に恵まれた環境）のように、「人々の考え方・感情・暮らしなどに対して、精神的・社会的・文化的な影響を及ぼす周りの環境」も表します。

　ちなみに、**economic situation** が、「その国の経済が現在置かれている経済情

勢で、今後の展開が注目される状況」、**economic condition** が「将来発展していくための経済的条件や、ある原因によって生じた一時的な経済状況」といった感じになるのに対して、**economic environment** は、「人々の生活や社会に長期にわたって影響を与える経済的背景」を意味します。

本問⑤の **surroundings** は、**sur**（上に）＋**roud**（回る）というつくりの **surround**（周りを囲む）の名詞形で、「人や場所を取り巻く物理的・地理的な環境」を表し、**live in beautiful surroundings.**（美しい環境に囲まれて暮らす）、**adapt easily to new surroundings**（新しい周りの環境にすぐに慣れる）、**be aware of my surroundings**（周囲の目を意識する）のように用いられます。

その他にも「状況・環境」系名詞には、**state**（あるものを取り巻くあるがままの状態）、**status**（社会的・法的・職業的な要因によって決まる状態）、**context**（前後の状況や事件などの背景）、**scene**（事件などの現場の状況、場面）、**setting**（何かをするために用意された好都合な環境）、**backdrop**（事件などの背景）、**climate**（ある特定の時代や場所における傾向や風潮）、**milieu**（社会的・文化的環境）、**atmosphere**（場所などが持つ独特な雰囲気やムード）、**aura**（人などから発散される雰囲気、輝かしさ）などがあり、それぞれ、**the state of the world today**（今日の世界情勢）、**the status of a teacher**（教師の身分）、**see the event in a historical context**（その事件を歴史的状況を踏まえて検討する）、**It was a scene of complete devastation.**（それは全く壊滅的な状況だった）、**Rome is the perfect setting for romance.**（ローマは恋に落ちる最高の環境だ）、**The election will take place against a backdrop of increasing instability.**（不安定な状態が高まりつつある状況をうけて選挙は行われるだろう）、**The economic climate of the country remains uncertain.**（その国の経済状況はまだ不確実のままだ）、**They stayed safe and happy within their own social milieu.**（彼らは自分たちの社会環境の中で安全で幸せだった）、**There's still an atmosphere of great hostility and tension in the city.**（町にはまだ敵意と緊張に包まれた雰囲気が漂っている）、**She had an aura of authority.**（彼女は威厳ある雰囲気を醸し出していた）のように用いられます。

一目でカンタン理解！ 「状況・環境」系名詞の使い分けMAP！

状況・環境

- life-or-death situation
  生死を分ける状況
- working conditions
  労働条件
- changing circumstances
  変わりゆく事情
- natural environment
  自然環境
- new surroundings
  取り巻く新たな環境
- cheerful atmosphere
  明るい雰囲気
- historical context
  歴史的経緯

working conditions

cheerful atmosphere

332

「状況・環境」を意味する語のコロケーションを Check!

	natural	social	physical	economic	working
situation	△	○	△	◎	×
conditions	○	◎	◎	◎	◎
circumstances	△	○	△	△	×
environment	◎	◎	○	○	◎
surroundings	○	△	△	×	×

☞ **natural**（自然環境）では「精神的・社会的・文化的影響を及ぼす環境」を表す **environment** が「ある出来事と因果関係を持つ特殊な状況」を表す **condition** よりも多く用いられ、**social**（社会環境）ではほぼ同程度に用いられていますが、**physical**（物理的環境、身体的状況）や **economic**（経済的条件）になると **condition** の使用頻度の方が **environment** よりも高くなります。

著者略歴

植田 一三（うえだ いちぞう）

英語の最高資格7冠突破校Aquaries School of Communication学長。英語の百科事典を10回以上読破し、辞書数十冊を制覇し、洋画100本以上の全せりふをディクテーションするという「超人的」努力を果たす。ノースウェスタン大学院・テキサス大学院（コミュニケーション学部）を修了し、同大学で異文化間コミュニケーションを1年間指導。Let's enjoy the process!（陽は必ず昇る）をモットーに、31年の教歴において、英検1級合格者を1600人以上、資格3冠（英検1級・通訳案内士・TOEIC 980点）突破者を200名以上育てる。主な著書に、『英検1級100時間大特訓』、『英語で経済・政治・社会を討論する技術と表現』、『発信型英語スーパーボキャブラリービルディング』、『TOEIC TESTこれ1冊で990点満点』、『英語で説明する科学技術』、『英語で説明する日本の文化』などがある。

長谷川 幸男（はせがわ ゆきお）

早稲田大学卒業後、一流大学受験指導の20年近い経験を活かし、受験英語と実用英語を融合させた『実戦英語』を確立する。またアクエアリーズでTOEIC・通訳ガイド対策講座講師を務めるとともに、『スーパーレベルパーフェクト英文法』、『英語で経済・政治・社会を討論する技術と表現』（ベレ出版）、『Global Dynamics 世界情勢を英語で読む』、『Pros and Cons 賛否両論の社会問題を考える』（CENGAGE Learning）、『TOEIC TEST これ1冊で990点満点』（明日香出版社）などの執筆・翻訳を担当する。英検1級、通訳案内士、観光英検1級などを取得。

Michy 里中（さとなか）

アクエアリーズ英検1級講師。ビジネス会議通訳者。ロサンゼルスで長期に渡りビジネス通訳業務に携わり、アパレル業界の通訳・翻訳業も約10年間携わる海外での仕事経験豊富なバイリンガル。同志社大学や大手企業でのTOEIC講座やビジネス英語指導経験も豊富。最近は歴史文化財の英文翻訳業も精力的にこなす。主な著書に『英会話フレーズ大特訓ビジネス編』（Jリサーチ出版）、『21日で速習！社内公用語の英語の重要表現600』（明日香出版社）がある。

発信型英語　類語使い分けマップ

2015年 2月25日	初版発行
2021年 1月 2日	第7刷発行

著者	植田　一三・長谷川　幸男・Michy　里中
カバーデザイン	赤谷　直宣
本文イラスト	村山　宇希

© Ichizo Ueda 2015. Printed in Japan

発行者	内田　真介
発行・発売	ベレ出版
	〒162-0832 東京都新宿区岩戸町12 レベッカビル
	TEL (03) 5225-4790
	FAX (03) 5225-4795
	ホームページ　http://www.beret.co.jp/
	振替 00180-7-104058
印刷	株式会社　文昇堂
製本	根本製本株式会社

落丁本・乱丁本は小社編集部あてにお送りください。送料小社負担にてお取り替えします。
本書の無断複写は著作権法上での例外を除き禁じられています。
購入者以外の第三者による本書のいかなる電子複製も一切認められておりません。

ISBN978-4-86064-425-3 C2082　　　　　　　　編集担当　脇山和美

Aquaries School of Communication

日本唯一の英語最高資格７冠突破＆英語教育書ライター養成校

英検１級合格者1700名・TOEIC満点突破100名・工業英検１級合格・国連英検特Ａ合格・英米一流大学院奨学金取得者すべて全国第一位！

横浜・名古屋ブランチオープン全国ブランチ募集中！

【アクエアリーズ通学・通信講座】

英検１級突破講座
英検１級指導研究31年の実績！最高のカリキュラム教材＆講師陣で優秀合格者全国No.1！

工業英検１級突破講座
日英翻訳やビジネス文書・サイエンス論文などの英文ライティングスキルを最も効果的に習得するための講座

iBT TOEFL & IELTS集中講座
少人数制の個別添削方式で一流大学に必要なスコアを最短距離でGET！

通訳案内士試験突破講座
通訳案内士試験に余裕合格でき、日本のことを英語で何でも表現できるスキルを身につける講座

英検１級２次試験突破講座
社会問題に関するスピーキング力・エッセイライティング力が生まれ変われる講座

英検準１級突破講座
最短距離で準１級＆TOEIC 860点をGETし、英語の発信力＆キャリアワンランクUP！

【アクエアリーズの主なe-learning講座】

英検１級語彙力UP講座
英検１級・TOEIC990点・iBT110点・IELTS8.5点・GRE700点を突破できる１万５千語水準ボキャビルディング

英検準１級語彙力UP講座
英検準１級・TOEIC860点・iBT90点・IELTS 7点・超難関大学入試を突破できる７千語水準ボキャビルディング

iBT TOEFL・IELTS対策講座
スコアUP問題攻略法を伝授すると同時に、留学しても困らない英語発信力を身につける講座

☆詳しくはホームページをご覧下さい。

http://www.aquaries-school.com/　e-mail: info@aquaries-school.com

※お問い合わせ、お申し込みはフリーダイヤル　0120-858-994

Ichay Ueda 学長 Aquaries School of Communication

東京・横浜・名古屋・大阪・京都・姫路　受付中